**좋아하는 그림을 벽에 걸듯,
좋아하는 드라마를 머리맡에 놓아둘 수 있다면**

마음을 어루만졌던 드라마는 오래도록 남아 어느 허하고 고된 날
문득 위로로 다가오곤 합니다. 그러다 자연히 내 삶에 의미를
남긴 드라마가 방 안 소중한 곳에 놓여 있는 모습을 상상했습니다.
인생드라마 작품집은 그렇게 기획되었습니다.

시의성에 얽매이지 않고 가치에 더 집중한 작품과 감정의 물결을
다시 일으킬 밀도 있는 이야기들을 한 권의 책에 담고자 합니다.
그리고 이에 걸맞은 아름다운 물성을 더해 작품을 소장하고
간직하는 기쁨을 선사하고자 합니다. 인생드라마 작품집이 뭉근히
독자에게 가닿는 책이 되길 기대합니다.

나의 아저씨 1

일러두기

1   이 책의 편집은 드라마 대본 집필 형식을 최대한 따랐습니다.
2   단어, 표현, 구두점 등이 표준한국어맞춤법과 다르더라도 입말 표현을 살렸습니다.
3   이 책은 방송 전 집필한 대본으로 연출에 의해 방송된 영상물과 다소 차이가 있습니다.

인생드라마
작품집
시리즈

뿌에요

나의 아저씨

용어 정리

S#   Scene. 신. 같은 시간, 장소에서 상황이나 행동, 대사, 사건이 나타나는 한 장면을 의미합니다.

E.   Effect. 화면 밖의 소리를 나타냅니다.

F.   Filter. 필터를 통과한 소리로, 대개는 통화 중에 상대방의 소리를 나타낼 때 씁니다.

OL.   Over Lap. 현재 장면과 다음 장면이 겹쳐지는 효과, 앞 사람의 대사가 끝나기 전에
시작한다는 의미입니다.

INS.   Insert. 신 안에서 다른 신을 넣을 때 사용합니다.

Cut To.   신 내에서 화면이 전환될 때 사용합니다.

몽타주   편집된 장면들을 짧게 끊어 붙여서 의미를 전달하는 화면을 말합니다.

차례

나의 아저씨

음악가 류이치 사카모토

이 드라마를 떠올리는 것만으로도 눈물샘이 느슨해진다.
세상에 동훈만큼 성실한 남자가 있을까. 물론 드라마란 픽션이기에 어떤 식으로든
그려낼 수 있다. 따라서 이 이야기는 비현실적일지도 모른다.
그런데도 「나의 아저씨」가 이토록 우리의 마음을 두드리는 이유는 무엇일까.

동훈은 매일 오가는 출퇴근길 지하철에서 내 옆에 서 있어도 이상하지 않을 정도로
가깝게 느껴지는 존재이면서도, 그 어느 누구에게도 찾아보기 힘든 성실함을 보여주는
사람이다. 우리 모두가 바라지만 현실에서는 본 적 없는 마음의 경지.
이 드라마에서 좀처럼 잊히지 않는 것이 있다면, 바로 동훈과 형제들이 사는 동네의
따뜻함이다. 이 또한 우리 모두가 동경하지만 현실에서는 찾아볼 수 없는 것.
이것들이 아주 현실적으로 그려져 있다는 점은 상당히 아이러니하다. 아주 가까이
있을 것 같지만 손에 닿지 않는 현실. 판타지.
그렇다, 이 드라마는 어른을 위한 판타지다. 대본을 읽은 독자라면 누구나 후계동
정희네에서 함께 어울리고 싶다는 생각이 들 것이다.

「나의 아저씨」 OST는 전체적으로 간결하고 적절히 균형을 유지하면서 인물 각각의 심리를
잘 표현하고 있다. 특히 손디아 「어른」은 지안의 존재가 마음의 감정선을 타고 흐른다.
고독과 허무, 무너져버릴 것 같은 현실 그리고 한 줄기의 소망이 오롯이 와닿는다.

몇 번이고 다시 보고 싶어지는 명작이다.

추천의 글

My Mister

音楽家 坂本龍一

このドラマのことを思い出すだけで涙腺が緩んでしまう。

世の中にドンフンほど誠実な男がいるだろうか。

もちろんフィクションだからどんな風にも描くことができる。

このストーリーは非現実的かもしれない。

それなのに僕たちの心をうつのだ。なぜだろう？

ドンフンはまるで日々の出勤の地下鉄の中で隣に立っていてもおかしくないほど僕たちに近い
存在でありながら、誰もがとうていなし得ない誠実さを示す。僕らがみな望んでいるのに、現実に
は見たことのない心の境地。

そして忘れてはならないのはドンフンの兄弟たちと彼が住む町の人々の暖かさ。やはりこれも僕
たちの多くが憧れているが現実には得られないものだ。しかもそれがとても現実的に描かれてい
るのがアイロニカルだ。とても近くにありそうで、手に届かない現実。ファンタジー。

そう、このドラマは大人へのファンタジーなのだ。ドラマを見た誰もがあの町のあの酒場の仲間に
なりたいと思うだろう。

OSTは全体に簡潔でバランスをもちながら、それぞれのキャラクターの心理をよく表現していると
思う。Sondiaによる主題歌はジアンの存在と心に寄り添って歌われる。孤独と虚無と壊れそうな
現実と、そして一縷の望みがよく表現されている。

何度も観たくなる名作だ

등장인물

동훈네

박동훈 (45세) | 이선균

"인생도 어떻게 보면 외력과 내력의 싸움이야.
무슨 일이 있어도 내력이 세면 버티는 거야."

건축구조기술사. 순리대로 인생을 살아가며 절대 모험하지 않는 안전제일주의.

눈에 띄는 게 불편하고, 나대는 재주 없는 성품. '이만하면 됐다.' 한직인 안전진단팀으로 밀려났어도, 대학 후배가 대표이사로 머리 위에 앉아 있어도 이만하면 됐다. 아내는 동훈의 이 말에 차가운 얼굴을 했다. '그래. 넌 됐다 쳐라. 난 아니다'라며 아이를 낳자마자 사법고시에 붙었고, 아들도 만리타향으로 조기유학 보냈다. 그래도 아내가 돈을 잘 버니 이만하면 됐다. 인생 내리막길을 달리고 있는 형과 동생이 있지만, 여전히 즐겁다고 낄낄대는 속없는 인간들이라 고맙고 다행이다. 그래, 이만하면 됐다.

그런데 이상한 애가 동훈을 뒤흔든다. 거칠고 무모한 스물한 살의 지안. 지안의 말은 거침없다. 칼로 푹 찌르고 들어오듯 서늘하다. 하지만 지안은 동훈의 인생을 아는 것 같다. 동훈이 어디에 눈물이 나고, 마음이 고요해지는지. 나이 마흔다섯에, 처음으로 발견된 길가의 꽃이 된 기분….

'위험한 아이다. 조심하고, 또 조심하자!'

변요순 (73세, 삼 형제의 모친) | 고두심

"나이 오십도 안 된
아들 둘, 집에서 삼시 세끼 밥 먹일 줄 누가 알았어!"

억척스럽고 생활력이 강하다.

품을 떠나본 적 없는 막내 기훈이만 치우면 될 줄 알았더니, 큰아들 상훈이가 늘그막에 빈털터리로 여편네에게 쫓겨나 집으로 들어왔다. 마흔 넘은 아들 둘이 집에 있으니 열이 뻗쳐 욕 한 바가지 퍼붓다가도 삼시 세끼 따뜻한 밥은 해 먹이는 엄마.

철부지 아들 둘이 추레하게 혼자 늙을까 걱정이 태산. 죽기 전에 아들들이 제 짝이랑 우애 좋게 사는 것을 보고 죽어야 눈이 감길 텐데. 그러나 사실 생전 말없이 묵묵히 뒤치다꺼리하는 둘째 동훈을 가장 안쓰러워한다.

박상훈 (49세, 동훈의 형) | 박호산

"반세기를 살았는데 기억에 남는 게 없어….
만들라구, 기억에 남는 기똥찬 순간."

가장 먼저 중년의 위기를 맞은 맏형.

이십이 년 다닌 회사에서 잘리고, 장사 두 번 말아먹어 신용불량자 되고, 여기저기 몸 성한 곳도 없는데다, 매일 이혼 서류에 도장 찍으라고 악악대는 아내까지. 인생 초고속 내리막길.

그래도 여유와 웃음을 잃지 않는다. 여전히 술은 맛나고, 평생 술값 책임지겠다는 동생에, 평생 심심하지 않게 구박해주는 막내 동생이 옆에 있으니까. 그리고 욕은 해대지만 삼시 세끼 뜨끈한 밥해주시는 노모도 계시니까. 인생에 돈은 없지만 재미는 있다.

늘 웃는 상훈이지만 내 인생이 맥없이 저무는 건가, 하는 고민은 있다. 자신에게도 꿈이 있었던가. 그래서 결심한 것, 인생에 적어도 일주일은 영화처럼 살아보기. 삼 형제가 검은 슈트, 검은 라이방, 검은 벤츠 타고 푸른 바다 보이는 호텔 스위트룸에! '크크크, 생각만 해도 멋지다!'

11

박기훈 (42세, 동훈의 동생)　|　송새벽

"내가 막 사는 것 같아도
오늘 죽어도 쪽팔리지 않게! 비장하게 살어."

한때는 천재로 추앙받던 영화계의 샛별, 현재는 형인 상훈과 함께 형제 청소방의 동업자. 오랜 꿈을 포기했지만 자신에게만큼은 당당하고 싶은 막내. 욱하는 성격의 소유자.

스무 살에 찍은 독립영화로 칸 영화제까지 갔는데, 첫 끗발이 개끗발이라고 이십 년째 영화감독 데뷔 중. 오래 공들인 시나리오를 넘겼는데 선배 감독이 연봉 오백에 또 조연출 하라던 날, 울분에 차 선배에게 주먹을 날리고 오래도록 꿈꿔온 영화판을 깡그리 단념했다.

그렇게 먼지 뒤집어쓰고 계단 청소를 하는데, 첫 장편 데뷔작이 될 뻔했던 영화의 여주인공을 만난다. 연기를 더럽게 못해 기훈이 죽어라 구박했던, 급기야는 기훈의 영화를 엎어지게 만들었던 여자. 그런데 그녀는 기훈을 반가워한다. 이럴 사이가 아닌데. 그리고 해맑은 얼굴로 기훈에게 망해줘서 고맙단다. 화가 뻗치다가도 자꾸만 자신을 챙기는 행동이 수상하다. '얘 뭐니?'

강윤희 (42세, 동훈의 아내)　|　이지아

"당신 보면 짠하다가도 울화통 터져. 밖에 나가서 좀 봐!
딴 남자들 당신 나이에 어떻게 하고 사나 좀 보라고!"

아이 낳고 돌 되던 해에 사법고시에 패스할 정도로 의욕적인 여자. 직업은 변호사.

박동훈과는 대학 때부터 오래 사귀었고, 사람 됨됨이가 좋아 결혼했다. 그런데 이 남자, 인생이 너무 빤하다. 여자 아무리 잘나봤자 남편 평판 밑이라고, 아무리 애써봤자 자신은 그저 평범한 만년부장의 아내다. '이렇게 살고 싶지 않은데…'

남편을 다그쳐도 봤지만 소용없다. 그 어느 곳에도 마음 쏟지 못하고, 여기는 자기 세상이 아니라는 듯 멍한 얼굴. 그러면서도 가족에 대한 의무는 성실하게 다하는 답답한 인간. 짠하다가도 울화통이 터진다. 애초부터 그의 인생에 자신은 일 순위가 아니었다. 자신으로 인해 절대 행복해질 수 없는 사람. 그래서 동훈을 포기했다.

조애련 (45세, 상훈의 아내) | 정영주

"징글징글한 삼 형제. 니들 사귀지?
사귀지 않고서야 이렇게 맨-날 붙어 다닐 순 없어."

여자 나이 마흔다섯, 거울 보기도 싫어지는 타이밍. 이럴 때 돈 많은 중년들은 젊음 유지보다 고가의 명품으로 품위 유지에 신경 쓰는데, 돈이 없으니 속수무책이다. 가장 많은 돈이 필요한 나이에 빈털터리가 됐다.

남편이란 인간은 다 망해먹고, 울어도 시원찮을 판에 매일 형제들하고 술 마시고 낄낄낄. 진절머리 나서는 매일 갈라서겠다고 악쓰다가도 집안 행사는 꼬박꼬박 챙기는 책임감 있는 맏며느리.

지석 (12세)

동훈과 윤희의 아들. 홀로 미국에 조기 유학 떠난 상태다.

지안네

이지안 (21세) | 이지은

"내가 어떤 앤지 알고도 나랑 친할 사람이 있을까?"

차가운 현실을 온몸으로 버티는 거친 여자.

여섯 살에 병든 할머니와 단둘이 남겨졌다. 꿈, 계획, 희망 같은 단어는 쓰레기통에 버린 지 오래. 버는 족족 사채 빚을 갚고 있다. 그래서 하루하루 닥치는 대로 일하고, 닥치는 대로 먹고, 닥치는 대로 산다. 일생에 지안을 도와줬던 사람이 없었던 것은 아니다. 그러나 딱 네 번까지. 그 뒤로 다들 도망갔다. '선량해 보이고 싶은 욕망을 채우기 위해 나의 불행함을 이용하려는 인간들.' 세상에 대한, 인간에 대한 냉소와 불신만이 남은 차가운 아이.

어느 날 사채업자로부터 벗어날 좋은 기회를 잡았다. 죄책감 따위는 없다. 그래서 박동훈에게 접근하는데… 지안은 깊이 알면 알수록 아저씨가 더 궁금해진다. '아무도 박동훈 건들지 마! 다 죽여버리기 전에! 망가뜨려도 내가 망가뜨리고, 살려도 내가 살릴 거야.'

봉애 (70대 중반) | 손숙

"가만히 보면 모든 인연이 다 신기하고 귀해."

지안의 할머니. 요양원에 입원 중이다. 청각장애를 가지고 있어 듣지도 말하지도 못하며, 다리가 불편하여 홀로 움직일 수 없다.

이광일 (20대 중반) | 장기용

"또 말해봐, 니가 싫어하는 거. 그것만 할게."

지안을 괴롭히는 맛에 사는 사채업자. 무슨 사연인지 지안에 대한 증오심이 가득하다. 그녀의 다른 빚까지 사서 끊임없이 지안의 주위를 맴돈다.

어느 날부터 지안의 주변에 웬 아저씨가 보이는 게 신경 쓰인다. 지안이 돈을 착실히 갚는데도 기분이 썩 좋지 않다. 그래서 지안을 더 괴롭힌다. 지안이 자신을 보게 만드는 방법은 그것밖에 없으니까.

송기범 (21세) | 안승균

"니가 맞고만 있을 애는 아닌데. 왜 맨날 맞아줘?
그만 맞으면 안 되냐?"

지안의 오래된 친구이자 조력자. 컴퓨터 게임, 모바일 게임, 24시간 게임을 놓지 않는 중독자. 덕분에 컴퓨터를 잘 다룬다. 지안이 떠안은 사채 빚 중에 자신의 몫도 있어 늘 지안에게 마음의 빚을 지고 있다. 툴툴대기는 해도 지안이 시키는 일은 다 한다.

춘대 (60대) | 이영석

"내가 지안이를 건사하게 된 거나, 사실에 비추면 다 말이 안 되죠.
마음이 어디 논리대로 가나요…."

청소부 할아버지. 춘대와 단둘이 찍은 지안의 초등학교 졸업 사진으로 보아 둘은 가까운 친인척인 것
처럼 보이나 사실은 생판 모르는 사이. 지안의 비밀을 알고 있다.

종수 (20대 중반) | 홍인

광일의 친구이자 사채업자. 광일과 함께 '영광대부'라는 사채 사무실을 운영하고 있으며, 광일이 사
채 빚으로 지안을 괴롭히는 데 일조하는 인물이기도 하다.

도준영 (42세, 대표이사) | 김영민

"희한해. 왜 여자들은 박동훈을 좋아할까."

재신임을 앞둔 삼안E&C 대표이사. 동훈의 대학 후배이자 윤희의 대학 동기다. 잘생기고, 학벌 좋고, 매너 좋고 딱 거기까지. 나머지는 가진 척 연기했다. 그랬더니 소문이 부풀어 준영은 로열패밀리의 아들이 되었고, 덕분에 첫 직장에서 대표이사까지 올랐다. 일가친척 없는 회장이 지분만 넘겨주면 회사의 주인이 될 수도 있는 상황. 재신임을 위해서는 자기 사람을 늘려야 한다.

그런데 회장이 박동훈을 눈여겨본다. 하기야 대학 때부터 그랬다. 아무리 봐도 박동훈보다 자신이 나은데, 사람들은 박동훈을 더 좋아했다. 윤희도 결국 박동훈과 결혼했으니까. 박동훈 이 재수 없는 인간, 언제나 자신의 민낯을 까발리는 것 같은 무심한 눈길. 그래서 준영은 동훈을 잘라내기로 하는데…

장 회장 (75세) | 신구

삼안E&C 창립자. 말단 직원의 가정사까지 챙기는 친근한 동네 할아버지처럼 보이나 속을 알 수 없는 인물. 삼안을 키우기 위해 왕 전무를 끌어들였다. 그랬더니 왕 전무가 자기 회사인 양 굴기에 도준영을 대표이사로 내세웠다. 오 년 동안 이어진 팽팽한 둘의 균형을 이제는 깨야할 때. 한편, 박동훈을 좋은 감정으로 지켜보고 있다.

17

왕 전무 (75세) │ 전국환

**"도준영, 내 비서나 하면 딱 알맞을 놈이
위에 한번 앉아보더니, 오바해."**

뼛속까지 진골인 남자. 인맥이 넓어 삼안E&C가 지금의 위치에 이르는 데 크게 기여했다. 차후 회사의 주인이 될 수 있을 거라 믿었기에 동갑인 장 회장에게도 꼬박꼬박 존댓말 해왔는데 갑작스레 도준영이 대표이사로 등장했다. '괘씸한!'

박 상무 (51세) │ 정해균

왕 전무의 오른팔. 서열을 중시하며 독사 같은 사람이다. 당연히 나이 어린 도준영이 대표이사로 앉아 있는 것도 싫다. 날카로워 대하기 어려운 사람이라 하지만, 유일하게 박동훈만은 예뻐한다. 자신을 치고 올라올 리 없는 안전한 놈. 그런데 동훈의 행동이 수상하다.

윤 상무 (51세) | 정재성

"누가 대표님보다 잔을 높게 들어?"

도준영의 오른팔이자 줄을 기가 막히게 잘 서는 기회주의자. 자기보다 나이가 어리든 말든 윗사람이라면 찰싹 엎드려 바싹 붙는다. 준영 라인에 선 것도 그 때문. 준영의 대표이사 재신임을 위한 공작을 담당하지만, 영민하지 못해 일이 꼬인다.

송 과장 (30대 후반) | 서현우

"적어도 사석에선 선배님이라고 해줄 수 있는 거 아닙니까?
박 부장 박 부장 그러지 말고!"

안전진단3팀 과장. 부장인 박동훈을 인간적으로 존경하고 잘 따르는 부하 직원으로 늘 동훈의 편에 선다. 팀원들 또한 잘 배려하고 단속하며 동훈의 짐을 덜어주기도 한다. 특히 동훈이 회사 내에서 인정받지 못하는 걸 안타까워한다.

김 대리 (30대 중반) │ 채동현

"잘못했습니다! 잘못했습니다!
부장님 사랑합니다!"

안전진단3팀 대리. 할 말 하고 곧잘 투덜대는 성격의 캐릭터. 하지만 송 과장과 마찬가지로 박동훈을 믿고 잘 따르는 부하 직원이다.

여형규 (20대 후반) │ 김민석

안전진단3팀 막내 사원. 어리지만 속이 깊고 선배들을 잘 따르며 묵묵히 자기 일을 하는 듬직한 직원이다.

정채령 (30대 초반) │ 류선영

경영지원팀 대리. 다소 까칠한 성격의 소유자. 평소 이지안의 행실을 마땅치 않게 여기고 적대적으로 대하는 인물이다. 그로 인해 이지안과 트러블이 생기기도 한다.

최유라 (30대 중반) | 나라

"정말 고마워요. 망해줘서."

연기 트라우마에 시달리는 영화배우. 기훈의 첫 장편영화 데뷔작의 주인공.

기훈의 밑에서 딱 삼 개월 만에 말 더듬고 연기 트라우마까지 생겼다. 하도 구박받다 보니까. 그때부터 망가지기 시작했다. 술 마시고 계단에 토하기 시작한 것도 그때부터다.

그런데 기훈이 쫄딱 망했단다. 기분이 너무 좋다. 그동안의 불행한 과거를 벌충이라도 하듯 망가진 기훈을 보며 행복을 만끽한다. 눈곱만큼도 속내가 숨겨지지 않는 여자.

재기를 꿈꾸며 영화판에 돌아갔는데, 또 계단에 토해놓는다. 다시 찾아온 트라우마.

'박기훈 당신 때문이야, 나 고쳐놔요!'

겸덕 (45세, 동훈의 친구) | 박해준

"니 몸은 기껏해야 백이십 근.
천근만근인 것은 네 마음."

출가한 동훈의 불알친구. 삼 형제와 한동네에서 나고 자랐고, 앞날이 보장된 좋은 대학에 들어갔다. 그러나 수컷들의 세계에서 위로 올라가든 밑에 깔리든, 그들의 스토리는 모두 '거꾸로 매달려도 이승이 좋다 하는 사람들'의 얘기일 뿐. 이를 일찍 깨달은 겸덕은 미련 없이 속세를 등지고 절로 들어갔다. 동훈은 가끔 겸덕이 있는 절에 찾아간다. 오가는 대화는 짧지만 선문답같이 깊이 있고 정서가 있다. 말수가 적은 동훈의 진짜 속내를 엿보게 하는 그….

| 정희 (45세, 정희네 술집 주인) | 오나라 |

"사랑하지 않으니까 치사하지….
치사한 새끼들 천지야…."

삼 형제가 제집처럼 드나드는 동네 술집 주인이자 삼 형제와 한동네서 나고 자란 친구. 감정 기복이 큰, 기이하고도 유쾌한 여자. 어떤 날에는 진한 화장에 노래를 흥얼거리며 좋은 안주가 들어왔다고 손님들에게 전화 돌리다가도, 또 어떤 날에는 못 알아볼 정도로 후줄근한 차림으로 배터리 나간 듯 멍하니 앉아 미친 사람처럼 이상한 말을 중얼거린다.

문제의 원인은 인생에 필요한 딱 한 놈! 그놈이 없기 때문이다. 늙어가니 젊어서보다도 그 한 놈에 대한 열망이 강하다. '혼자 죽고 싶지 않아. 심심해서 못 살겠다!'

Episode

1

S#1 — 사무실 (낮)

팔십 년대 사무실처럼 곳곳에 서류와 도면들이 잔뜩 쌓여 있고, 벽 한쪽 책장에는 서류 상자가 한가득. 그리고 다른 한쪽에는 안전진단 장비가 쌓여 있다. 각자 일로 조용히 골몰하는 직원들. 그 틈에 앉아 있는 동훈. 생각에 빠져 지그시 컴퓨터 화면을 보는데. 그때 "꺄악!" 하고 들려오는 직원(정채령, 삼십 대 여성)의 비명 소리! 모두 놀라 소리 나는 쪽을 보면, 책상에서 엉거주춤 물러서 있는 채령. 탕비 코너 쪽에 뚝 떨어져 앉은 지안도 소동이 이는 쪽을 보고. 채령, 자신의 책상 위를 유심히 내려다본다.

채령　뭐야….

무당벌레다. 꾸물꾸물 움직인다. "뭔데?" 하며 다가오는 동훈과 직원들. 다 같이 무당벌레를 본다. 동훈이 조심스레 손을 오므려 무당벌레를 잡으려고 하는데, 그때 후루룩하고 무당벌레가 다시 날아오르자 여직원들이 놀라 피하고. 무당벌레는 점프하듯 두어 군데 앉았다가… 지안의 팔에 가 앉는다. 어쩌다 무당벌레 동선을 쫓아 지안 앞까지 온 동훈. 지안이 무심히 자신의 팔에 붙은 벌레를 내려다보고.

동훈　…가만있어.

동훈의 손이 천천히 무당벌레로 가는데… 벌레 위로 탁! 내리쳐지는 수첩. 지안이가 내리쳤다. 황당한 동훈. 책상 위로 맥없이 툭 떨어지는 무당벌레. 지안이 수첩으로 쓸 듯 무당벌레를 밀어 쓰레기통으로 낙하. 그러고는 다시 다다다 자판을 친다. 동훈, 뭐라고 한마디 하려다가 그냥 제자리로.

⟨ Cut to ⟩

동훈이 자리에 앉아 힐끗 지안을 보고, 동훈 양옆에 앉은 송 과장과 김 대리가…

김 대리　(의자에 앉은 채 다가와) 부장님, 차에 들어온 벌레도 안 죽이고 밖으로 내보내죠?
　　　　　　난 진짜 개구리 숱하게 잡아먹었는데. 아주– 잔인하게 다리 쭉– 찢어서.
송 과장　닭 잡아봤어? (주먹 쥔 양손 걷어붙이고) 목을 딱 잡으면, 펄떡펄떡 뛰어.

Episode 1

　　　　　　(비트는 손짓) 비틀어.

김 대리　토끼 잡아봤어요? 토끼는 가죽을 벗겨야 돼. 엄청 잔인해.

동훈　　(무심히) 돼지 잡아봤어?

송/김　(뜨악해서 보는)

김 대리　뻥.

동훈　　(콧방귀)

김 대리　근데 왜 벌레는.

동훈　　마음에 걸리는 게 없으면 뭘 죽여도 문제없어. 마음에 걸리면 벌레만 죽여도 탈 나.

김 대리　돼지는 안 걸렸어요?

동훈　　어려서 뭘 알아.

김 대리　어려서 어떻게 돼지를 잡았어요?

동훈　　(일어나서 앉아 있는 김 대리 양팔을 모아 제압해 누르며) 삼 형제가 돼지를 눌러.

　　　　　　(건성으로 시늉) 그럼 아부지가 목을 따. 엄마가 얼른 양동이를 목에 갖다 대.

　　　　　　쿨렁쿨렁쿨렁… 선짓국 먹어. (김 대리를 놔주고)

김 대리　에이 진짜. 고소해요 나, 폭행으로. (CCTV 가리키며) CCTV에 다 찍혔어.

윤 상무　(E) 또 논다. 또 놀아.

윤 상무(51세, 남성)가 지나가다 멈춰 선다. 모두들 말없이 제 위치로.

윤 상무　자네들 월급, 분당 계산하면 얼만지 알아? 오백 원이야. 오백 원. 일 분마다

　　　　　　짤랑짤랑 돈 떨어지는 소리 안 들려? 가뜩이나 회사 어려운데. 박 부장,

　　　　　　자넨 분당 천 원이야. 부장씩이나 돼가지고.

분위기가 무겁게 가라앉는다. 윤 상무가 가면, 동훈이 지갑에서 천 원 한 장을 꺼내 김 대
리 책상에 던져준다.

동훈　　재 천 원 갖다 줘라.

심기가 불편하다.

⟨ *Cut to* ⟩

긴 테이블 앞에 서서 우편물을 빠르게 정리하는 손, 지안이다. 우편물을 한 아름 들고 돌아다니며 각자의 책상에 놓아준다. 동훈의 책상에 놓이는 우편물. 봉투들을 넘기며 수신인 이름을 확인하는 동훈. '박동훈' '박동훈'. 마지막에 '박동운' 하나가 걸린다. 잘못 전달했다 말하려고 우편물을 들고 지안 쪽을 돌아보는데, 지안이 퇴근하려는 듯 가방 챙겨 일어나며, 믹스커피를 한 움큼 빠르게 집어 가방에 넣고 나간다. 철렁한 동훈은 못 본 척 얼른 고개를 돌린다. 동훈이 사무실을 나가는 지안의 뒷모습을 본다. 그리고 CCTV를 본다. '안 찍혔을까?'

S#2 —— 일 층 경비 보안실 (낮)

박동운 상무(51세, 남성)가 팔짱을 끼고 서서 메인 화면에 재생 중인 CCTV 녹화본을 보고 있다. 곳곳을 비추는 CCTV 화면에는 엘리베이터에서 내려 로비를 걸어가는 지안도 보이고, 박동운 상무 방에 들어가 우편물을 놓고 나오는 동훈도 보이고. 박 상무, 잠시 동훈을 비춘 화면에 시선 갔다가 다시 메인 화면을 보는데

박 상무 오케이 거기.

정지된 화면 속에는 윤 상무가 문자를 확인하는 모습.

박 상무 저 문자 볼 수 있는 화면 띄워봐.

동시간대 다른 각도 화면을 띄운다. 거칠게 턱턱 줌인 들어간다. 문자가 보인다. 박 상무가 화면 가까이 상체를 숙여 문자를 읽는다.
[윤 상무: 대표님이 술 한잔 같이 했으면 하시는데.]
[윤 상무: 왜 답이 없나?]
[정 상무: 보는 눈들이 많아서⋯ 위험을 감수하고 만날 만큼 나한테 좋은 게 있으면 만나는 거고요.]
이를 읽은 박 상무 표정.

Episode 1

S#3 — 왕 전무 방 (낮)

앉아 있는 정 상무가 당황해 웃으며 설명.

정 상무 어떻게 나오나 보려고 한번 보내봤습니다. 제가 아무렴 그쪽 편에 서겠어요.

제가 바로 거절하면 또 딴 사람한테 입질 들어갈 거 뻔하고,

이왕이면 제 선에서 시간 질질 끌다가 끝내보려고. 그래서 그런 거지,

진짜 딴 뜻 없었습니다. 아무렴 제가…

왕 전무(75세, 남성)가 좋은 의자에 앉아 무심히 핸드폰을 보고 있고. 서 있던 박 상무가 정 상무 앞에 앉는다.

박 상무 재신임 앞두고 한 표라도 더 얻으려고 자네한테 계속 입질 들어올 거야.

불편할 텐데, 잠깐 나갔다 들어오는 건 어때?

정 상무 !

박 상무 한 달만 미주 돌고 와.

정 상무 (자르는 건가. 당혹스러운 너털웃음을 웃으며 왕 전무를 보는데)

왕 전무 (핸드폰 보며) 자네 보호하려는 거니까 괜한 오해 말고, 푹 쉬다가 들어와.

(고개 들어 눈 마주치며) 걱정 마. 자네 자린 끄떡없어.

정 상무 (그제야) 알겠습니다.

박 상무가 일어나면, 정 상무도 따라 일어나 두 사람에게 정중히 인사하고 나간다. 박 상무가 문을 닫고 왕 전무 쪽으로 오는데… 왕 전무가 보던 핸드폰을 책상에 툭 던져놓으며

왕 전무 도준영, 내 비서나 하면 딱 알맞을 놈이 위에 한번 앉아보더니, 오바해.

S#4 — 대표이사실 (낮)

'대표이사 도준영'이라 쓰인 자리에 앉아 있는 준영. 윤 상무는 분을 꾹 참으며 소파에 앉아 있고. 박 상무는 주머니에 손 넣고 서서 얘기 중.

박 상무   한 달간 미주 돌면서 나갔다가 오고 싶다는데, 갑자기 왜 그러는지 이유를
　　　　　물어봐도 속 시원히 대답도 않고. 뭔가 있긴 있는 거 같은데…
　　　　　(윤 상무에게) 짐작 가는 거 없나?

윤 상무   자세가 불량하단 생각은 안 드나?

박 상무   ! (같잖아서 정말)

준영   　그렇게 하죠. 어려운 것도 아닌데 갔다 오라고 하세요.

박 상무   가기 전에 술 한잔하죠. (의미 있게) 다 같이.

준영   　(표정)

박 상무가 나가면, 윤 상무는 분에 겨워 씩씩대는.

S#5 ── 회사 복도 엘리베이터 앞 (낮)

동훈과 김 대리, 송 과장 외 몇몇 직원들이 엘리베이터를 기다리고 있는데, 굳은 얼굴을 한
준영과 윤 상무가 오자 자연스럽게 다들 뒤로 물러서서 깍듯하게 인사하고. 준영과 윤 상
무가 엘리베이터에 올라타자 동훈과 직원들은 타지 않고 두 사람에게 다시 인사. 그렇게
문이 닫히자,

김 대리   대학 때도 저렇게 싸가지 없었어요? 아무리 대표이사래도 부장님이
　　　　　대학 선밴데. 인사를 하면 상냥하게 받던가.

동훈이 그냥 엘리베이터로 다가가 버튼을 누르는데 문이 바로 열린다. 준영에게 뭔가 속닥
이던 윤 상무는 '으잉?' 싶어 눈을 들어 층수를 보곤 서둘러 일 층 버튼을 누르고. 동훈과 일
행은 다시 깍듯하게 인사. 고개 숙인 동훈. 닫히는 문 너머 준영.

S#6 ── 회사 근처 ATM 기기 앞 (낮)

화면에 뜬 잔액을 보는 동훈. 삼십만 원 정도.

소리   (E) 찾으실 금액을 누르세요.

돈이 모자란다. 그냥 현금 서비스 버튼을 누른다.

S#7 — 도심 어느 양복집 (밤)

동훈이 양복을 보고 있고, 상훈은 옆에 따라붙으며 뭐라고 한다.

상훈   안 사도 된다니까. 나 양복 많아. 직장 생활 이십이 년에 남은 건 양복뿐이다.
동훈   직장 그만둔 지가 언젠데. 양복도 유행 타. 사.

긴 부츠를 신고 다리 꼰 채로 앉아 핸드폰만 만지던 동생 기훈이 거든다.

기훈   사줄 때 그냥 입어, 딸 결혼식에 빈티 내지 말고.
동훈   (기훈의 꼴을 보다가) 넌 양복 있냐?
기훈   있어 있어. 이러고 안 갈 거니까 걱정 마. (얼른 핸드폰 액정을 밀어 전화받으며
         일어나는) 예, 감독님. (밖으로)

기훈이 나가자 동훈은 얼른 형에게 돈 봉투를 찔러준다.

상훈   뭐야?
동훈   예식비 똔똔 안 날 수 있어. 돈 백은 들고 있어봐야지.
상훈   (펄쩍) 저번에도 오백 주고. 됐어. 지 에미가 알아서 하겠지.
동훈   (다시 찔러주며) 아무리 별거 중이래도 형도 혼주야. 갖고 있어.
         지석이 엄마가 준 거야. …결혼식에 못 온다고. (다시 양복 고르는)
상훈   왜 못 와?
동훈   출장.
상훈   변호사가 무슨 출장. 꼭 때맞춰 잘 나가. 진짜 출장 가긴 간 거냐?
동훈   갔대면 간 거지.
상훈   … (봉투 열며) 양복은 이걸로 사자.

동훈   내가 산다니까, 넣어둬.

상훈   (봉투 여미며, 그럼) …축의금은 따로 하지 마라.

S#8 — 양복집 앞 (밤)

기훈은 한쪽에서 여전히 통화 중(선배 감독에게 자신의 시나리오를 좀 봐달라며). 동훈과 상훈이
정면을 보고 있다. 아파트 단지 입구에 걸린 플래카드. '경/안전진단검사 통과/축'.

상훈   저거 얼마 전에 니가 안전진단한 거 아니냐? 완전 튼튼하게 지었나 보다.

동훈   안 튼튼해. D 등급 나왔어.

상훈   (의아) 경축이라는데?

동훈   재건축 허가 나려면 D 등급은 나와야 돼. D 등급 나와서 재건축할 수
        있게 됐다는 얘기야.

상훈   ?

동훈   돈 벌게 생겼다고.

상훈   진짜 어메이징 코리아다. 안전하지 않다고 판정 난 걸 경축이라고…

기훈   네, 들어가세요. 네. (통화 끝내고 오며) 가.

움직이는 삼 형제.

S#9 — 준영 오피스텔 앞 (밤)

굳은 얼굴로 뒷좌석에 앉아 있는 준영. 차가 멈춰 서고.

준영   (기사에게) 퇴근하세요.

준영, 오피스텔 안으로.

Episode 1

S#10 —— 준영 오피스텔 (밤)

준영이 급하게 운동복으로 갈아입고 서랍에서 구형 2G 핸드폰을 꺼낸다. 부재중 전화 여덟 통. 스마트폰과 2G 핸드폰을 함께 챙겨 들고 모자 눌러쓰며 나간다.

S#11 —— 준영 오피스텔 앞 (밤)

준영이 오피스텔을 나와 조깅하듯 뛴다. 혹시 따라붙은 사람이 있나 없나 주변을 의식하며 2G 핸드폰으로 누군가와 전화.

준영   어디야?

전화를 끊고 택시가 오나 싶어 뒤를 힐끗거리며 달린다. 택시가 보이자 세워 탄다.

S#12 —— 윤희 거처 (밤)

윤희, 열 받아 굳은 채로 앉아 있는데 도어락 여는 소리가 들리고. 이내 준영이 들어오는데 미동도 하지 않는 윤희.

준영   저녁은? (모자 벗고 핸드폰 두 개에 충전기 꽂으며) 아직 안 먹었지?
          나가자. 맛있는 거 먹으러 가자.
윤희   (차가운) 일부러 그러는 거야?
준영   (윤희 보는)
윤희   하루에도 열두 번씩 전화기 쳐다보는 거 알면서. 나 애닳아하는 거 즐겨?
          핸드폰은 왜 안 들고 다녀?
준영   회사에 딴 핸드폰을 어떻게 들고 다녀, 티 나게.
윤희   사무실엔 전화 없어? 공중전화도 있고 마음만 먹으면 못 할 게 뭐야?
준영   (살짝 욱하는) 회사에서 다들 나 잡아먹지 못해 안달인 거 몰라? 회장 아들도
          아니고 로열패밀리도 아니고, 어쩌다 새파랗게 젊은 놈이 지들 머리 위에

앉았다고 어떻게든 끌어내리지 못해서, 두 눈 똥그랗게 뜨고, 뒤지고, 캐고.
윤 상무가 정 상무한테 술 마시자고 한 문자까지 찾아내. 그런데 딴 핸드폰
들고 다니고, 공중전화 찾아 돌아다녀? 그러다 들키면 우리?

윤희　…

준영　…

윤희　(수그러드는) 미안해. 그냥… 보고 싶어 하다가… 화나버렸어.

준영　알아. … (윤희의 품을 파고들며) 나도 그래.

윤희　… (준영을 껴안고) 고마워.

준영　… (안은 채로 윤희를 밀어 눕히며) 뭐 먹을래?

윤희　멀리 가자. 나 출장 간다고 했어.

S#13 ── 술집 (밤)

술잔을 비우는 동훈의 얼굴.
문밖에는 취한 직장인들이 둘러서서 "아자 아자, 파이팅!"

상훈　(흘겨보는) 양복 부대. 꼭 모여 티를 내요. 누구 왕년에 직장 안 다녀본 사람 있나.

기훈　(손을 반쯤 드는. 나 안 다녀봤는데)

상훈　(술 마시려다 손 든 기훈을 보고) 넌 죽기 전에 영화 한 편 찍긴 찍는 거냐?

기훈　…죽어봐야 알겠지?

바(bar)에 동훈, 기훈, 상훈 순서대로 앉아 있다. 이미 다들 취했다. 개중에 동훈이 가장 취
했다. 상훈과 기훈 둘만 대화에 집중하고 있다.

상훈　괜히 안되는 액션영화 붙들고 있지 말고, 너 그냥 공포영화 찍어라.
아저씨들 공포영화.

기훈　?

상훈　중년의 아저씨가 정리해고당하고 사업하다 다 말아먹고 이혼당해.
돈 없어, 그지야.

기훈　형 얘기야?

상훈   …뒤는 달라. (들어봐) 노모 장례식에 문상객이 하나 없어. 썰렁해.

         밤에 자다가 기침하는데 허리가 삐어. 삼 일 동안 누워 꼼짝을 못 해.

         아무도 안 찾아와.

동훈   (술 마시며 건성으로 끼어드는) 물컵 들다가 삐어야 아저씨지.

상훈   그래, 아침에 일어나 물 마시려고 (물컵 드는 시늉) 물컵 들다가 삐어.

         눈동자도 못 움직여. 그 자세로 해가 지는 거야. 붉은 석양이 들어오고…

         눈물이 또르르….

기훈   제목, 돈 없는 우리 형.

상훈   (짠해진다) 무섭지 않냐? / (제 욕망을 담아 흥분하며) 중반 이후에 아저씨가 갑자기

         변해. 나쁜 놈이 되는 거야. 그래서 훅 치고 올라가. 날 무시했던 놈들한테

         본때를 보여줘. 내 발아래 다 기게 만들고, 돈도 왕창 벌고, 맘껏 날아보고.

         그리고… 장렬하게… 죽는 거야. / 죽이지 않냐?

기훈   이 바다 정설이 있어. '자기 얘긴 자기만 재밌다.'

상훈   니가 재밌게 각색하면 되지. 이거 된다, 요즘 아저씨가 화두야. 백 프로 돼 이거.

동훈   (건성으로) 안 돼….

상/기   (보는)

동훈   하나가 빠졌잖아.

동훈이 말끝에 술을 턱에 흘리고, 형과 동생은 그 하나가 뭔지 궁금해 동훈이 턱에 흘린 술
을 닦을 때까지 기다려준다.

동훈   …여자.

상훈   (철렁, 큰일 날 뻔했다) 맞다! 여자!

동훈   (술 취한 미소)

S#14 — 고급 청요리 식당 주방 (밤)

지안이 앞치마에 장화 차림으로 주방에서 물이 뚝뚝 흐르는 거친 일을 한다. 그러다가 손님
이 물린 접시에 남은 고급 음식을 사람들 몰래 비닐에 쏟아 담아 챙긴다.

S#15 — 지하철 (밤)

사람이 드문드문 앉은 열차 안. 취한 동훈, 엷은 미소로 눈꺼풀이 내려앉았다 올라갔다 한다.

⟨ Cut to ⟩

열차가 후욱 지하에서 지상으로 빠져나오면, 여전히 달리는 열차 안에 등지고 서 있는 지안. 동훈은 아무 생각 없이 복숭아뼈가 훤히 드러나는 짧은 양말을 신은 지안의 발을 본다. 추워 보인다. 그러다 차창에 비친 지안의 얼굴을 보고, 문득 '이지안인가' 싶다. 취한 와중에 긴가민가해서 보는데,

Episode 1

S#16 — 지하철역 입구 (밤)

지안, 계단에서 올라와 간다. 뒤이어 동훈이 힘들게 올라온다. 동훈은 뚜벅뚜벅 걸어가는 지안을 보다 그냥 등지고 걸어간다. 가다가 돌아보면서 '맞나. 여기 어디 사나….'

S#17 — 지안의 동네 (밤)

긴 계단을 올라가는 지안. 그리고 한 허름한 건물로 들어간다.

S#18 — 지안 집 (밤)

어둠 속에서 들리는 문 그르는 소리. 지안이 들어와서 불도 켜지 않은 채 물을 끓이고, 회사에서 가져온 믹스커피를 타고, 식당에서 가져온 음식을 꺼내 먹는데… 한구석 스탠드 불빛이 딱 켜진다. 거기에 광일이 앉아 있다. 놀라지도 않는 지안.

광일   그래도 먹고는 사나 보다?
지안   … (먹기만)
광일   불은 왜 안 켜? 없는 척하는 거냐?

지안, 아무렇지 않게 칠만 원을 꺼내 밀어놓고 다시 먹는다.

광일   (돈을 세고) 이렇게 찔끔찔끔 주면 얼굴 자주 보자는 거지. 어디서 일하냐?
지안   …
광일   일은 하냐?
지안   누가 내 공간에 들어오는 거 되게 싫어한다고 말했는데.
광일   또. 말해봐. 니가 싫어하는 거.
지안   밥 먹을 때 말 시키는 거.
광일   알았어. 그것만 할게.

진동으로 울리는 지안의 핸드폰. 안 받고 먹기만 한다.

광일   전화는 받지?

지안   ··· (먹기만)

S#19 — 요양원 외경 (다음 날, 낮)

보호사   (E, 크게) 손녀, 핸드폰 번호, 바뀌었냐구요?

S#20 — 요양원 병실 (낮)

사인실. 정신이 온전치 못한 노인네들이 각자 침대에 추레하게 앉아 있고. 보호사가 누워 있는 할머니(봉애, 청각장애)에게 큰소리로 묻고, 봉애는 얼굴을 찡그려가며 무조건 '아니다' '모른다' 식의 도리질과 손짓.

보호사   (핸드폰 보여주며 액션과 함께) 안 받아요. 전화를 안 받는다고요! 혹시 이사 갔어요? 이사 갔냐구요, 이사! ···미치겠네 진짜.

S#21 — 요양원 복도 (낮)

그 소리를 들으며 덤덤하게 의자에 앉아 있는 지안.

보호사   (E) 할머니! 여기 내야 되는 돈이 엄청 밀려 있어서! 빨리 내지 않으면 쫓겨나요! 쫓겨난다구요! ··· (혼잣말) 버린 거야 이거.

보호사가 병실에서 나와 슬리퍼 끌며 가버리고.
가만히 있는 지안.

S#22 ── 요양원 병실 (낮)

눈을 감고 있는 봉애의 얼굴. 그런 봉애를 내려다보는 지안. 봉애가 눈을 떠 지안을 보고는 반갑고 의외고. 그러다 얼른 가라며 손짓과 눈짓. '가. 가. 얼른.' 지안, 어딘가로 전화한다. 안 받는지 문자를 남긴다. 그리고 봉애의 물품을 이것저것 챙기기 시작한다. 봉애는 그런 지안을 시선으로 쫓으며 괜찮다고, 얼른 가라고 손짓 눈짓.

S#23 ── 기범의 거처 (낮)

게임 중에 문자를 확인한 기범, 난감해 짜증 나고. 어쩔 수 없다. 더욱 게임에 집중.

S#24 ── 요양원 (밤)

#병실: 밤이 됐다. 지안은 연락 없는 핸드폰을 보다가 접고. 자고 있는 봉애를 보다가… 조용히 복도로 나간다.
#복도: 사람이 있나 없나 복도 양쪽 끝을 확인. 지안이 침대째 밀어서 봉애를 데리고 나온다. 봉애는 어리둥절. 수화로 어디 가냐고 묻고. 지안은 대답 없이 덤덤히 침대를 계속 민다. 엘리베이터를 잡고. 그 안으로 침대를 밀고.
#일 층 로비: 엘리베이터에서 침대를 밀며 나온다. 한 병실에서 사람이 나오는 게 보이자 얼른 뒷문 쪽으로 침대를 꺾는다.
#뒷문: 침대를 밀며 나오는 지안.
그렇게 요양원 건물에서 멀어진다.

S#25 ── 거리 (밤)

침대를 밀며 밤거리를 걷는 지안. 봉애는 이 와중에도 하늘을 보며 행복한 얼굴. 얼마 만에 보는 밤하늘인가. 별이 아름답다. 밤공기가 좋다. 신호에 걸려 정차한 차 안의 사람이 침대를 밀고 가는 지안을 이상하게 쳐다본다. 그 시선을 의식한 지안. '안 되겠다.'

Episode 1

S#26 —— 마트 (밤)

따뜻한 음료 박스를 열어 이것저것 만져보고 제일 따뜻한 것 두 개를 꺼낸다. 딸랑 음료 두 개를 넣은 카트를 밀며 계산대로 가는 지안.

S#27 —— 버스 정류장 (밤)

카트와 함께 버스 정류장에 있는 지안. 카트 안에는 봉애가 들어앉아 있다. 따뜻한 음료 두 개가 봉애의 품에 박혀 있고, 봉애는 이불로 꽁꽁 싸매어진 채 얼굴만 내놓고 있어 카트에 사람이 있는 것처럼 보이진 않는다. 지안은 정차한 버스를 가만히 보고만 있다가 그냥 보내버린다. '어떻게 타야 하나…' 그때 건너편 버스 정류장에 멈췄던 버스가 떠나면 그 자리에 기범이 서 있다. 좌우를 살피며 건너오는 기범. 지안은 반가워하기보다는 꽤씸해하는 얼굴. 눈치 보며 건너오는 기범. 지안에게 기에서 밀린다.

기범　(지레) 돈이 있어야 오지! 아이템 팔아서 간신히 돈 만들어 왔구만.

그때 카트 속에서 꼬물대는 봉애의 얼굴이 보이자, 기범은 질겁하며 욕이 나오고

기범　우씨! 깜딱이야.
봉애　(애기 같은 미소)
기범　(어정쩡) 안녕하세요.

지안이 멀리서 오는 택시를 향해 손을 들고, 기범은 카트를 인도에서 내린다.

S#28 —— 지안의 집 (밤)

기범은 지안의 도움을 받아 업고 있던 봉애를 자리에 누이고. 기진맥진해 널브러지는 기범.

지안　화장실까지만 모시고 가면 알아서 일 보셔. 열두 시, 네 시. 두 번만 들러.

열쇠는 창틀에 두고 갈게. (주방으로 가 커피포트에 물 담아 끓이는)

기범   (일어나) 딱 일주일만이다? 더 이상은 나도 안 돼.

지안   왜 안 돼? 할 일이 뭐 있다구.

기범   게임하다가 중간에 끊기가 쉽냐? 나 간다. (가버리는)

지안, 문을 잠그고 봉애에게 다가가

지안   (수화) 낮에 저 친구가 올 거야. 열두 시, 네 시. 두 번. 그때 화장실 가.

봉애   (반쯤 눈 감고 끄덕끄덕)

지안   (수화) …누가 와도 문 열어주지 마.

봉애   (수화) 듣지도 못해. 일어나지도 못하고.

지안이 불을 끄고. 어둠 속에서 믹스커피를 세 개씩 뜯어 한 컵에 탄다. 그걸 마신다. 마치 밥 대신 먹는 듯.

S#29 ── 예식장 (낮)

신부 측 축의금 받는 자리에 앉아 있는 동훈과 기훈. 하객들의 인사를 받으며 봉투를 받아 책상 아래 서랍에 넣는다. 혼주인 상훈이 아내(애련)와 함께 하객들을 맞고. 기훈이 한 하객의 봉투를 받으며 슬쩍 상훈을 보자, 상훈은 기훈에게 코를 만져 보인다. 그러자 기훈이 받은 봉투를 서랍에 넣는데, 기훈이 앉은 쪽 서랍 안에는 일수 가방이 있다. 시선으로는 새로 오는 하객을 응대하며 손은 일수 가방 안으로 봉투를 넣는 기훈. 가방에는 이미 봉투가 꽤 들어 있다. 그때 동훈이 아무렇지 않게 서랍에 툭 던져 넣은 봉투가 일수 가방 쪽으로 오자, 기훈은 그 봉투를 밀치며

기훈   (시선 안 마주치고 작은 목소리로) 섞이지 않게 형 쪽으로 밀어.

동훈은 무슨 말인가 싶은데, 그때 친분 있어 보이는 한 하객이 다가오고 일어나 악수. 그리고 봉투를 받는데, 상훈이 기훈을 향해 또 코를 만져 보인다. 기훈은 얼른 동훈이 받은 봉투를 빼앗아 서랍 안에서 손을 꼼물거린다. 동훈, 이상해서 서랍 안을 보면 일수 가방 속에 가득한 봉투.

Episode 1

동훈   뭐 하는 건데?

기훈   (딴짓하며 괜히 하객에게 눈인사)

동훈   (철렁, 목소리 낮춰) 이 새끼, 너 지금… 돈 빼돌리냐?

기훈   (시선 주지 않고) 조용히 해. 큰형이 부탁한 거야.

동훈   야! (보는 눈이 많아 큰 소리는 못 내고)

기훈   (에이씨) 형이 부탁한 거라니까. 형이 코를 만져, 그럼 그 사람 것만 빼는 거야.

        어차피 형 하객이니까 형수는 몰라.

동훈   (미치겠고)

기훈   (또 코를 만지는 상훈을 보고 봉투를 일수 가방에 넣으며) 이거 씨이.

        느낌상 돈 되는 인간들 껀 다 빼돌리는 거 같애. 저 인간 진짜.

동훈   그만해, 그만하면 되잖아.

기훈   반띵하기로 했단 말야.

동훈   미친.

기훈   (또 일수 가방에 넣는다)

동훈   그만 안 해? … (어쩔 수 없다) 열 개만 하고 그만해.

기훈   아까 열 개 넘었어.

동훈   (미치겠다)

그때 누군가 내민 봉투를 동훈이 받는데, 상훈의 액션을 알아차린 기훈이 봉투를 뺏으려 들
자 안 뺏기려고 완력을 쓰는 동훈. 그런 둘의 실랑이를 이상하게 보는 애련. 그쪽으로 간다.
하객을 응대하다가 철렁한 상훈, 애련을 잡는다.

상훈   일루 와.

애련, 상훈을 뿌리치고 그쪽으로 간다. 다가오는 애련을 보자 미치겠는 기훈.

기훈   걸렸어, 씨이!

기훈, 갑자기 벌떡 일어나 딴 데로 가버린다. 애련이 와서 서랍 안을 보더니 일수 가방을
꺼낸다.

애련   (동훈에게) 이거 뭐예요?

동훈   (미치겠다)

S#30 ── 예식장 비상구 계단 (낮)

상훈, 자신을 잡아끄는 애련의 손을 뿌리치며

상훈   이게 어떻게 절도야? 딸 결혼식에 아비가 축의금 챙기는 게, 그게 어떻게 절도야?

애련   (덤덤히) 절도가 되는지 안 되는지 경찰서 가보자고. (잡아끄는데)

상훈   (뿌리치고) 막말로 식 끝나고 돈 남으면 당신이 나 반반 나눠줄 거야?

애련   뭐, 반반? 남을까 봐 그랬니? 보태준 거 하나 없이, 남을까 봐 그랬어-?

S#31 ── 예식장 일각 비상구 계단 쪽 (낮)

둘이 악악대는 소리가 들리고. 동훈과 기훈은 계면쩍게 서 있고. 한복을 입은 노모(요순)는 포기 상태로 앉아 있다.

상훈   (E) 보태준 게 왜 없어? 오백 줬잖아!

애련   (E) 아이고야, 그 꼴난 오백! 그것도 서방님이 준 건지 누가 모를 줄 알아?

요순, 기훈에게 문 닫으라는 손짓. 기훈이 비상구 문을 조용히 닫는다. 조용한 실내. 무거운 침묵.

요순   (동훈을 보다가) 너까지 거기 껴서… 왜 그래?

기훈   …작은형은 몰랐어.

요순   (말을 말자) 가. (일어나) 괜히 있다가 느이 형수 불통 튀지 말구, 가. (앞장서서 가는데)

기훈   부페는 먹고 가야지!

요순이 고무신 한 짝을 벗어들고 내달려 기훈의 뺨을 날리려는데, 기훈이 피하는 바람에 고무신이 멀리 날아가고.

기훈   (뚜벅뚜벅 가버리며) 쪽팔리게 진짜.

요순   쪽팔린 건 아냐? 쪽팔린 건 알아? … (날아간 고무신을 챙겨 신고) 가.

동훈   먼저 가요. 형 데리고 갈게.

요순이 간다. 혼자 남겨진 동훈, 습관적으로 핸드폰을 꺼내 확인하고 다시 주머니에 넣는
다. 색깔 없는 얼굴로 가만히.

S#32 ─ 강화도쯤 (낮)

그 시각, 준영과 윤희는 바닷가를 걷고 있다. 바람이 엄청 분다. 준영이 윤희 뒤로 가 바람
을 막아준다. 뒤에서 안는 모습. 윤희는 좋은지 그런 준영을 본다.

⟨ Cut to ⟩

차 안에서 바닷가를 보며 앉아 있는 준영과 윤희.

윤희   너 빨리 늙어라. 나도 빨리 늙고. 다 늙어서도 이렇게 남들 눈치 보면서
        살진 않겠지. 올라가보고 싶은 데까지 빨리빨리 올라가보고, 다 털고 시골로
        내려가자. 지금 내려가자면 안 갈 거잖아 너.

준영   너는?

윤희   나도 안 갈 거고. 아직 젊잖아. (새삼) 나이 마흔둘에 아직 젊다고 말하게
        될 줄은 몰랐다. 이십 대 땐 아줌마들 보면 저런 나이에 저런 얼굴로도 사랑을
        하나 싶었는데.

준영   아직 젊어 우리.

준영은 뒤에서 윤희를 꽉 끌어안는다. 파란 바닷가와 두 사람이 탄 차.

S#33 — 요순 집 거실 (낮)

스무 평 남짓한 낡은 빌라. 상훈은 동훈이 따른 술잔을 비운다. 상에는 배달된 자장면과 탕수육이 있고. 기훈은 술보다는 음식에 집중하고.

상훈   (비참) 퇴직하자마자 그래도 여기저기서 같이 일해보잔 얘기 많았는데,
            개털 됐다는 소문 돌았는지… 한 놈도 연락 없다. 사람 만나서 일 좀 해보려고
            해도, 커피값이 있어야 만나지. 커피값 좀 만들어볼래다 딸 결혼식에
            개망신당하고….

기훈   스릴은 있었어.

동훈   (질타의 시선으로 기훈을 보고)

상훈   회사에서 두 명 왔다. 이십이 년 다닌 직장에서 두 명. 쌍눔의 시키들.

기훈   형 인생을 돌아봐야 되는 거야. 안 온 사람 욕할 게 아니고.

상훈   (욱) 나한테 받은 놈들은 와야 될 거 아냐? 내가 이십이 년간 돌아댕긴 돌잔치,
            결혼식, 장례식이 얼만데?

기훈   (지지 않고) 아, 엄마 장례식에 다 몰아서 오겠지!

그때 탕! 하고 방문을 열어젖히며 방에서 나오는 요순. 조용해지는 삼 형제. 요순, 싸하게 삼 형제를 본다.

요순   언제냐, 내 장례식?

기훈   … (자장면) 뿔어요. 얼른 드셔.

요순   날짜 나오면 알려줘라. 눈치 없이 날짜 넘기지 않게. (주방으로)

기훈   아, 노인네 괜히 또.

요순   (부엌 칼 챙겨 들고) 동훈이 너도 얼른 가. 애들이랑 어울리지 마. 물들어.
            너까지 이 집구석 들어와 사는 날엔 이 에미 죽는 날인 줄 알고, 얼른 가.

기훈   왜 칼은 들구 그래요, 무섭게.

요순   (나가는)

기훈   이거 안 먹어요?

Episode 1

S#34 — 요순 집 앞 (낮)

빌라 화단에 심은 배추 뿌리를 칼로 툭툭 잘라내는 요순. 깔판 위에 앉아서 묵묵히 배추를 다듬는다. 뒷굽이 갈라진 요순의 낡은 슬리퍼.

상훈　　(E) 동훈이 넌! 어떻게든 회사에 꼭 붙어 있어야 된다. 엄마 돌아가실 때까진 꼭.

S#35 — 요순 집 거실 (낮)

기훈은 술상 옆에 대자로 누워 있고. 상훈은 취기가 올라 나름 비장하게 말한다.

상훈　　불쌍한 우리 엄마 장례식에 화환 하나라도 박혀 있고! 쪽팔리지 않을 정도로
　　　　　문상객 채우려면! 어떻게든 엄마 돌아가실 때까진 꼭! 꼭 붙어 있어야 된다.
　　　　　회사에서 잘리는 순간! 넌! …바로 나 된다.
동훈　　(피식)
기훈　　(낄낄) 무섭다. (일어나 앉으며) 오우 진짜 공포다.
　　　　　"회사에서 잘리는 순간, 넌… 나 된다."
상훈　　(동훈에게) 웃지 말구!
기훈　　아… 불쌍한 우리 삼 형제. (한 잔 마시고)
상훈　　왜 삼 형제야? 얘(동훈)가 왜 불쌍해?
기훈　　(빙긋이 동훈을 보다가) 난 이상하게 옛날부터 작은형이 젤루 불쌍하더라.
동훈　　!
기훈　　욕망과 양심 사이에서 항상 양심 쪽으로 확 기울어 사는 인간. 젤루 불쌍해.
동훈　　(피식) 지랄…. (그러나 심장은 조용히 녹아난다)

S#36 — 동훈 집 주방 (밤)

냉장고를 열고 서 있는 덤덤한 동훈의 얼굴. 유리 반찬통 하나를 꺼낸다. 장조림 반찬만 놓고 술 마시는 동훈. 윤희가 트렁크에서 옷을 꺼내 세탁 바구니에 넣고.

윤희	결혼식은 잘 치뤘어?
동훈	잘 치르고 말고 할 게 뭐 있다고.
윤희	음식은? 괜찮았어?
동훈	…부페 다 똑같지 뭐.
윤희	나 안 왔다고 뭐라고 안 하셔?

동훈은 그저 술잔만 기울이고. 윤희는 '저 사람이 뭘 아는 건가' 슬쩍 보게 되고.

윤희   계란찜 해줄까?

대답 없이 술잔을 기울이는 동훈.

S#37 — 현장 (다음 날, 낮)

작업복 위에 두꺼운 점퍼를 입고 몰려서 있는 네댓 명. 한쪽에는 진단 장비들이 있고. 동훈은 형규(이십 대, 남성)가 만지는 드론을 보고 있다. 드론이 푸드득거리다가 맥없이 멈춘다. 드론을 흔들고 때려본다.

형규   너무 추워서 안 되는 거 같은데요.

동훈이 건물을 올려다본다. 커다란 원통형 건물(굴뚝). 벽에 일자로 철 계단이 쪼르르 붙어 있다.

⟨ Cut to ⟩

녹슨 철 계단을 꽉 잡고 올라가는 손. 동훈이다. 긴장했고. 내쉬는 숨에 입김이 나온다. 목에 철근 탐사기를 걸고, 한 칸 한 칸 조심스럽게 올라가다가 한 지점에서 멈춰 선다. 좌측을 유심히 본다. 금이 가 있다.

동훈   (핸즈프리 마이크에 대고) 삼십오 단(계단 칸 수) 레벨에서 우측 방향으로
         (금의 틈을 재고) 영 점 사오 밀리 폭에 (길이 재고) 길이 칠백 밀리.

밑에 있는 직원들이 도면의 해당 지점에 표시하며 동훈의 말을 받아 적는다. 동훈이 목에 건 철근 탐사기를 풀어 벽면에 대고 다리미처럼 수평으로 천천히 민다. 밑에 있는 컴퓨터에 선 엑스레이선처럼 건물 안 철근 모양이 나타난다. 두어 번 밀면, 컴퓨터 모니터에 격자 형태의 완전한 철근 모양이 나타난다.

송 과장 (핸즈프리 마이크에) 간격, 굵기… 도면하고 일치합니다.

동훈이 문제의 금을 의심스럽게 보다가 다시 올라간다. 그러다 약간 삐끗하며 철렁하고! 계단을 꽉 움켜쥐는 바람에 손에 있던 철근 탐사기가 후욱 떨어진다. 오랫동안 떨어지는 장비.

S#38 ── 복도 (낮)

지친 몰골로 장비를 바리바리 싸 들고 걸어오는 동훈과 무리들. 동훈은 지나가다 설계1팀의 내부를 힐끗 본다. 안전진단팀과 달리 최첨단을 달리는 듯한 사무실 내부. 팀원들은 컴퓨터 앞에 몰려 있고, 컴퓨터 화면에는 빌딩 구조물이 출렁이는 모습. 지진이 일어났을 때의 충격 여파를 시뮬레이션 해보는 듯.

[INS] 한때 그 무리의 중심에 있었던 동훈의 모습 잠깐.

다시 안전진단팀 쪽으로 향하는 동훈.

S#39 ── 사무실 (낮)

지친 듯 탕비 코너 의자에 앉아 커피를 마시는 동훈. 바로 앞 지안의 자리는 비어 있고. 동훈은 지친 데다 성질도 좀 났다. '나이 들어 무슨 고생인지.' 잠시 후, 지안이 우편물을 갖고 들어와 자리에서 분류 작업을 한다. 두 사람 말없이 제 일만 하다가…

동훈 무당벌레는 그냥 죽이기 좀 그렇지 않나?
지안 …

동훈	어디까지 죽여봤어?
지안	…사람.
동훈	!
지안	…
동훈	미안하다. 말 시켜서. (일어난다)

S#40 — 대표이사실 (낮)

윤 상무가 애가 타 준영을 재촉한다.

윤 상무	대표이사 재신임 투표까지 두 달도 안 남았습니다.
	오 대 오로 정확히 표 갈라진 거 저쪽에서도 다 아는데, 이렇게 맥 놓고
	가만히 앉아 있다가 우리 쪽 사람 한 명이라도 덜커덩 잘리는 날엔…
준영	(보는)
윤 상무	솔직히 박 상무 그 인간, 누구 하나 자르려고 마음먹으면 없는 비리도
	만들어서 자를 인간이에요. 제가 그 인간 입사 동깁니다. 눈빛을 보세요.
	그렇게 하기로 마음먹었어요 벌써.
준영	…
윤 상무	우리가 먼저 움직여야 됩니다. 저쪽에 제일 만만한 사람 하나를 잘라내고,
	그래서 오 대 사로 만들어놓고, 우리 쪽 사람을 박아서 육 대 사로.
준영	위험을 감수하면서까지 움직일 땐, 이왕이면 제일 세고,
	제일 골치 아픈 사람을 자르는 게 낫지 않나요?
윤 상무	?

S#41 — 윤 상무 방 (낮)

윤 상무, 어딘가로 전화를 건다.

윤 상무	난데, 자네 회사랑 우리 회사랑, 공생 관계 맞지? …좀 도와줘야겠는데.

Episode 1

동훈과 요순의 대면….

요순 니 형, 분식점이라도 내줘서 월 백이라도 벌게 해야지, 저렇게 더 냅뒀다간
        완전 못 쓰게 될 것 같애. 기훈이야 워낙에 니나노 팔자라 없이도 잘 사는데,
        상훈인… 못 살아. 망가져 사람. 집 담보로 돈 좀 빌려볼까 하는데,
        니가 해준 집이니 니 허락받고 하는 게 순서일 것 같애서. 한 오천만 빌려보자.

동훈 융자 낀 일억삼천짜리 집에, 누가 오천을 대출해줘요.

요순 안 되냐?

동훈 집은 있어야 되잖아요. 집엔 손대지 마요.

요순 그거야 그렇지만… 자식이 저러고 있는데….

동훈 수위는 죽어도 하기 싫대요?

요순 그것도 영종도까지 가야 자리가 있단다.

동훈 …

S#43 ── 회의실 (낮)

프로젝터가 비추는 스크린에 팔십 년대에 지어졌을 법한 대단지 아파트 전경과 컷컷들이
보인다. 팀별로 스무 명 가량의 직원들이 앉아 있다.

윤 상무 서울 시내 알짜배기 땅에, 대지 **만 평 노다진데. 십 년째 안전진단검사
          통과 못 해서 재개발 못 하고 있는 데야. 집주인들은 부글부글 끓을 대로
          끓었고. 시청은 시청대로 눈에 불 켜고 주시할 거야. 결론이 어떻게 나든,
          그 불똥 우리가 다 뒤집어쓸 건데. (결론) 어느 팀에서 할래?

모두들 가만.

윤 상무 1팀, 진단하고 있는 건물 몇 건이야?

1팀장 스물네 건 하고 있습니다.

윤 상무	2팀.
2팀장	스물두 건이요.
윤 상무	3팀.
동훈	…열다섯 건입니다.
윤 상무	제일 적네? 왜 이렇게 적어? 박 부장, 설계팀에 있다 와서 일이 서툴러서 그런 거 아냐?
동훈	…저희 팀이 맡고 있는 열다섯 건 전부 큰 건입니다. 오십칠 층 빌딩에, 대형 쇼핑몰에, 원전까지.

그때 OL로 엎어놓은 윤 상무의 핸드폰이 울리자,

윤 상무 (OL, 손짓으로 동훈을 제지하며) 시끄러봐.

윤 상무가 CCTV를 의식해 액정을 가리며 받는다.

윤 상무 응. (가만히 듣다가, 낮게) 다섯 개. 아니. 그래. 큰 거. 응. 큰 거 다섯 개. 오케이… 오케이. (전화 끊고, 핸드폰 엎어놓고) 3팀! 잘할 수 있어? 믿어도 돼?

동훈은 굴욕적이지만 그저 가만히. 직원들도 괜히 눈치 보이고. 그때 또 다시 울리는 핸드폰을 받는 윤 상무. 낮게 "응응…"거리고.

S#44 — 동네 마트 (밤)

동훈, 계산대 앞에서 술을 들고 무기력하게 줄 서 있다. 앞 사람이 나가자 계산대에 술을 올려놓고 기다리는데. 그때 좀 떨어진 계산대에 있는 지안을 발견. 동훈의 시선에서 보이는 지안. 바코드를 찍은 노인용 기저귀, 바나나, 홍시 등을 카트에 도로 담는다. 계산원이 얼마라고 얘기하는데 주머니에서 꼬깃꼬깃한 돈을 꺼내던 지안, 돈이 모자라는 것 같다.

지안 (홍시를 계산원에게 주며) 이거 뺄게요.
동훈 !

Episode 1

계산원이 다시 계산하고 지안은 물건을 봉투에 담아 간다. 그때 동훈의 계산대가 움직이기 시작하고, 동훈은 술이 찍히는 걸 보다가 갑자기 그쪽 계산대로 뛰어가서 홍시를 가져와 자기 계산대에 올려놓는다. 기다려줬던 계산원이 홍시도 마저 찍고. 동훈은 서둘러 지갑을 열고.

S#45 — 동네 마트 앞 (밤)

동훈, 홍시를 들고 서둘러 나와서 보면 지안이 없다. 이쪽저쪽을 봐도 없다.

S#46 — 지안의 집 문 앞 (밤)

광일, 철사로 문을 따고 있다. 따졌다. 들어가려는데

지안　　(E) 내가 말했는데.

광일이 돌아보면, 지안이 장 본 봉지를 들고 서 있다.

지안　　내 공간에 들어오는 거 싫어한다고.
광일　　나도 말했는데. 니가 싫어하는 짓만 한다고.

광일이 들어가려고 하자 지안이 앙칼지게 잡아챈다. 광일이 이를 뿌리치면서 지안과 치고받고 싸우는 형국이 된다. 결국 지안의 입술이 터진다. 봉지는 나뒹굴고.

광일　　니 인생은 종 쳤어 년아. 넌 평생 내 돈 못 갚을 거고! 평생 나한테
　　　　　시달리면서 이자만 갖다 바치다 뒈질 거야 년아! 질질 짜면서 죽여달라고
　　　　　빌어봐라 (쌍)년아, 내가 죽여주나.

얘기를 듣는 와중에 지안이 손으로 입술을 닦는다. 손에 피가 묻어난다. '개자식…'
광일의 말끝에 지안은 가볍게 콧방귀.

광일	웃냐?
지안	너 나 좋아하지?
광일	뭐?
지안	내 빚까지 사서 나 쫓아다니고. 복수라는 건 개뻥이야. 그지?
광일	(빙긋이 웃지만 도는 게 보이고) 용감하다 (쌍)년. 이건 죽여달라는 거지.

굳은 얼굴로 지안에게 뚜벅뚜벅 다가가면서 암전.

S#47 ── 지안 집 (밤)

지안이 할머니 봉애가 누워 있는 이불(요)을 화장실 앞까지 쭉 끌고 가, 거기서부터 봉애를 부축해 일으키고 화장실로 들어간다.

⟨ Cut to ⟩

봉애는 자고 있고. 커피포트에는 물이 끓고. 서서 코를 팽 푸는 지안. 피가 묻어나는 휴지. 커피 포트가 톡 올라오자 대충 몇 번 코 풀고 커피를 탄다. 커피를 마시는 지안(얼굴은 잘 보이지 않는다).

S#48 ── 사무실 (다음 날, 낮)

송 과장과 김 대리를 비롯한 직원들, 전부 한쪽을 보고 있다. 직원들의 시선을 따라서 동훈이 돌아보면, 지안이 검은 선글라스 끼고 다다다 자판을 치고 있다. '세련된 선글라스도 아니고. 사무실에서 웬 선글라스.' 그때 준영과 윤 상무가 지나가자, 지안을 쳐다보던 시선들을 일제히 거두고 일에 몰두하는 척하는 직원들. 준영 역시 지나가며 선글라스 끼고 있는 지안을 본다. 저건 뭔가 싶은.

S#49 ── 일 층 로비 (낮)

퀵서비스 직원이 방명록을 작성하고, 청원경찰이 출입 펜스를 열어주면 들어가 엘리베이터에 오른다. 헬멧에 마스크를 쓰고 있어서 얼굴은 잘 보이지 않는다.

Episode 1

퀵서비스 직원이 봉투를 보며

퀵   박동훈 씨?
동훈   네?
퀵   (봉투 내밀며) 퀵이요.

동훈, 서명하고 누런 봉투를 받는다. 겉봉을 보면 보낸 이도 없고 딸랑 '박동훈'이라고만 써
있다. 아무 생각 없이 뜯어서 내용물을 꺼내보는데, 포스트잇이 먼저 눈에 들어온다. '오천
만 원입니다. 잘 부탁드립니다.' 그대로 정지. 포스트잇을 들춰보면 오십만 원짜리 상품권
이 묵직. 철렁해 얼른 봉투에 쏙 도로 넣고. 가만. 심장이 뛴다. 아무렇지 않게 동훈의 주변
을 왔다 갔다 하는 직원들. 동훈은 꼼짝할 수가 없다. 서류를 서랍에 넣는 척하면서 봉투도
겹쳐 잡아 서랍에 함께 넣어두고. 또 가만. 혹시 누가 봤을까 싶어서 스윽 둘러보는데 뒤에
저 멀리 앉은 지안과 눈이 딱 마주친다. 쿠궁! 선글라스 낀 저 여자애가 자판을 치지도 않고
가만히 있다. '날 보는 건가? 모르겠다, 눈동자가 안 보이니.' 애써 태연을 가장하며 일하는
척하는 동훈. 지안, 그대로 가만히 있다.
책상에 가만히 앉아 있는 동훈의 모습에서 빠르게 시간이 지나간다. 하나둘 퇴근하는 모습.
할 일이 있다고 먼저 가라는 듯한 동훈의 제스처. 전등이 켜지고, 밖은 어두워지고. 사람들
자리가 비어가고. 결국 뚝 떨어져 앉은 동훈과 지안만 남는다. 지안은 계속 자판만 치고 있
다. 지안이 퇴근하길 기다렸던 동훈. 더 이상은 안 되겠다 싶어 그냥 슬쩍 봉투를 챙겨보려
고 무심을 연기하며 서랍을 잡아 빼는데, 그때 옆으로 훅 다가오는 지안의 무릎에 서랍이
닫히고, 동훈은 뜨악하지만 아무 일 없다는 듯 괜히 핸드폰 열어서 보고.

지안   밥 좀 사주죠.
동훈   ?
지안   (서랍 못 열게 서랍에 바짝 붙어 서서) 배고픈데. 밥 좀 사주세요.
동훈   !

53

S#51 — 식당 (밤)

말없이 열심히 먹기만 하는 동훈과 지안. 동훈은 두고 나온 돈 때문에 불안하고. 밤에 선글라스 쓴 어린 여자애랑 밥 먹으니 어색하고. 여러모로 빨리 먹고 헤어지고 싶은 마음. 지안은 워낙에 먹성 좋은 남자 같은 여자애인 듯. 지안이 다 먹자, 동훈은 묻지도 않고 계산서를 들고 일어나는데,

지안　　(입 닦으며) 소주 한 병씩만 하죠.
동훈　　!
지안　　(일어나는)
동훈　　오늘은 내가… 일찍 들어가봐야 돼서….

지안은 동훈의 대답과 상관없이 앞장서 나간다. 동훈은 살짝 울분이 이는 얼굴.

S#52 — 술집 (밤)

바에 나란히 앉은 동훈과 지안. 어두운 데서 선글라스 쓰고 있는 지안을 사람들이 힐끗거린다. 동훈은 어린 여자애랑 술 마시며 사람들의 시선을 받는 게 불편하다.

동훈　　어두운데…. (선글라스를 벗었으면, 하는)

지안은 동훈을 보다가 선글라스를 벗어 보여준다. 맞은 눈두덩이. 동훈은 좀 의외고 놀랍고. 이내 외면하며 술을 마시고. 지안은 아무렇지 않게 다시 선글라스를 쓴다.

동훈　　헤어져.
지안　　(보는)
동훈　　쌔고 쌘 게 남잔데 뭐 하러….
지안　　여자 패본 적 있어요?
동훈　　없어.
지안　　한 번도?

Episode 1

동훈	…
지안	어떤 느낌인가 물어볼랬더니.
동훈	(뭐냐 얜. 소주를 원샷하고 잔을 채우며) …춥지 않나?
지안	(동훈을 보면)
동훈	(턱으로 지안의 발 가리키며) 발.

경중 올라간 바짓단에 짧은 양말을 신어 복숭아뼈가 훤히 드러난 지안의 발.

동훈	긴 양말 없어?

지안이 계속 동훈을 보자, 동훈은 계면쩍어 또 원샷하고 잔을 채우는데

지안	뭐 급한 일 있어요?

동훈은 왠지 어린애한테 농락당하는 기분. 불쾌해진다. 그때 유리창 밖으로 무심히 지나가는 기훈이 보인다. 이내 다시 돌아와 유리창에 딱 달라붙어 동훈을 보는 기훈. 눈이 커진다. 작은형이 여자랑 앉아 있다. 여자의 얼굴을 확인하고 싶은데 각도가 안 나온다. 스마트폰을 확대하듯 유리창에 엄지와 검지를 대고 넓혀보는 쇼까지. 그때 동훈의 핸드폰이 울린다. 문자를 확인해보면,
[기훈: 누구야 옆에.]
동훈이 주변을 둘러보다가 밖을 보면, 주머니에 손 넣고 불량하게 서 있는 기훈.

S#53 — 술집 앞 (밤)

술집에서 나오는 동훈과 지안. 동훈이 지갑에 카드 명세서를 넣으며 나오는데

지안	오늘은 그냥 집에 들어가세요.
동훈	!
지안	…
동훈	…

지안, 뚜벅뚜벅 가버린다. 골난 눈빛으로 한쪽 벽에 붙어 서 있는 상훈과 기훈. (지안의 얼굴은 제대로 못 봤다. 볼 수 있는 위치가 아닌 듯) 상훈은 그새 연락받고 나온 듯. 동훈은 미치겠다.

상훈   야밤에 선글라스. 쎄다.

기훈   누구야?

동훈   가. (회사로 가려는 듯)

기훈   누구냐구.

동훈   그냥 회사 직원이야.

기훈   원래 회사 직원이랑 나란히 앉아서 술 마시고 그래? 단둘이?

동훈   그냥 얘기했어, 얘기. (가려는데)

기훈   어디 가는데.

동훈   회사 들어가봐야 돼.

상훈   둘이 회사에서 다시 보기로 했냐? 밤새냐 둘이?

동훈   그만 가라고 조옴!

상훈   이 자식이 얻다 대구…. 일른다 너.

동훈, 그냥 뚜벅뚜벅 가버린다.

⟨ Cut to ⟩

뿌해서 주머니에 손 넣고 가는 상훈과 기훈.

상훈   난 나중에 아저씨 마을 만들 거야. 우리 같은 아저씨들만 사는 마을.

기훈   여자 생겨서 탈출하는 놈들은 죽이고.

상훈   당연하지.

S#54 ─ 회사 앞 (밤)

긴장한 채로 로비에 들어서는 동훈. 야밤이라 커피숍은 불 꺼져 있고. 사람 하나 없고. 넓은 홀에 청소부 할아버지(춘대) 혼자 밀대차를 타고 돌고 있다. 동훈이 CCTV를 의식하며 엘리베이터 쪽으로 가는데, 엘리베이터는 활짝 열려진 채로 기사들이 점검 중이다. 수리하던

Episode 1

기사들이 동훈을 보자, 동훈은 자연스럽게 동선을 틀어 계단 쪽으로. 그쪽으로 가는 길에 보안실 앞을 지나게 되는데, 곳곳을 비추고 있는 CCTV 모니터들. 청원경찰들은 느긋하게 앉아서 핸드폰을 하고 있다. 그러다가 청원경찰1, CCTV 화면에서 자기 공간을 보고 서 있는 동훈을 발견. 휘릭 문 쪽을 보자, 동훈이 철렁해서 내뺀다. 급히 문을 열고 나가는 동훈의 뒷모습을 보고 서 있는 청원경찰1.

S#55 — 동훈 집 서재 (밤)

일하다가 울리는 핸드폰을 받는 윤희.

윤희　　어.

S#56 — 회사 근처 거리 + 동훈 집 (밤)

동훈, 걸어가며 통화 중.

동훈　　어디야?
윤희　　집. 당신은?
동훈　　가는 중. 뭐 사 가?
윤희　　뭐?
동훈　　아무거나. 먹고 싶은 거.
윤희　　없는데. 당신 먹고 싶은 거 사 와.
동훈　　알았어.

윤희는 전화를 끊고 가만. 뭔가 기운이 이상하다.

S#57 — 회사 건물 옆 (밤)

청소부들이 드나드는 쪽문이 있는 건물 옆. 춘대가 쓰레기와 비품들을 정리하고 있는데, 지

57 안이 춘대 쪽으로 걸어온다. 선글라스는 벗고. 춘대, 지안을 본다.

춘대   (장갑에 묻은 먼지를 털고) 꼭… 해야겠냐?
지안   뇌물이라 잃어버려도 신고도 못하는 돈. 누가 먹든 무슨 상관이에요.

춘대, 지안을 보다가 쪽문을 열어준다. 지안이 먼저 들어가면 춘대가 쫓아 들어간다.

S#58 ── 몽타주 (밤)

#기기실: 춘대가 일 층 전원을 내린다.
#일 층 로비: 텅, 텅, 텅. 차례로 전등이 나간다.
#어두운 보안실: 청원경찰 두 명이 손전등을 들고 어리둥절해서 움직인다.

청원1   기기실에 전화해봐.

청원2, 기기실 통화 버튼을 누르는.

#계단: 지안, 계단을 뛰어 올라간다. 한참 뛰어올라 사무실이 있는 층에 도착.
#보안실: 여전히 전화기 들고 있는 청원2.

청원1   안 받아?
청원2   안 받아요.

전화를 끊고 나가는 청원경찰 둘.

#사무실: 동훈의 서랍에서 봉투를 꺼내 나오는 지안. 다시 빠르게 계단을 내려온다.
#로비: 로비로 나와 기기실 쪽으로 가려는 청원경찰 둘.
#기기실: 춘대, 다시 전원을 올린다.

움직이던 청원경찰 머리 위로 다시 텅, 텅, 텅. 불이 들어온다. 둘러보다가 엘리베이터 수

Episode 1

청원1   거기서 뭐 잘못 만진 거 아니에요?

기사   아냐 우린.

청소 밀대차를 타고 유유히 로비로 오는 춘대.

#쪽문: 지안이 쪽문으로 나와서 간다.

S#59 ── 동훈 집 침실 (다음 날, 아침)

자다가 갑자기 놀라 벌떡 일어나 앉는 동훈. 정신없이 부랴부랴 움직인다.

S#60 ── 회사 로비 (아침)

잔뜩 긴장해 출입 펜스를 보며 걸어오는 동훈. 펜스 앞에 고압적인 눈빛을 하고 정자세로 서 있는 청원경찰들. 동훈은 애써 청원경찰들을 외면하며 출입증을 대고 들어가고.

S#61 ── 사무실 (아침)

들어오는 동훈을 보고 인사하는 직원들. "안녕하세요." "안녕하세요."

채령   (탕비 코너 쪽에서) 커피 드릴까요?

동훈   응…. 고마워.

동훈, 자리에 앉아 아무렇지 않게 서랍을 열었다가 뜨악한 얼굴. 봉투가 없다. 서랍을 뒤지는 손놀림이 거칠어진다. '설마, 설마. 미치겠다. 진짜 없다. 위로 붙었나? 뒤로 떨어졌나?' 손을 넣어 만져본다. 그러고는 서랍을 잡아 빼는데 너무 세게 빼서 서랍이 통째로 빠지고. 우당탕하는 소리에 직원들이 다 쳐다보는데, 동훈은 누가 쳐다보는지도 모르고 정신없이 뒤진다. 그런 동훈을 보는 송 과장과 김 대리.

송 과장　왜 그러세요?
동훈　아냐. 아무것도.

동훈이 서랍을 다시 책상에 끼워 넣고. 다른 서랍을 열어보고, 책상 위도 뒤져보고.

김 대리　뭐 잃어버리셨어요?
동훈　아냐.

티 낼 수는 없고 조용히 혼비백산한 동훈. 가만히 서서 눈동자만 굴린다. '어떻게 된 거지. 어디다 뒀지.' 그러다가 순간 획 고개 돌려 지안의 자리를 본다.

[INS] 무릎으로 밀며 서랍을 닫았던 지안.

[INS] "오늘은 그냥 집에 들어가시죠." 했던 지안.

동훈　(지안의 책상 쪽으로 가며) 여기, 여기 앉던 여자애, 아직 출근 안 했나? 파견직.
채령　이지안 씨요? (벽시계 보고) 좀 늦나 본데요.
동훈　(날랐다 분명히! 자신의 핸드폰 꺼내들더니) 걔 핸드폰 번호 불러봐.
채령　(모른다는 얼굴)
동훈　이지안 핸드폰 번호 아는 사람! 없어? (지안의 책상 위를 뒤져본다)

S#62 — 윤 상무 방 (아침)

그 시각, 윤 상무가 비밀스럽게 어딘가로 전화한다.

윤 상무　난데, 돈 보냈나? (사이) 알았어.

전화를 끊고 다른 데로 비밀스럽게 전화.

Episode 1

윤 상무   돈 보냈대. 제보 메일 올려. 익명으로. PC방 가서.

S#63 ─ 감사실 (낮)

'감사실' 팻말이 보이고. 익명의 제보 메일을 읽고 있는 직원, 일어나 이 부장에게 가서 보고. 이 부장이 직원 자리로 와 열려 있는 메일을 읽어본다.

S#64 ─ 박 상무 방 (낮)

'상무 박동운' 명패가 놓인 자리에 앉아 일 보는 박 상무. 똑똑똑 노크 소리에

박 상무   네.

감사실 직원 두 명이 들어온다. 박 상무와 감사실 직원의 시선이 왔다 갔다…

S#65 ─ 감사실 내 취조실 같은 방 (낮)

박 상무와 이 부장 단둘이 있다. 박 상무는 올 것이 왔다는 느낌으로 여유 있게 응대한다.

박 상무   나한테 오천을 먹였다고? 계좌 확인은 됐나?
이 부장   현금이 아니고 상품권이라는 제봅니다. 어제 사무실에서 퀵서비스로 받으셨다는…
박 상무   그럼 CCTV 확인하고 와.
이 부장   지금 확인 중입니다.

S#66 ─ 일 층 경비보안실 (낮)

청원경찰들과 함께 박 상무의 녹화된 CCTV를 확인하는 감사실 직원1, 2.

[INS] CCTV 화면: 상무실에서 전화를 받고, 복도를 걷고, 회의실에 앉아 있고, 퇴근하려고 엘리베이터에 올라타는 박 상무의 모습이 보인다.

직원2, 박 상무가 퇴근하는 것까지 보곤 전화한다.

직원2   없습니다. (사이) …알겠습니다. (전화 끊고) 퀵서비스 직원 찾아봐.

[INS] CCTV 화면: 퀵서비스 직원이 로비로 들어서는 게 보인다.

직원2   그 사람만 팔로우해.

S#67 ── 사무실 (낮)

핸드폰을 귀에 대고 있는 동훈.

소리   (E) 전원이 꺼져 있어…

그때 동훈의 눈에 들어오는 CCTV. '확인해봐야겠다!' 동훈은 계속 전화하며 서둘러 엘리베이터 쪽으로.

S#68 ── 로비 (낮)

동훈, 엘리베이터에서 내려 전화 끊으며 보안실 쪽으로.

S#69 ── 보안실 앞 (낮)

확인해봐야겠다는 일념하에 급히 보안실에 왔다가 감사실 직원들까지 앉아 CCTV를 확인하는 게 보이자 그대로 돌아서는 동훈.

S#70 ── 로비 (낮)

다리가 후들거리는 동훈이 엘리베이터 버튼을 누르는데, 엘리베이터에서 내려 보안실 쪽
으로 가는 감사실 이 부장. 벌써 뭔가 일이 터진 분위기. 동훈, 엘리베이터에 올라타는데 진
땀 난다. 닫히는 문.

S#71 ── 윤 상무 방 (낮)

통화하다가 혈압이 오르는 윤 상무.

윤 상무　박, 동, 운! '훈'이 아니고 '운'! 누가 부장 나부랭이 자르려고 오천씩이나
　　　　　멕인다고. (진정하고) 그래서, 박동'훈'한테 보낸 게 확실해? (네)

암담하고 답답해 돌아버릴 지경인 윤 상무.

S#72 ── 대표이사실 (낮)

윤 상무는 난감해 쩔쩔매며 서 있고, 준영은 또 다른 기회를 포착한 눈빛으로 조용히 생각 중.

윤 상무　박동운 상무라고 몇 번을 말했는데… (정중히) 죄송합니다.
준영　　(결론) 그냥, 박동훈 부장한테 온 걸로 하죠.
윤 상무　?
준영　　후배가 대표이사 되면서, 껄끄러워진 관계 때문에 안전진단으로 밀려났다고
　　　　　생각한 거예요. 이 직장에 오래 다닐 수 없겠다, 돈이나 챙겨 나가자….
　　　　　얼추 스토리 나오지 않아요?
윤 상무　(바보가 도 트는 것처럼, 천천히) 아… 네. 네…. (그다지 영악하진 않다)
준영　　(여유 있게 윤 상무의 팔뚝을 툭툭 쳐주며) 긴장하지 마시고. 괜찮아요. 박동훈 부장,
　　　　　그렇게 정리합시다.

S#73 ── 사무실 (낮)

감사실 직원 두 명이 자리에 앉아 있는 동훈에게 뚜벅뚜벅 다가온다. 애닳아 핸드폰 하고 있던 동훈은 그들을 보자 철렁해 심장이 내려앉고.

직원1   잠시 같이 가시죠.
동훈   (엉거주춤 일어나는)
직원1   가시죠.
동훈   저기… 잠깐… 누굴 좀 봐야 되는데….
직원1   일단 가시죠.

사무실 직원들은 뭔가 싶어서 보고. 그렇게 두 사람에게 이끌려 가는 동훈.

S#74 ── 일 층 로비 (낮)

엘리베이터 문이 띵 열리면 동훈 양옆에 감사실 직원들. 엘리베이터에서 내려서는데, 그 때! 이제 출근하는 듯 로비를 걸어오는 지안이 보인다. 눈이 커지는 동훈. 지안은 바람이 묻은 얼굴. 전쟁을 치른 뒤 태연을 가장하고 들어오는 얼굴. 동훈은 감사실 직원들에게 끌려가며 지안을 돌아본다.

동훈   (지안을 보며) 저기… 저기….

아무렇지 않게 엘리베이터 앞에 서는 지안. 동훈은 용기 내 지안을 크게 불러본다.

동훈   이지안 씨!

힐끗 무심한 눈으로 동훈을 보는 지안. 그런 둘의 모습에서 엔딩.

Episode 1

Episode

2

S#1 — 광일 사무실 건물 맞은편 (낮)

무표정한 얼굴로 서 있는 지안. 오래된 건물 사오 층쯤에 있는 '영광대부' 간판을 본다. 창문엔 '급전' '대출' 류의 글자가 박혀 있고. 도로를 건너 그 건물로 들어간다.

S#2 — 영광대부 사무실 (낮)

한편에는 간이침대가 있고. 거기에서 막 빠져나온 듯한 행색으로 상품권을 세는 종수. 지안은 맞은편에 앉아 있고.

종수   (다 세어 던져놓고) 딱 천팔백이네. (담배 한 개비를 빼 입에 물며) 상품권은 깡 하면
          십 프로 떼는 거 알지? 십 프로면… 백팔십은 남은 거다.

지안   …

종수가 핸드폰 통화 버튼을 누르며 일어나 라이터를 찾아 움직이고,

종수   어디야? 애 엔간히 너 안 보고 싶은가 보다, 꼭두새벽부터 찾아와서.
          상품권인데 어떻게, 받아 말어?

지안이 종수 모르게 품 안 봉투에서 이백만 원어치를 더 꺼낸다. 가방이 있으나 돈은 품 안 주머니에 넣었다.

S#3 — 목욕탕 앞 (낮)

목욕탕에서 나오는 광일.

광일   얼만데?

종수   천팔백.

광일   (멈칫) 일단 받어. 장물이야. 받고, 장물로 신고하고 깜빵 보낸다.

Episode 2

깜빵 갔다 오면 원금에 이자 어마어마하게 뿔고. 그 기지뱀 끝난 거야.

(서둘러 가며) 잡고 있어. 금방 가. (끊는)

S#4 — 영광대부 사무실 (낮)

종수는 전화 끊으며 광일의 의외의 수에 살짝 짜릿.

종수   (돌아서며, 아무렇지 않게) 광일이가 받으란다.
지안   (테이블 가리키며) 이백 더.

보면 테이블에 또 다른 상품권 뭉치. 종수는 '어랍쇼' 싶고.

지안   (일어나며) 차용증.
종수   뭐 급하다구. (물 받아 데우며) 커피 한잔하구 가. 이제 얼굴 볼 일도 없을 텐데.

지안이 책상으로 가 서랍에서 서류를 잡아 빼 뒤지자, 종수가 기겁하며 달려와 서류를 뺏어 서랍에 넣고 닫으며

종수   이 기집애가.

동시에 지안의 가방을 뺏어 뒤로 물러난다.

지안   !
종수   (가방 뒤지며) 난 돈 받고 끝내고 싶은데, 광일인 아닌 거 같아서.
          너 최소 전과 십 범 만드는 게 목푠데 이 기회를 놓치겠냐?

지안이 그대로 문 쪽으로 뚜벅뚜벅 나가자, 가방에서 아무것도 발견하지 못한 종수가 냅다 지안을 잡아채 돌려세워 바지와 점퍼 주머니를 빠르게 타닥타닥 만지고. 지안은 그 손을 신경질적으로 막아내고. 결국 종수가 지안 품속에서 봉투를 꺼낸다.

2화

종수　(겉봉투 보며) 박, 동, 훈. 주인 찾기 쉽고.

지안　!

끓고 있는 물, 테이블 위의 묵직한 재떨이, 한편에 세워진 야구방망이 등으로 지안의 시선이 빠르게 움직인다.

종수　왜? 패게? 그래, 절도에 폭행까지 쭉쭉 가보자 어디.

지안　!

S#5 ── 건물 안 (낮)

#건물 앞: 광일이 건물 입구로 들어오는 순간,
#복도: 지안이 가방을 챙겨 들고 덤덤히 사무실 문밖으로 나오고.

종수, 손에 봉투 든 채로 쫓아 나와 서서

종수　멀리 가지 마라. 괜히 형사들 뺑이 치게 하지 말고.

#건물 계단: 지안이 끝 쪽 계단으로 내려가는 순간, 광일이 정가운데 계단으로 올라간다.

S#6 ── 영광대부 사무실 (낮)

종수가 종이컵에 주전자의 물을 붓는데, 광일이 들어온다.

광일　어디 갔어?

종수　못 봤어? 방금 나갔는데. (테이블) 거기.

광일은 테이블 위에 있는 봉투와 상품권을 들어 보고.

Episode 2

벽에 붙어 주머니에 손 넣고 가만있는 지안. 경중한 추운 발. '어떻게 해야 하나.' 그때 트럭 하나가 지안의 눈앞에서 후진으로 승용차에 바짝 붙여 주차. 트럭에서 기사가 내려 뒷문을 열고는 맥주 한 상자를 내려 들고 가게 안으로. 지안은 승용차를 가만히 본다. 그리고 주변을 살핀다. CCTV가 있나 없나. 후드티를 뒤집어 쓴 지안이 뒷문이 열린 트럭 쪽을 스치듯 지나며 맨 위 상자를 잡아 끌어내린다. 승용차 위로 와르르 쏟아지는 맥주 상자들. 깨지고 박살 나고. 승용차에선 웽웽웽 소리. 가게에 있던 트럭 기사가 뛰어나오고. 건물 위에서 종수가 창밖으로 고개를 내밀었다가 자기 차임을 알고, '아… 씨….' 다시 건물 안으로 얼굴이 사라지면, 이번엔 광일이 얼굴을 내밀었다가 사라지고.

⟨ Cut to ⟩

난장판인 차 주변에 서 있는 광일, 종수, 기사. 기사는 종수의 기세에 눈도 안 마주치고 통화만 하고.

종수   이 양반아, 사고를 쳤으면 미안하다가 먼저지, 보험회사 부르는 게 먼저야?
         보험회사에서 너 그렇게 가르치든?

그런데 순간 뭔가 이상한 광일, 건물 안으로.

S#8 —— 건물 안 계단 (낮)

사무실로 올라가는 광일. 카메라 줌아웃하면, 몸을 숨겼다가 내려가는 지안이 보이고.

S#9 —— 영광대부 사무실 (낮)

광일이 들어와보면 테이블 위 상품권이 모두 없어졌고. '이런 씨!'

S#10 —— 거리 일각 (낮)

빠르게 걸어가며 통화하는 지안.

지안　할머니 니네 집으로 모셔. 지금 당장. (멈춰서, 서늘하게) 일어나…. 신발 신어.

S#11 —— 기범의 거처 + 거리 일각 (낮)

기범　(컴퓨터 앞에 앉아서 짜증) 야.
지안　일어나.
기범　(어쩔 수 없이 일어나며) 일어났어.
지안　신발 신어. (신었어) 빨리 가. (전화 끊고 뚜벅뚜벅)

S#12 —— 사무실 (낮)

감사실 직원 두 명이 자리에 앉아 있는 동훈에게 뚜벅뚜벅 다가온다. 애닳아 핸드폰 하고 있던 동훈은 그들을 보자 철렁해 심장이 내려앉고.

직원1　잠시 같이 가시죠.
동훈　(엉거주춤 일어나는)

71

직원1   가시죠.

동훈   저기… 잠깐… 누굴 좀 봐야 되는데….

직원1   일단 가시죠.

사무실 직원들은 뭔가 싶어서 보고. 그렇게 두 사람에게 이끌려 가는 동훈.

S#13 —— 일 층 로비 (낮)

엘리베이터 문이 띵 열리면, 동훈 양옆에는 감사실 직원들. 엘리베이터에서 내려서는데, 그
때! 이제 출근하는 듯 로비를 걸어오는 지안이 보인다. 눈이 커지는 동훈. 지안은 바람이 묻
은 얼굴. 전쟁을 치른 뒤 태연을 가장하고 들어오는 얼굴. 동훈은 감사실 직원들에게 끌려
가며 지안을 돌아본다.

동훈   (지안을 보며) 저기… 저기…

아무렇지 않게 엘리베이터 앞에 서는 지안. 동훈은 용기 내 지안을 크게 불러본다.

동훈   이지안 씨!

힐끗 무심한 눈으로 동훈을 보는 지안.

S#14 —— 사무실 (낮)

감사실 직원 두 명이 동훈의 책상에 있던 컴퓨터, 책상 위 물건들, 서랍에 있는 것까지 싹
쓸어 박스에 담는 중. 동료 직원들은 숨죽이며 그들의 행동을 주시하고. 황망한 얼굴로 서
로를 보는 김 대리와 송 과장. '무슨 일이에요?' '나도 몰라' 하는 제스처. 짐을 챙겨 가는 감
사실 직원들 옆으로 지안은 무심히 자판만 치고.

Episode 2

S#15 —— 감사실 취조 방 (낮)

혼자 앉아 있는 동훈은 진땀이 난다. 일어나 왔다 갔다 하다가… 문득 서둘러 핸드폰을 꺼내 전화 건다. 신호가 가는데 안 받는다. 그때 감사실 직원1이 들어오며

직원1   통화하시면 안 됩니다. (손 내밀며) 핸드폰 주세요.
동훈   잠깐, 한 통화만.
직원1   (단호한) 끊으세요.

동훈, 어쩔 수 없이 끊고 핸드폰을 주고. 직원1, 마지막 통화 내역을 확인하며

직원1   어디 거신 거예요?
동훈   집사람….
직원1   (확인해보니 맞다. 동훈을 보는)
동훈   변호사라….

S#16 —— 사무실 (낮)

지안이 자리에서 일어나 신문을 정리한다. 테이블에 있던 어제 신문을 싹 치운 뒤 새로운 신문으로 깔고. 지난 신문 뭉치를 챙겨 자리로 오고, 자리에 있던 파지까지 챙기는 척하면서 그 안에 상품권이 든 봉투를 끼워 나간다.

S#17 —— 감사실 취조 방 (낮)

직원이 컴퓨터로 녹화된 CCTV 파일을 재생한다.

[INS] CCTV 화면: 퀵서비스 직원에게 누런 봉투를 받는 동훈.

그걸 보는 동훈은 진땀 난다. 맞은편엔 직원1이 앉아 있다.

직원1	어느 업체예요?
동훈	…
직원1	어디서 보낸 거예요?
동훈	…
직원1	박 부장님.
동훈	그게, 나도 궁금해요. 어디서 보낸 건지. 나도 궁금한데.
직원1	얼마예요?
동훈	…
직원1	상품권으로 오천이라던데.
동훈	! (그걸 어떻게 알았지?)
직원1	그건 어딨어요?
동훈	그게… (지안을 만나고 들어와야겠다는 생각에 일어나며) 잠깐 나갔다 와도…
직원1	앉으세요.
동훈	(OL) 누구한테 뭣 좀 물어보고…
직원1	(OL) 앉으세요.
동훈	(어쩔 수 없이 도로 앉는)

S#18 —— 회사 내 사각지대 일각 (낮)

지안이 신문 뭉치와 돈 봉투를 들고 춘대 앞에 서 있다.

춘대	너 교도소 보내지 못해 환장한 놈. 결국 너 어디 다니는지 찾아내고,
	박동훈도 찾아낼 거다. 박동훈 찾으면 다행이지,
	잘못해서 박동'운' 찾아내면… 넌 끝장이야.
지안	…
춘대	(자기 앞에 있던 커다란 하늘색 쓰레기통 가리키며) 넣어.
지안	…

신문과 함께 묵직한 봉투를 쓰레기통에 버리는 지안.

Episode 2

S#19 — 회사 로비 (낮)

그 쓰레기통을 밀며 청원경찰에게 오는 춘대. 쓰레기통에서 봉투를 꺼내 건네준다.

춘대   이런 게 쓰레기통에 있던데….

S#20 — 일 층 경비보안실 (낮)

[INS] CCTV 화면: 전날 동훈의 행적이 흐르면서.

직원2가 박 상무와 이 부장에게 이를 보여준다.

직원2   (화면) 19시경에 퇴근했다가… 23시 40분경에 다시 들어옵니다.
            (화면) 그리고 보안실을 보고…
이 부장   왜 저래?
직원2   (화면) 그리고 그냥 나가요.
박 상무   (화면)
이 부장   자정에 정전됐다는 건 뭐야?
직원2   엘리베이터 점검하다가 잘못 건드린 거 같대요.
이 부장   어디서 보낸 건지 알 수 있는 게 없는 거야?
직원2   지금까진.
박 상무   퀵서비스 방명록 남겼나 봐봐.

직원2, 녹화된 CCTV를 돌려본다.

직원2   있어요.

[INS] CCTV 화면: 로비에서 퀵서비스 복장의 남자가 방명록을 쓰는 장면에서 멈춰 있고.

직원2가 통화 중이고. 뒤에 서 있는 박 상무와 이 부장.

직원2   어제 16시에 퀵서비스로 들어온 남자, 방명록에 적은 연락처 불러봐.

              응. (전화를 끊고 그 번호로 전화를 거는데)

이 부장   어디서 배달시킨 건지 물어보고, 애매하게 나오면 경찰 수사 들어간다고 해.

직원2, 수화기를 들고 있다가 그냥 끊는다. 박 상무와 이 부장, '왜?' 하는 표정.

직원2   없는 번호랍니다.

박/이   !

박 상무   작정하고 수 썼네. 감쪽같이 멕이려고 한 걸까, 감쪽같이 먹으려고 한 걸까.

이 부장   (그 질문의 속내를 알겠는데)

직원2   둘 다 아녜요? 주는 사람이나 받는 사람이나 걸리면 안 되잖아요.

박 상무   독약을 직접 먹나, 아니면 누가 멕이나?

직원2   ?

박 상무   제보 들어왔다는 그 메일 봐봐.

직원2가 컴퓨터 쪽으로 돌아앉고 박 상무가 그쪽으로 가는데, 그때 청원경찰이 누런 봉투를 들고 들어온다.

청원   저기 이거, 청소부가 쓰레기통에서 주웠답니다.

이 부장   (받으며) 뭔데?

청원경찰이 나가고. 이 부장이 봉투를 열어보면 상품권 뭉치. 이 부장이 박 상무를 본다. 박 상무가 다가와 뺏어서 메모를 본다. '오천입니다. 잘 부탁드립니다.'

박 상무   (!) 이렇게 되면… 멕이려고 한 거지? (이 부장에게 봉투 돌려주며)

              어디서 누가 보낸 건지 잡아낼 때까지, 이거 우리 손에 들어온 건 비밀.

              (다시 직원1에게 가는) 봐봐. (메일을 읽는 표정)

S#21 — 감사실 취조 방 (낮)

이 부장, 문을 열고 서서 직원1에게 나와보라는 제스처. 직원1이 나가고, 동훈은 혼자 앉아 암담. 잠시 후 직원1이 들어온다.

직원1   일어나시죠.
동훈   ?

S#22 — 사무실 (낮)

동훈은 초주검이 되어 직원1을 뒤에 달고 온다. 동료 직원들은 고개 빼고 보다가 애매하게 시선을 거두는데. 동훈은 지안을 보자 눈이 번쩍. 가방이며 소지품을 대충 챙겨서 지안에게 다가가는데

직원1   (얼른 따라붙으며) 오늘은 일단 퇴근하시죠.
동훈   (낮게) 나와봐. (지안의 옷자락을 잡고 끄는데)
직원1   가시죠.

동훈, 어쩔 수 없이 그냥 밀려나는 분위기. 직원1이 계속 동훈 옆에 따라붙고. 사무실 직원들은 조용히 눈으로 그런 둘을 쫓고.

동훈   (가다가) 내 핸드폰….
직원   조사 끝나면 드리겠습니다. 출입증 주시죠.
동훈   !

어쩔 수 없이 주머니에서 출입증을 꺼내주고. 직원의 호위를 받으며 엘리베이터 쪽으로 가는 동훈. 무신히 자판만 치는 지안.

　　　　S#23 — 거리 (낮)

동훈, 편의점에서 담배를 사서 나와 한 대를 빼고 담뱃갑을 통째로 쓰레기통에 버리고. 담배에 불을 붙이려는데 라이터가 계속 헛돈다. 부싯돌만 반짝이고. 짜증 난 동훈이 그냥 다 쓰레기통에 버리고. '뭘 어떻게 해야 될지.'

상훈　　(E) 넌 어떻게든 회사에 오래 붙어 있어야 된다. 잘리는 순간, 넌 나 된다.

암담한 동훈의 얼굴에서

S#24 — 변호사 사무실 (낮)

굳어 있는 윤희의 얼굴로. 소파에 앉아 자기 생각에 빠져 얘기하는 동훈을 꼼짝도 않고 보고만 있는 윤희.

동훈　　보내면 보낸다는 언질이 있어야 될 거 아냐. 없었어. 이상했어.
　　　　이상했는데. (결론) 계획적으로 먹인 거야. 감사실에서 액수를 정확히 알아.
　　　　누가 나 자르려고 계획적으로 먹이고 찌른 거야. (근데) 누가, 왜? 어떤 놈이.
윤희　　!
동훈　　(갑갑한) 분명히, 분명히 서랍에 넣어놨는데. 그게 있어야 뭔 변명이라도 할 텐데.
　　　　(다시 생각) 의심 가는 사람이 있긴 한데… (지안을 염두에 두고 한 말)
윤희　　(그제야 자세 풀며 처음으로 말하는) 밥은 먹었어?
동훈　　(윤희 보고) 좀 알아봐 줘봐. 사람 시켜서 회사 모르게 조용히.
윤희　　회사 모르게 조용히 알아볼 방법은 없어. 일단 그냥 있어봐. 섣불리 움직이지
　　　　말고. 별일 없을 거야.
동훈　　문젠 그 상품권이 없잖아, 오천만 원 그게. (답답)
윤희　　….

〈 Cut to 〉

동훈은 가고 없고. 차양을 내리고 전화하는 윤희.

Episode 2

소리   (E) 전원이 꺼져 있어…

윤희, 밖으로 나간다.

S#25 —— 변호사 사무실 근처 거리 일각 (낮)

공중전화 박스에 들어가 있는 윤희.

윤희   어떻게 된 거야? 동훈 씨, 니가 그런 거야?

S#26 —— 대표이사실 (낮)

준영이 서서 일반 핸드폰으로 전화를 받고 있고.

준영   처음부터 그럴려고 그런 건 아냐.

S#27 —— 변호사 사무실 근처 거리 일각 + 대표이사실 (낮)

윤희   (설마 했는데 미치겠다) 너 왜 이래? 왜 이렇게 막 나가? …이렇게 되면
        너까지 위험해지는 거 몰라? 동훈 씨 지금 바짝 긴장해서 움직인단 말야.
        누가 보낸 건지, 왜 보낸 건지.
준영   나중에 얘기해. 나 회의 들어가. (끊고 나가는)

윤희는 전화를 끊고. '미치겠다 정말.'

S#28 —— 임원 회의실 (낮)

준영, 윤 상무, 박 상무, 왕 전무 외에 몇몇 상무들 있고. 다들 기운 세게 몰아붙이는데 왕 전

　무는 느긋하게 핸드폰(인터넷)만 보고 있다.

윤 상무 　더 수사하고 말고 할 게 뭐 있어요? 받은 게 CCTV에 딱 찍혔는데.

박 상무 　어디에서 보낸 건지도 아직 모르고.

모 상무 　아직도 안 불었어요?

윤 상무 　불겠어요? 이러나저러나 잘리게 생긴 거? 얼마 전에 박동훈 부장이
　　　　　　안전진단한 아파트, 재건축 허가 떨어졌어요. 싸이즈 딱 나오잖아요.

박 상무 　일부러 D 등급 줬다는 건가?

윤 상무 　일부러는 아니었어도 어차피 D인데 그쪽 사람들은 그걸 모르니까,
　　　　　　뒷돈 대면 확실하게 재건축 허가 나오게 해줄까 싶어서 그런 거지.
　　　　　　이렇게 머리가 안 도나?

박 상무 　조합장 족치면 바로 나와.

윤 상무 　이 사람이! 회사 이미지를 생각해야지. 이거 소문나면? 이 바닥에서 완전
　　　　　　매장당하는 건데. 자네가 책임질 거야?

박 상무 　제보 메일엔 내가 받은 걸로 돼 있던데. 박동'훈'이 아니고 박동'운'.

윤 상무 　…원래 헷갈리는 이름 아닌가.

박 상무 　'훈'하고 '운'은 헷갈릴 수 있지만, 상무랑 부장을 헷갈리나. 제보 메일에는
　　　　　　정확하게 써 있던데. 박동'운' 상무라고.

윤 상무 　!

몇몇 상무, 의아한 얼굴들이고.

박 상무 　오천씩이나 들이밀 만한 업체 하나하나 조져보고. 조져서 나오면,
　　　　　　박동훈!한테 보내려고 한 건지, 나 박동운!한테 보내려고 한 건지 나오겠지.

준영 　!

왕 전무 　(보던 핸드폰을 주머니에 넣으며) 그만하고들 밥 먹으러 가지?

S#29 — 사무실 일각 (낮)

회의실에서 나와 복도를 걷는 왕 전무와 박 상무.

왕 전무 잘하면 도준영, 윤 상무 줄줄이 잘리겠어. 죽어라 파봐.

박 상무 네.

S#30 — 대표이사실 (낮)

굳은 얼굴로 들어오는 준영, 따라 들어오는 윤 상무.

준영 돈 댄 업체는, 안전한 거예요?

윤 상무 그건 걱정 안 하셔도 됩니다. 절대, 절대 불지 않을 겁니다. 그건 제가 보장합니다.

준영 …

윤 상무 박 부장 만나서 되도록 빨리 사표 쓰도록 하겠습니다.

　　　　　알아서 사표 쓰고 나가면 더 캐려고 하지도 않을 거고. 걱정 마십쇼.

준영 …

윤 상무 (진심) 죄송합니다. 한 번만 믿어주십쇼.

S#31 — 회사 앞 (밤)

한쪽에 숨어 회사 입구를 주시하고 있는 동훈. 지안이 나오나 안 나오나. 그때 지안이 나온다. 눈이 번쩍. 쫓아가려는데 뒤이어 송 과장과 김 대리가 나온다. 주춤. 지안을 바짝 쫓아갈 수 없다. 송 과장과 김 대리는 수군대며 걸어가고. 모두 지하철 역사로 내려간다. 동훈이 따라간다.

S#32 — 지하철 플랫폼 (밤)

지안이 계단을 내려와 플랫폼 앞쪽으로 계속 걸어가는데, 송 과장과 김 대리는 가다가 중간쯤에 서서 얘기하고. 계단을 내려오던 동훈은 지안을 쫓아가야 하는데 직원들 눈에 띌까 싶어 지나가지 못하고 주저하는데, 그때 전철이 들어오는 소리가 들리자 송 과장과 김 대리가 열차 앞으로 바짝 당겨 서고. 그 틈에 동훈이 얼른 두 사람 뒤로 지나쳐 지안 쪽으로 잰걸음. 열차 문이 열리고… 지안이 올라타자… 지안이 있는 곳까지 달리던 동훈, 놓치기 전에 그냥 바로 올라탄다.

S#33 — 지하철 안 (밤)

꾸역꾸역 사람들을 헤치고 지안이 탄 쪽으로 이동하는 동훈. 지안이 보인다. 그 옆에 조용히 다가가 선다. 사람이 많다. 함부로 할 수 없다. 지안은 동훈을 보고 놀라지도 않고. 다시 차창 밖을 보고.

동훈 (낮게) 내려. 얘기 좀 해.
지안 (못 들은 척)
동훈 내리라고.
지안 왜요?

지안 옆에서 핸드폰만 하던 건장한 남자가 동훈을 힐끗 본다. 동훈은 그 사람의 시선이 신경 쓰이고.

동훈 ⋯어딨어 그 돈.
지안 ⋯
동훈 (아무 말 없는 거 보니) 맞지? 너.
지안 ⋯
동훈 어딨냐구.
지안 (귀찮다) 버렸는데요.
동훈 (돌겠다. 말 같지도 않지만) 어디다?
지안 쓰레기통에.

훔친 건 분명하고, 버렸다는 건 거짓말이고. 돌아버린다. 다음 역 안내 방송이 들린다. 동훈은 지안을 잡아끈다.

동훈 내려. 내려서 얘기해.

문이 열리자 동훈이 지안을 잡아끌고, 지안은 버티고.

지안   (갑자기 거칠게) 싫다고!

동훈도 '에라 모르겠다' 싶어 용을 쓰며 지안을 끌어 내리려는데, 옆에 있던 건장한 남자가 동훈을 냅다 밀쳐낸다.

남자   싫다잖아!

남자의 힘에 동훈은 꼴사납게 플랫폼에 나뒹굴고. 지나던 사람들이 다 쳐다보고. 사람들의 시선이 무서운 동훈은 벌떡 일어나 아무렇지 않은 듯 걸어간다. 떠나는 열차. 걸어가는 동훈 얼굴엔 억울함이 가득.

S#34 — 거리 (밤)

동훈, 공중전화 부스 안에 있다.

동훈   기훈이 있어요?

S#35 — 요순 집 거실 + 거리 (밤)

요순, 집 전화기를 들고

요순   전화받어.

기훈, 방에서 나오며

기훈   누군데?
요순   동훈이.

기훈	핸드폰으로 안 하고 왜. (전화받고) 왜?
동훈	니 친구 중에 경찰 있댔지?
기훈	어, 왜? (아무 말이 없는 듯, 재촉하며) 왜애?
동훈	돈 잃어버린 것도 찾아주나?
기훈	당연하지. 누가 잃어버렸는데.
동훈	…나.
기훈	얼마나?
동훈	…오천.
기훈	(눈 커지고 목소리 커지며) 얼다가?

걸레질하다가 철렁해서 쳐다보는 요순. 기훈은 "이씨" 하며 전화 끊고 급히 방에 들어가고.

요순	왜? 뭔 일인데?

기훈은 방에서 점퍼를 들고 와 나가고.

요순	무슨 일인데 그래?

기훈이 나가던 중에 술 취해 들어오는 상훈과 부딪히고. OL로 울리는 집 전화.

요순	여보세요. 너 뭔… (듣는)
상훈	쟤 어디 가?
요순	(상훈을 밀치며 뛰쳐나가며) 동훈이 핸드폰 없대-! 광화문 역 앞이래-!
상훈	?

S#36 — 거리 일각 (밤)

기훈은 독이 바짝 올라 있고. 동훈은 당황해 공황 상태고. 상훈은 술도 좀 취했겠다 중간에 어벙하게 서 있고,

기훈	확실해? 걔가 가져간 거 확실해?
동훈	심증인데… 백 프로야.
기훈	(핸드폰 들고) 그 기집애 전화번호 뭐야?
동훈	아니 백 프론 아닌데… 확실해.
기훈	말 똑바로 해 씨.
동훈	돈 들고튀었으면 출근을 안 해야 되잖아. 했어.
기훈	나 같아도 해. 토끼면 백 프로 범인이라는 건데. 전화번호 불러봐.
동훈	…핸드폰에 있는데.
기훈	아무 직원한테나 전화해서 물어보면 되잖아.
동훈	직원 핸드폰 번호는 어떻게 알아?
기훈	어떻게 외우는 직원 번호가 하나 없어?
동훈	(욱) 넌 있어 새끼야? 엄마 번호도 모르는 놈이.
상훈	(진정시키려) 회사로 전화해보면 되잖아.
동훈	(욱) 이 밤에 회사에 누가 있어?
상훈	(괜히 끼어들었다 욕만 먹고…)
기훈	노망났어? 왜 안 하던 짓해? 양심대로 살기 지쳤냐?
동훈	…
기훈	큰형 꼴 안 나게 오래 살아남아야 된다고! 엄마 장례식장 썰렁하게 만들지 않으려면 오래 살아남아야 된다고! 엊그제 말했다, 엊그제.
동훈	(터진다) 내가 왜 받았는데?
기/상	!
동훈	(울컥) …나이 처먹어서 둘이 축의금이나 훔치고 앉았구.
기/상	(열 받는데 할 말은 없고 / 그저 면목 없고)
상훈	괜찮아. 뭐, 오천이면 아쉽긴 하지만, 그 돈 없어도 살고, 나 수위 할 거니까….
기훈	등신아, 지금 그 돈 아까워서 이 난린 거야? 찾아서 갖다 놔야 될 거 아냐, 회사 안 잘리게! 머리가 그렇게 안 도냐? 초저녁부터 술에 젖어서. 잘한다. 동생 인생까지 망치구. 어우, 내가 진짜 이눔의 삼 형제.
상훈	빠져 새꺄 그럼. 누가 삼 형제로 붙어 있으래?
기훈	죽어야 빠지지.
상훈	죽어 그럼 오늘.

85

하며 상훈이 냅다 기훈에게 달려드는데, 기훈은 바로 한 손으로 옆으로 치우듯 밀쳐버리고. 그래도 또 달려드는 상훈, 기훈의 옷깃도 만져보지 못하고 계속 패대기쳐지는 상황. 동훈은 가뜩이나 짜증 나는데 미치겠고.

S#37 —— 전철역 앞 (밤)

[INS] 1화에서 지안과 동훈이 나왔던 전철역.

입구를 바라보고 서 있는 기훈. 입구에서 나오는 젊은 여자를 하나하나 살펴본다. 상훈은 쪼그려 앉아서 보고 있고. 쓸쓸하고 초조한 두 남자. 그때 전화받는 기훈.

기훈   알아봤어?
친구   (F) 알아봤는데 관악구에 이지안은 딱 하나 나오는데,
기훈   (OL) 주소 불러봐.
친구   (F) 근데, 세 살이야. 세 살짜리가 훔쳤다는 거야?
기훈   장난해? 재밌냐 지금? (진정하고) 서울시 전체로 찾아봐. (사이) 좀 찾아주라 새꺄!

S#38 —— 마트 안 (밤)

[INS] 1화에서 지안이 계산하던 마트.

계산대 밖에 서서 눈으로 쭈욱 둘러보는 동훈. 그러다가 매장 안에 있는 한 여자에게 시선이 꽂힌다. 지안 같다. 여자는 물품 성분표시를 확인하는 듯 등지고 선 채로 움직이지 않는다. 여자가 물건을 도로 놓고 움직이면 보이는 얼굴. 지안이 아니다. 동훈이 다른 곳으로 시선을 돌린다.

S#39 —— 기범의 거처 (밤)

지안이 (식당에서 싸 온) 비닐봉지에 담긴 음식을 그릇에 쏟고. 할머니의 손에 들려주고. 할머

니는 이를 천천히 먹고. 기범은 열나게 컴퓨터 게임 중이고.

〈Cut to〉

다 먹은 할머니가 빈 그릇을 들고 지안을 보는데, 지안은 벽에 기대어 앉은 채로 곯아떨어졌다. 지쳤다.

S#40 ── 지안 집 (밤)

어두운 지안의 집. 잠시 후 스탠드 불이 딱 켜지면서 앉아 있는 광일이 보인다. 광일은 혼자서 스탠드 불을 켰다 껐다….

S#41 ── 전철역 (밤)

동훈, 상훈과 기훈이 있는 곳으로 걸어온다. 불 꺼진 상점들. 상훈과 기훈, 동훈을 본다. 허탕이라는 걸 알겠다.

동훈   가. 막차 갔어.

상훈   …

기훈   …

동훈   가. (그냥 먼저 가자)

기훈   그냥 경찰서 가, 지금. 신고해, 가서.

동훈   뭐라고? 뇌물 받은 거 잃어버렸다고?

기훈   뇌물이라고 말 안 하면 되지!

그때 끼익- 하는 급정거 소리. 본능적으로 셋의 시선이 그쪽으로. 저만치 앞에서 급정거한 검은 세단. 그 차가 빠르게 후진해서 삼 형제 쪽으로 온다. '뭐지' 싶은데. 뒷좌석 창문이 내려간다. 윤 상무다.

동훈   !

윤 상무 (신경질 난) 어디 갔다 이제 와?

S#42 ─ 룸살롱 (밤)

갑갑하게 앉아 있는 동훈 위로, 윤 상무가 문 열고 서서 직원을 잡는 소리가 들린다.

윤 상무 너 일루 와봐. 일루 와봐. 내가 안주 시킨 지 얼마 됐어?
직원 죄송합니다. 금방 됩니다.
윤 상무 확, 진짜 죄송해? …진짜 금방 갖구 와라.

윤 상무, 문을 쾅 닫고 자리에 돌아와 분을 삭이는. 동훈을 힐끗 보곤 마음을 다잡는다. '이러려고 온 게 아닌데.'

윤 상무 내가 당 떨어지면 예민해져서. 밥도 못 먹고 여태 자네 집 앞에서.
　　　　지들이 무슨 KGB야, 핸드폰까지 뺏어 가고. (양주 병 따서 따르며) 어딨었어 여태?
동훈 …
윤 상무 밥은?
동훈 …
윤 상무 (건배 제의) 마셔.

동훈, 잔을 보다가 훅 원샷해버리는.

⟨ *Cut to* ⟩

계속 채워지고 비워지는 술잔, 술 취해 늘어진 동훈 얼굴, 얘기하는 윤 상무 얼굴 등이 슬로우나 스틸 컷으로 흐르면서

윤 상무 (E) 알아… 자네 구린 돈 안 받는 사람인 거…. 자네도 힘들었을 거야.
　　　　대학 후배가 대표이사라…. 모르는 거 아냐. 자네만 힘들었겠어? 도준영 대표도
　　　　자네 보기 불편했지…. 좋은 데 알아봐줄게…. 그냥 조용히 사직서 쓰고…
　　　　그만하자 이제. 가뜩이나 회사 시끄러운데… 나도 골치 아프다….

Episode 2

점점 먹먹해지는 동훈의 얼굴.

S#43 ─ 윤희 거처 (밤)

윤희   사람 왜 그렇게 궁지에 몰아? 내가 이혼한다고!

준영   이혼해도 동훈 선배랑 한 직장에 계속 있으면 어쨌든 난 부하의 전 와이프랑 연애하는 놈이야.

윤희   !

준영   나중에 우리 사이 알고 동훈 선배 나쁜 맘 품으면?

윤희   !

준영   (동훈 선배) 회사에서 정리되면, 그다음에 이혼해. 그게 앞뒤가 맞아.

윤희   직장에서 잘리고, 이혼당하고. 너무 심하잖아.

준영   그럼 다른 수 있어?

윤희   …우리 너무 나쁜 사람 되고 있어.

S#44 ─ 회사 근처 편의점 (다음 날, 아침)

편의점 안에서 초췌하고 무표정한 얼굴로 서 있는 동훈. 지하철 역사에서 우르르 빠져나오는 직장인들. 동훈이 편의점 앞을 지나는 직장인 무리를 주시하고 있다. 그때 무리에 섞여 지나가는 지안을 발견. 서둘러 편의점 문 쪽으로.

S#45 ─ 회사 앞 (아침)

빠르게 걷는 지안 옆에서 나란히 걷는 척하며 얘기하는 동훈. 지안은 쳐다보지도 않고 그저 제 속도로 걷기만.

동훈   (앞만 보며 얘기) 어디 살아?

지안   …

동훈   아는 동생이 형산데, 관악구에 이지안은 없다네. 내가 분명히 우리 동네에서 봤는데. 어디 살어?

지안   …

동훈   (빠르게 걷는 게 힘에 부치지만) 잘리게 생긴 마당에 그냥 다 얘기하려구.
           서랍에 두고 갔다, 그런데 잃어버렸다. 의심 가는 사람이 있다.
           CCTV 확인해달라….

S#46 — 일 층 로비 (아침)

지안과 동훈, 회사 입구로 들어와 엘리베이터로 가는 중.

동훈   수사 시작되면 빼도 박도 못해. 걸리기 전에 내놓는 게 좋을 거야.
           괜히 전과 생기면 취직하기도 힘들고.

그때 지안이 출입증(파견직 양식의 출입증) 대고 쓱 들어가는데. 거기서 막히는 동훈. 주저하며
펜스 옆을 지키고 서 있는 청원경찰에게 간다. 뭐라고 얘기하는 동훈. 청원경찰은 무전기(혹
은 핸드폰)로 통화하고. 직원들이 줄줄이 들어가며 자신을 보는데 못 들어가고 서 있는 게 동
훈은 민망하고. 청원경찰이 통화를 끝내고 자신의 키로 출입 펜스를 열어준다. 들어가 엘리
베이터에 오르는 동훈은 굴욕적이고 울분에 찬 얼굴. 울겠다 진짜. 엘리베이터 문이 닫힌다.

S#47 — 회사 건물 옆 (낮)

춘대가 재활용 쓰레기 정리하는데, 지안이 벽에 기대어 서 있다.

지안   돈이 어딨는지 모르는 거 같던데. 혹시 꿀꺽하셨어요?

춘대   (보기만 한다. 사람 뭘로 보고. 시선 거두며 일하는) 냅둬.
           자르려고 놓은 덫을 니가 치운 걸 수도 있어. 먹었다 치고 자르겠지.
           박동훈 부장, 누구한테 밉보였나….

지안   …

S#48 ── 감사실 (낮)

박 상무, 이 부장 그리고 직원들이 있는데 윤 상무가 들어온다.

윤 상무 잠깐 얘기 좀 하지. (취조방으로)
박 상무 (뭐지 싶은데 따라가는)

S#49 ── 감사실 취조 방 (낮)

서서 얘기하는 박 상무와 윤 상무.

박 상무 본인이 그래? 자기가 먹었다고?
윤 상무 살살 구슬렸더니 다 불더만. 박 부장도 맘고생했지 뭐. 어쩌다 대학 후배한테
　　　　　머리 조아리게 됐고. 안전진단팀으로 밀려나고… 깝깝했지 뭐.
박 상무 돈은? 오천만 원은 어쨌대?
윤 상무 자네 같으면 잘리는 마당에 돈까지 토해놓겠어? 그냥 먹고 나가겠지.
박 상무 있어봐.

박 상무, 밖으로 나갔다가 상품권 봉투를 들고 와 테이블에 던져놓는다. 윤 상무는 '이게 뭔가' 싶은데.

박 상무 오천. 청소부가 갖구 왔어. 쓰레기통에서 주웠다고. 버린 거야 박동훈.
윤 상무 !
박 상무 어디서 보낸 건지 알아야 돌려보낼 텐데 알 수가 없으니까.
윤 상무 수사 시작되니까 겁나서 버렸겠지.
박 상무 배달된 다음 날 아침에 쓰레기통에서 발견됐으니까 당일 버린 거야.
윤 상무 !
박 상무 왜 그렇게 박동훈 잘라내지 못해서 안달이야? 혼자 하는 짓은 아닐 테고.
　　　　　도준영이 왜 그런대?
윤 상무 도준영이? 말조심해.

박 상무	나라님 이름도 부르는 판에 나보다 어린 새끼 이름 못 불러?
윤 상무	이 사람이!
박 상무	단순히 재신임 때문만은 아니고. 슬하에 자식 하나 없는 회장님 상처까지 하고 병원 들락거리니까, 회장님 지분 받아 주인 돼보려고 하는데 걸리는 인간들이 많지? 작전 제대로 구사해서 하나하나 잘라내려다가 어떤 등신 같은 업체 때문에 스텝 꼬이고. 그냥 박동훈 잘라내고 대충 덮으려나 본데. 쉽지 않을 거야.
윤 상무	!
박 상무	줄을 왜 그리 섰어? 왜, 도준영이 오너 되면 자네 대표이사 시켜준대?
윤 상무	자네는? 왕 전무가 오너 되면 대표이사 시켜준대?
박 상무	그거 플러스, 질서 확립.
윤 상무	?
박 상무	아무리 사람 좋은 사람도 절대 못 봐주는 게, 내 뒤에 서야 될 것 같은 놈들이 앞에 서는 거. 그건 뚜껑 열려. 잠 안 와. 주제 모르고 앞에서 설치는 것들 싹 치워볼라구.
윤 상무	그 말 꼭 전하지.
박 상무	꼭! 전해. (돌아서다가) 자네한테도 해당되는 말이야. (나가는)
윤 상무	(분한)

S#50 — 대표이사실 앞 (낮)

준영, 대표이사실에서 급히 나온다. 여비서가 방에서 따라 나와 종종종 앞서가며 엘리베이터 버튼 누르고. 서둘러 가는 준영.

S#51 — 일 층 로비 (낮)

슬리퍼에 병원 환자복을 입고 그 위에 외투를 걸친 회장이 왕 전무와 함께 커피숍 계산대에 있다. 회장이 계산하려 주머니에 손 넣자,

왕 전무	제가 사요. (계산)

회장 고마워.

왕 전무는 허허거리며 회장에게 친근하게 대한다. 같은 연배인데도 꼬박꼬박 존댓말.

⟨ Cut to ⟩

회장이 커피를 받아 들고 돌아서 한 번 후루룩 마시는데, 그때 준영이 엘리베이터에서 급히 나온다.

준영 연락도 없이 어쩐 일로.
회장 병원 커피가 여기만 못해. 산책 나왔다가 그냥 와버렸어. 뭐 하러 내려와? 커피만 사갖구 가는 건데.

회장, 밖으로 발걸음을 돌리고. 왕 전무와 준영도 따라간다.

S#52 — 회사 옆 (낮)

흡연 공간. 셋이 담배를 피던 끝물.

회장 (황당) 버렸대?
준영 !
왕 전무 (담배 비벼 끄며) 네, 버렸대요.
회장 진짜 오천을 버렸대?
왕 전무 네.
회장 통 크네. (준영에게) 그럼 안 받은 거잖아. 자르고 말고 할 게 뭐 있어?
준영 (최대한 무심한 미소) 저도 처음 듣는 얘기에요, 버렸다는 건.
왕 전무 어디서 보냈는지 찾아내서 혼꾸녕을 내주려구요. 괜히 착한 사람 애먹이고.
준영 …
회장 이름이 뭐라구?
왕 전무 박동훈 부장이요. 이번에 안전진단팀으로 간.
회장 박, 동, 훈…. 어 알어 알어. 쫌 억울하게 생긴 사람. (차로 가며)

　　　　　　　　퇴원하면 내가 밥 한번 산다 그래.

왕 전무　네.

준영　어디 불편하신 데는.

회장　다 불편하지 뭐. 젊을 때 실컷 놀아.

준영　(미소)

기사가 열어주는 차에 오르는 회장. 준영이 깍듯하게 허리 숙여 인사하고.

왕 전무　심심하면 부르세요.

회장 차가 떠나면, 이어서 왕 전무 차가 온다.

왕 전무　약속이 있어서.

준영　(나이스하게) 네. 들어가십쇼.

왕 전무까지 가면 굳어지는 준영. 심호흡한다.

S#53 ── 일 층 로비 (낮)

준영이 엘리베이터로 가는데, 준영의 시선에서 박 상무가 보안실에서 나와 엘리베이터로 가는 게 보인다. 둘이 나란히 엘리베이터 앞에 서고.

준영　잠깐 제 방에서 뵙죠.

박 상무　네.

엘리베이터 문이 열리면 그 안에 지안이 있다. 서류 뭉치를 들고. 청원경찰이 얼른 옆 엘리베이터 버튼을 누르는데, 준영과 박 상무가 지안이 있는 칸에 그냥 타버린다. 셋 얼굴에서 닫히는 문.

S#54 ― 엘리베이터 안 (낮)

셋이 말없이 있는데, 그때 진동으로 울리는 준영의 핸드폰.

준영 여보세요. (사이) 네.

그런데 또 진동으로 핸드폰이 울린다. 박 상무가 자기 핸드폰을 본다. 아니다. 핸드폰을 주머니에 넣으며 지안을 보는데, 지안은 미동도 하지 않고.

준영 알겠습니다. 들어가세요.

통화를 끝낸 준영. 여전히 울리는 진동. 그제야 준영은 자신의 2G폰이 울리는 걸 알고 조용히 뜨악. 박 상무가 의심스러운 눈으로 준영을 보는데, 그때 아무도 모르게 준영의 주머니에서 2G폰을 꺼내 박 상무 보란 듯이 거절 버튼을 누르고 자기 주머니에 넣는 지안. 그제야 의심의 눈초리를 거두는 박 상무. 준영은 등골이 서늘해지고.

S#55 ― 사무실 (낮)

셋이 엘리베이터에서 내리고. 준영은 지안을 의식하며 가고. 지안은 아무렇지 않게 자기 자리에 앉아 일한다. 준영과 박 상무는 대표이사실 쪽으로.

S#56 ― 대표이사실 (낮)

준영, 들어와 서서 책상에 있는 서류들을 넘겨보며 박 상무에게 나이스하게 말한다.

준영 쓰레기통에서 발견됐다면서요? 오천.
박 상무 윤 상무가 말했나 부죠?
준영 왕 전무님한테 들었습니다. 없던 일로 하라십니다. 회장님께서.
박 상무 알겠습니다. 박동훈 부장은 살려두고 보낸 업체만 찾겠습니다.

준영   …그러세요.

박 상무가 살짝 고개 까닥이고 나가면, 준영이 가만히 생각에 잠겨 있다가 급히 나간다.

S#57 — 사무실, 복도 (낮)

준영이 대표이사실에서 나오자 일제히 일어나는 비서들. 준영은 비서들에게 됐으니 일 보라고 손짓하고, 사무실 쪽으로 와서 눈으로 지안을 찾는데, 지안이 준영의 2G폰을 들고 문자를 찍고 있다. '쟤가 뭐 하는 짓인가.' 문자를 다 찍고 2G폰을 제 주머니에 넣는 지안. 이어 준영의 핸드폰에 문자 착신음. 확인해보면,
[비서들 퇴근하면, 저한테 샌드위치 사 오라고 시키세요. 지금은 보는 눈들이 많아서 드리기 어렵겠습니다.]
무심히 다다다 자판만 치는 지안. 준영, 핸드폰을 접고 서둘러 엘리베이터 쪽으로.

S#58 — 외진 거리 일각 (낮)

준영이 주변을 의식하며 공중전화로 통화 중.

준영   2G 핸드폰으로 전화하지 마. 받지도 말고.

S#59 — 변호사 사무실 + 외진 거리 일각 (낮)

윤희   왜?
준영   일단 하지 마. 문자도 보내지 말고.
윤희   어떻게 됐어?
준영   나중에 말해줄게.

준영, 급히 전화 끊고 다시 회사 쪽으로 간다.

Episode 2

동훈, 자리에 앉아 지안을 보다가 일어나 간다. 감사실로 가려다가 지안 앞에 멈춰 서서

동훈   나 말한다.
지안   (자판만 치는)
동훈   (독한 기집애. 감사실 쪽으로)

S#61 —— 감사실 취조 방 (낮)

동훈과 박 상무가 앉아 있다.

동훈   (다 말할 듯) 받은 건 사실이지만, 제가 갖진 않았습니다.
박 상무   알어.
동훈   !
박 상무   (상품권 봉투를 던져놓는)
동훈   !
박 상무   청소부가 가져왔다.
동훈   ?
박 상무   뭘 버려 임마. 그냥 감사실로 갖구 와서 이런 게 들어왔다 그러면 될 걸.
           착한 청소부였으니까 망정이지, 그냥 꿀꺽했으면 어쩔 뻔했어?
           겁도 없이 오천을 쓰레기통에.
동훈   !
박 상무   회장님이 깔끔하게 정리하셨다. 안 받은 걸로. 왜 말 안 했어? 버렸다고.
동훈   …누가 믿어요.

박 상무가 뭐라고 말하는데, 동훈의 귀에는 하나도 들리지 않는다. 생각에 빠져드는 눈빛.
멀게 들리는 박 상무 목소리.

박 상무   (E) 하나만 찍어봐. 윤 상무한테 꽉 잡혀 있을 만한 업체.

S#62 — 사무실 (낮)

동훈, 박 상무 방에서 나오는데 충격받은 듯한 얼굴.

[INS] 지안: "버렸는데요. 쓰레기통에."

[INS] 그런 지안을 억지로 지하철에서 끌어내리려 했던 동훈.

동훈이 얼굴을 쓸어내린다. '내가 왜 그랬을까?' 걸어오며 자리에 앉아 있는 지안을 본다. 감당이 안 되는 충격. 동훈은 앉아 있다가 지안에게 갈 듯 홱 의자를 돌렸다가 이내 다시 돌아앉고. '뭘 어떻게 해야 될지.' 지안은 쳐다보지도 않고 제 할 일만. 그때 감사실 직원들이 동훈 책상에 박스(전날 챙겨간 짐)를 놓고 가자, 송 과장과 김 대리가 해결됐냐는 눈빛으로 슬쩍 의자를 끌어당겨 오는데, 보지도 않고 그 의자를 제자리로 밀어버리는 동훈. 또 오자 또 밀어버리는 동훈. '생각 좀 해보자. 쟨 왜 그랬을까?' 지안을 본다. 그때 지안이 벌떡 일어나 서류를 들고 이쪽으로 오자, 동훈은 얼른 시선을 돌리고 박스에서 컴퓨터며 핸드폰이며 꺼내는데, 핸드폰이 방전됐는지 안 켜진다. 충전기에 꽂고 전원 버튼을 누르는데 바로 울리는 전화벨. 기훈이다.

동훈 (충전기에 꽂은 채로 받으며) 어.
기훈 (F) 찾았어 이지안.

동훈은 지안을 의식해 급히 통화 음량 줄이는 버튼 누르고.

기훈 (F) 세일정보고 **년생 맞지? 관악구 아니고 도봉구야.
동훈 (낮게) 찾았어, 돈.
기훈 (F) 뭐?
동훈 그거… 찾았다구.
기훈 (F) 어디서? 이씨. 얻다가 또 잘못 뒀지? 이씨. 어우. 박동훈 너 진짜. 야.

동훈은 그냥 전화를 끊어버리고,

S#63 ─ 요순 집 (낮)

상훈과 기훈이 눈에 불을 켜며 욕지거리하고, 요순은 무릎이 풀려 주저앉는다.

기훈 (누웠다 일어났다) 어우. 개. 미친. 어우. 어우.

상훈 서랍 뒤로 빠졌대지? 옛-날에도 그랬어 그 자식. 병(쌍욕하는데 삐이-)

요순 (동훈을 생각하는 애잔한 얼굴)

기훈 (뭔가 뻥 차버리는데)

요순 (갑자기 돌변) 이 쌍눔의 시키들!

상/기 !

요순 멀쩡한 동생 인생까지…. (세차게 헛귓방망이 날리며) 나가 시키들아!

상/기 (질겁하고 피한다)

S#64 ─ 회사 근처 편의점 앞 (낮)

캔 맥주를 벌컥벌컥 들이키는 동훈. 진정이 안 된다. 그때 송 과장과 김 대리, 휘둥그레진 눈으로 오고.

송 과장 진짜 버리신 거예요? 오천을?

김 대리 (양손 엄지 치켜들고) 대-박!

동훈 (계면쩍어 무시하며 맥주만 마시는데)

김 대리 아 폼 봐봐. 도도해. 나 오천 버리는 사람이야.

S#65 ─ 사무실 (낮)

우편물을 각자의 자리에 돌리던 지안, 동훈 책상에 충선기 꽂힌 채로 진동이 올리는 핸드폰을 본다. 액정엔 '집사람'. 준영의 2G폰으로 걸려오던 번호와 같다. 끝 네 자리 숫자가 3377처럼 쉬운 번호. 가만히 보고 있는 지안. 머리가 천천히 도는 느낌.

⟨ Cut to ⟩

지안, 자리에 앉아 몰래 2G폰의 통화목록을 본다. 몇 날 며칠 이 번호만 있다. 3377. 저장된 이름도 없이 번호만. 그때 조용히 들어오는 동훈, 송 과장, 김 대리가 각자 자리에 앉고. 동훈, 핸드폰을 확인하곤 전화한다.

동훈   (낮게) 어…. 해결됐어. …나중에 얘기해줄게.

그런 동훈의 뒤통수를 빤히 보는 지안. 동훈이 전화를 끊고는 슬쩍 지안을 돌아봤다가 눈 마주치자 무안해 얼른 고개 돌리고. 가만히 보고 있는 지안.

S#66 —— 변호사 사무실 (낮)

윤희, 생각에 빠져 창밖을 보고….

S#67 —— 대표이사실 (낮)

준영, 역시 가만히 앉아 있고….

S#68 —— 사무실 (낮 – 밤)

돈 봉투가 들어왔던 그날처럼, 모두들 빠르게 흩어지고. 어두워지자 형광등이 띵띵 켜지고. 동훈과 지안, 둘만 남는다. 뚝 떨어져 앉은 둘.

⟨ Cut to ⟩

대표이사실 안에 대고 "먼저 퇴근하겠습니다" 인사하는 비서들. 서서 비품 정리하고 있는 지안 뒤로 비서들이 퇴근하고. 그때 동훈이 결심한 듯 조용히 일어나 지안에게 다가간다. 지안은 쳐다보지도 않고 일만 하고.

동훈   늦게 끝나나?

지안   (바로) 네.

동훈   (머뭇) 내가… 밥을 살까 하는데…

지안   배 안 고픈데요.

동훈   (그냥 돌아서다가) ……그럼… 차나 한잔….

하는데 그때 대표이사실에서 준영이 나오고. 발소리를 듣고 준영임을 알아차린 동훈은 서둘러 조용히 가버리고. 준영은 나왔다가 퇴근하는 동훈의 뒤통수를 살짝 보고. 준영은 둘밖에 없는 상황에서 암호를 말하기 뭐한데.

지안   (보다가) 왜요? 샌드위치 사다 드릴까요?

준영   (이게 사람 갖고 노나)

지안   (일하며) 제 주머니에 있어서 그냥 드려도 되는데 CCTV 때문에요.

CCTV 컷.

지안   (꺼낼 듯 주머니에 손 넣고) 그냥 달라고 하면 주고요.

준영   (이게!) 가서 커피 좀 사다 주지. (방으로 가려는데)

지안   돈이요.

준영   ! (만 원을 주고)

지안   (받아서 가며) 샌드위치로 하죠. 내가 밥을 안 먹어서.

준영   ! (보다가 대표이사실로)

S#69 — 카페 (밤)

지안, 샌드위치와 커피를 사고.

S#70 — 대표이사실 (밤)

준영 책상에 놓이는 커피와 2G폰. 준영이 핸드폰 열어서 확인하며 지안을 보고, 지안은 샌드위치를 자신의 품속에 넣으며 방을 구경하는 중.

준영	못 보던 얼굴인데. 뭐 하는 애야?
지안	여기서 일하는데요?
준영	(너 같은 애가) 무슨 일?
지안	영수증 처리하고, 우편물 부치고… 시키는 건 다 해요.
준영	(그럼 그렇지) 파견직?
지안	네.
준영	뭐 하다 왔어? 손 빠르던데.
지안	이것저것. 돈 되는 건 다.
준영	(가만히 보는)
지안	일개 부장 하나 자르려고 왜 저렇게 혈안이 돼 있나 싶었는데…
	(소파에 앉고) 전화번호 보고 알았어요. 그 번호, 박동훈 부장 핸드폰엔
	집사람이라고 뜨던데요.
준영	!
지안	…
준영	대학 동기고 변호사야. 자문 구할 일 있어서 통화했던 거야.
지안	(심드렁) 그렇다고 치던가요.
준영	!
지안	(정말 궁금한 거 반, 놀림 반) 근데요… 아줌마를 왜 사겨요?
준영	!
지안	이쁜가. 이뻐 봤자 아줌마 아닌가.
준영	!
지안	(그제야) 진짜 사귀는 거 맞구나.
준영	!

S#71 ─ 사무실 (밤)

지안이 가방을 챙겨 들고 엘리베이터 쪽으로 뚜벅뚜벅 간다. 그때 급히 나와 지안을 부르는 준영.

준영　　잠깐. 얘기 좀 하지.

지안　　오우 다행이다. 난 또 사람 사서 죽이는 거 아닌가 했네.

S#72 ─ 술집 (밤)

기훈이 허한 얼굴로 서서 쓰레기통 안을 보고 있다. 쓰레기통 안엔 만 원짜리 한 장.

기훈　　진짜 낯설다. 쓰레기통에 만 원만 떨어져 있어도 이렇게 낯선데… 오천을.

　　　　　(만 원을 챙겨 자리로 오며) 간 큰 기집애. 오천을. (소주를 원샷)

상훈　　뇌물 받은 거 걸리면, 그거 그냥 먹고 잘리냐, 아니면 토해놓고 잘리냐?

기훈　　형은? 먹고 잘렸어, 토해놓고 잘렸어?

상훈　　나야… 먹었지. (찔끔 마시는)

기훈　　(생각하다가 결론) 걔, 형 좋아한다.

동훈　　(!) 말 같지도 않은.

기훈　　지가 가지려고 훔친 것도 아니고, 형 살리려고 훔쳐서 버린 거잖아.

상훈　　(눈이 번쩍) 사모하는구나 부장님을?

동훈　　미친.

기훈　　걔 형 좋아해. 백 프로야.

동훈　　(어이없는)

기훈　　이뻐?

동훈　　(미친놈) 어려 임마.

기훈　　(감탄) 하물며 이려.

동훈　　(눈 부라리고, 마시는)

상훈　　(빙긋이) 이 새끼… 은근 까졌어.

동훈　　에이 진짜.

상훈	(빙긋이) 너 회사에서… 흘리고 다니지? 그지?
동훈	흘리긴 뭘 흘려?

S#73 ── 거리 일각 (밤)

상훈이 비틀거리며 오줌을 누려는 듯 벽에 들러붙어 있고, 동훈과 기훈은 한쪽에서 기다리고 있다.

기훈	꼬옥 길거리에서. …큰형 다음 주부터 수위 나간대. 난 잘하면 곧 영화 들어갈 것 같고. 담부턴 뇌물 들어오면 고민하지 마. 삼 초는 고민할 수 있어. 심장이 먼저 뛰는데 어떡해. 삼 초는 넘기지 마.
동훈	…
기훈	그리고 걔. 이지안?
동훈	!
기훈	적당히 거리 두고.
동훈	(눈으로 펄쩍. 누가 뭐래?)
기훈	어린 애들은 무모해.
동훈	…
기훈	(히죽) 난 괜찮아, 어린 애들도. 내가 더 대책 없는데 뭐.
동훈	미친.
기훈	작은형은… 에비, 몸에 재 묻으면 형은 죽는다.
동훈	(흘겨보지만, 무슨 말인지 확 와닿고)

상훈, 바지춤 올리며 온다.

상훈	(오줌이) 안 나와.

셋이 걷는데 상훈이 실실 웃으며 동훈에게 어깨동무한다. 사랑에 빠질 것 같은 동생을 놀리는 시선으로 보는 상훈. 동훈은 그런 상훈을 눈으로 잡고. 상훈이 동훈의 볼에 뽀뽀하려고 들자, 기겁하며 홱 어깨를 터는 동훈. '붕….' 그렇게 걸어가는 삼 형제.

Episode 2

S#74 —— 지하철 안 (밤)

덜컹거리는 열차 안. 덤덤히 앉아 가는 동훈. 그때 진동으로 울리는 핸드폰. 열어서 본다.
가만히 보는 얼굴.

[밥 좀 사주죠?]

이어서 들어오는 문자.

[이지안입니다.]

동훈의 마음이 흔들리듯 열차가 흔들린다. 정차한 열차. 동훈은 가만히 문자만 보고 있다가
문이 닫히기 직전에 후룩 뛰어내린다.

S#75 —— 거리 일각 (밤)

시선은 내리깔고 뚱한 얼굴로 걷는 동훈. 그런 동훈에게 바람이 거칠게 나부낀다. 횡한 지
안의 발목에… 바람에 나부끼는 바짓단…. 뚜벅뚜벅 걸어오는 지안…. 그렇게 동훈과 지
안이 만난다.

동훈   (눈도 마주치지 않고) 뭐 먹을 건데?

지안   비싼 거요.

지안이 앞장서고, 동훈이 따라간다.

S#76 —— 일식당 (밤)

지안, 고급 생맥주를 벌컥벌컥 들이켜고. 안주로 나온 튀김을 탐스럽게 먹는다. 동훈은 맥
주만 홀짝이는 수준이고.

S#77 —— 대표이사실 (밤) – 회상

지안   내가 삥 뜯는 사람도 아니고. 일을 하고 돈을 받는 걸로 하죠.

105

준영	어떤 일?
지안	윤 상무가 하던 일. 박 상무랑, 박동훈 부장, 둘 다 잘라줄게요.
준영	!
지안	봤잖아요. 손도 빠르고 눈치도 빠르고. 윤 상무보단 낫지 않나?
준영	…내가 너를 어떻게 믿고?
지안	(푸, 입술 바람 빼고) 뭘 믿어요. 후지게. 그냥 하는 거지.

S#78 —— 지하철 (밤)

승객이 별로 없고. 한 좌석을 건너뛰고 나란히 앉은 동훈과 지안. 지안은 취기도 있고, 힘들기도 하고, 심란하기도 하고.

S#79 —— 대표이사실 (밤) – 회상

준영	대가는?
지안	한 사람당, 천만 원.
준영	!

S#80 —— 지하철 (밤)

지하에서 지상으로 후욱 올라오는 열차.

동훈	(불쑥) 고맙다.
지안	!

지친 와중에 아주 엷은 미소가 나오는 지안. 그런 둘의 모습에서 엔딩.

Episode 2

Episode

3

S#1 ─ 지하철 안과 밖 (밤)

가만히 앉아 있는 두 사람. 어색한 기운.
그와 달리 둘의 속마음처럼 빠르고 거칠게 터널을 빠져나왔다가 다리를 건너는 지하철.
두 사람, 말이 없다가

동훈   어떻게 알았어?

지안   (보면)

동훈   (말하기 민망해 시선 피하며) 나한테 뇌물 들어온 거.

지안   그걸 어떻게 모르지? 나랑 눈도 마주쳤는데.

[INS] 1화, 사무실: 자리에 앉아 뒤를 돌아보다가 지안과 눈이 마주치자 조용히 다시 고
개를 돌리는 동훈. 그렇게 앉아 있는 동훈 뒷모습에서 (돈 봉투가 든) 책상 서랍까지 보이며,

지안   (E) 가만히 앉아서 온몸으로 책상 서랍을 가리키고 있던데.

동훈   …

지안   그걸 어떻게 몰라.

동훈   …

다시 요란한 소리를 내며 빠르게 달리는 지하철.

S#2 ─ 동네 역사 앞 (밤)

지안이 먼저 역사에서 나와 뒤도 돌아보지 않고

지안   낼 봬요.

동훈   (OL) 저기.

지안   (멈춰 돌아보면)

동훈   (망설이다가) …비밀로 했으면 좋겠는데.

지안   ?

동훈	니가 버린 거. 오천. …내가 버린 줄 알아.
지안	한 달간 저녁 사요.
동훈	!
지안	술도. (가려는데)
동훈	그냥.
지안	(보면)
동훈	그냥. 돈 줄게.
지안	?
동훈	괜히 말 돌아. 여직원하고 밥 먹고 그러면. (시선 회피)
지안	헐. 아저씨, 자기가 매력 있는 줄 아나 봐.
동훈	(울컥. 그러나 꾹 참고) 말 돌아!
지안	얼마 줄 건데요?
동훈	…얼마 줘?
지안	…천.
동훈	!

지안이 그냥 가버리고. 동훈은 황당한 얼굴로 지안을 보다가 불뚝 화난 얼굴이 되고. 이내 삐진 사람처럼 뚜벅뚜벅. 그렇게 등지고 가는 두 사람.

S#3 ─ 윤희 서재 (밤)

서재에서 통화 중인 윤희.

윤희	(답답해서 버럭) 그게 어떻게 쓰레기통에서 나와?

S#4 ─ 준영 오피스텔 (밤)

준영	버렸대.

3화

S#5 — 윤희 서재 + 준영 오피스텔 (밤)

윤희   누가?

준영   누구긴. 동훈 선배지.

윤희   (뭔가 이상하다) 나한테 잃어버렸댔어.

준영   (역시 처음 듣는 얘기)

윤희   윤 상무가 중간에 빼돌린 거 아냐? 돈 아까워서. 누명만 씌우고.

준영   윤 상무가 빼돌린 거면 뭐 하러 쓰레기통에서 발견되게 만들어?

윤희   그럼 그게 어떻게 쓰레기통에서 나오냐구. 잃어버렸다고 혼비백산해서
         나 찾아왔는데.

준영   …실수로 흘린 거 아냐?

윤희   어떤 등신 같은 인간이 실수로 오천을 흘려? / 뭔가 있어. 그지?

#그 시각 동네 일각. 무심한 얼굴로 서 있는 지안. 저 멀리 가는 동훈의 뒷모습을 보고 있
다. 거리를 두고 따라간다.

윤희   (왔다 갔다 하며) 아무리 생각해도 내가 다 솔직하게 말하는 게 맞는 거 같애.

준영   진짜 말할 수 있어? 도준영이랑 사랑하는 사이다, 이혼해달라, 그리고 회사도
         조용히 나가달라… 다 말할 수 있어?

윤희   …

준영   (말할 수 있다 한들) 그게 남자한테 더 잔인한 짓이야. 그냥 가만있어. 내가 알아서 해.

윤희   (머리를 쓸어 넘기는 손이 떨리고) 어떻게 할 건데?

S#6 — 동훈 집 아파트 입구 (밤)

입구를 등지고 엘리베이터 앞에 서 있는 동훈. 엘리베이터를 타고 사라지면, 동훈이 등지고
섰던 것처럼 그렇게 엘리베이터 앞에 서 있는 지안. 상단의 숫자를 올려다보고 있다. 십일
층에서 멈춰 서는 숫자. 지안이 우편함을 본다. 1101호 우편물을 꺼내 수취인 이름을 본다.
다른 이의 이름. 1102호 우편물도 보고. 1103호 우편물을 꺼내본다. 수취인이 박동훈이다.
그리고 이어서 나오는 수취인 이름 강윤희(변호사 협회에서 온). 그 이름을 가만히 본다. '대표

랑 바람 피는 여자인가 보군.' 지안이 우편물을 다 가방에 쑤셔 넣고 나간다.

S#7 — 동훈 집 거실 (밤)

윤희는 무심을 가장한 채 있고, 동훈은 옷 갈아입고서 냉장고에서 술을 꺼낸다.

윤희   여태 누구랑 마셨어?

동훈   누구랑은…. (냉장고만 뒤지는)

윤희   (보다가) 누구랑 마셨는데?

동훈   (무심히) 직원들이랑 마셨지 누구랑 마시긴.

윤희   …돈은?

동훈   …찾았어.

윤희   그걸 어디서 찾았어?

동훈   그냥. 찾았어.

윤희   그냥 어디서?

동훈   (안주 찾아 냉장실을 보다가 냉동실 여는)

윤희   그냥 어디서?

동훈   (냉동실에서 위생비닐봉지에 담긴 안주를 꺼내며, 무심을 가장하며) 청소부가 갖고 왔어.
        쓰레기통에서 찾았다구.

윤희   근데 왜 당신이 버렸대?

동훈   (그제야 윤희를 보는, !) 누가 그래?

윤희   !

동훈   내가 버렸다고 누가 그래?

윤희   (!) …준영이한테 전화해봤어.

동훈   (살짝 욱) 그 자식한텐 뭐 하러 전화해?

윤희   당신 전화는 안 되고. 내가 알아볼 데가 준영이밖에 더 있어?

동훈   (꽉 묶인 봉지를 쑬려들며, 혼잣말처럼) 그 자식은… 눈에 욕심은 다글다글해서.
        대표랍시고 성인군자처럼 웃고 다니는데… 누굴 속여…. (풀기를 포기하고
        성질난 김에 위생봉지를 북, 하고 찢는데)

윤희   (준영의 욕을 듣기 괴로웠던 차에 버럭하며) 그렇게 찢어발기지 말라고!

동훈	!
윤희	(미치겠다. 나 왜 이래) 그렇게 찢고 또 그대로 넣어둘 거지?
	그러면 말라비틀어진다고 몇 번을 말해?
동훈	(!) 돈 찾았다고. 해결됐다고.

윤희는 그냥 일어나 서재로. 동훈은 심호흡. 봉지를 바꿔 내용물을 옮기고 잘 묶어서 냉장고에 도로 던져둔다. '안 먹고 말지.' 술도 도로 넣어두고. 가만….

S#8 — 동훈 집 윤희 서재 (밤)

윤희는 혼자 조용히 살 떨리는데, 동훈이 문 열고 선다.

동훈	미안해. 다신 이런 일 없어. (나가려다가) 준영이한테 전화하고 그러지 마.

동훈이 조용히 문을 닫고. 윤희는 왈칵 눈물이 떨어진다.

S#9 — 지하철 플랫폼 (다음 날, 아침)

지하철이 큰 소리를 내며 빠르게 들어오기 시작하고. 동훈, 다가서며 주변을 둘러본다. 지안이 있나 없나. 없다. 사람들이 올라타고, 뒤이어 동훈도 올라타고.

S#10 — 사무실 (낮)

지안은 벌써 출근해서 지난 신문을 빠르게 치우고 새 신문을 깔고. 사무실에는 채령 정도만 출근해서 커피를 내리고 자리로 가 앉고. 지안은 우편물을 분류하면서 우편물 사이에 도청 펜을 끼워 박 상무 방으로.

S#11 — 박 상무 방 (낮)

지안이 CCTV를 등지고 서서 책상 위에 우편물을 까는 척하며 빠르게 도청 펜 전원을 켜고 필통에 펜을 떨어뜨리듯 꽂는다. 그리고 돌아서 나오는데! 삐비비비, 요란하게 울리는 소리! 소리 나는 곳을 보면, 책장 깊숙이 있는 도청 감지기 램프에 빨간 불이 깜빡깜빡. 도로 도청 펜을 꺼내 나오고.

S#12 — 기범의 거처 (낮)

막 이불 속에서 나온 듯한 행색으로 통화 중인 기범. 봉애는 한쪽에 누워 소리 없는 TV 화면만 보고 있고.

기범   도청 감지기야. 그럼 핸드폰에도 심었다고 봐야 되는데. (고민 끝에) 그냥, 박동훈 먼저 가자.

S#13 — 달리는 지하철 안 (낮)

붙박이처럼 서 있는 사람들. 그 틈에 무표정하게 선 동훈.

상훈   (E) 사랑하는 동생아. 난 이 세상에서 니가 제일 부럽다.

S#14 — 요순 집 형제 방 (낮)

좁은 방에 발 디딜 틈도 없이 잡동사니가 가득. 바닥엔 이불이 잔뜩 깔려 있고. 상훈, 앉아서 문자를 보내놓고… 촉촉한 눈으로 창밖을 본다.

상훈   (E) 대기업 부장. 아침에 일어나 갈 데가 있는 놈.

S#15 ── 회사 근처 거리 + 형제 방 (낮)

뚝뚝하게 걷는 동훈 위로

상훈   (E) 그런데 그곳엔 자길 사모하는 어린 여직원도 있고.
         내가 다 눈물 나게 설레서, 아침부터 눈이 일찍 떠졌다. 난 다시 태어나면…
         꼭… 너로 태어나고 싶다….

동훈   (E) 할 일 없으면 도로 처자.

상훈   (E) 응.

#다시 곱게 눕는 상훈. 감은 눈에 미소. 옆에는 기훈이 만세 자세로 자고 있고.

상훈   (E) 동훈아, 잘 살아남아라. 파이팅.

동훈, 회사 건물로 들어간다.

S#16 ── 사무실 (낮)

조용한 사무실. 어디선가 툭, 탁, 하는 소리만 들리고. 동훈, 자리에 앉아 가만히 컴퓨터를 보고 있는데, 이젠 쾅! 쾅!

김 대리   (소리 나는 쪽을 돌아보며) 에이, 때려 부셔라.

그쪽을 보면 지안이 복사기를 붙들고 씨름 중이고. 동훈은 뒤돌아 지안을 똑바로 쳐다볼 용기가 없는데,

김 대리   어느 회사나 복사기가 말썽이지….

동훈은 가만있지만 신경이 온통 지안 쪽에. 쾅쾅! 모두 조용히 제 일에 골몰해 있는데. 동훈은 '도와줘야 되나?' 싶고. 또 쾅쾅! 결국 벌떡 일어나려는데, 눈앞에 있는 남자의 상체

에 놀라고. 박 상무다.

박 상무 뭘 그렇게 놀래. 나와봐.

동훈은 무슨 일인가 싶어 따라 나가고, 지안은 조용히 멈춰 그런 둘을 의식하고.

S#17 — 회사 화장실 (낮)

박 상무가 화장실 칸칸이 열어 아무도 없는지 확인하고, 그제야 동훈에게

박 상무 그 오천, 일부러 먹인 거야. 뇌물 먹었다 치고 자르려고.
동훈 !
박 상무 처음엔 날 자르려다가 이름이 비슷한 너한테 돈이 가는 바람에 꼬인 거라고
　　　　　생각했었는데. 나라고만 장담 못 해. 너일 수도 있어. 아니면 너, 나 둘 다
　　　　　타깃이던가.
동훈 누가… 날 왜…
박 상무 한 놈밖에 없잖아. 도준영.
동훈 !
박 상무 날 자르려는 이윤 뻔해. 내가 그놈 끌어내릴 거니까. 근데 넌 왜 자르려고 할까.
동훈 !
박 상무 널 잘라내겠다는 의지가 상당히 셌단 말이지. 생각해보면, 너 안전진단
　　　　　쪽으로 밀어낸 것도 도준영이고. 그땐 그냥 니가 학교 선배니까 같이 일하기
　　　　　껄끄러워서 그런가 보다 했는데. 이번 일 보면, 단순히 그것만은 아냐.
　　　　　니가 돈 먹은 거 실토했다고 거짓말해가면서 막 밀어붙이는데, 뭔가…
　　　　　뭔가 있어.
동훈 (생각에 빠져 있다가 숨이 터진다. 불쾌하고 떨리고)
박 상무 뭐 감 오는 서 없어?
동훈 없어요. 전혀.
박 상무 내가 모르는 둘만의 뭐… 그런 거 있는 거 아냐?
동훈 그런 게 있을 리가 없잖아요. 말도 안 섞는 사인데.

3화

박 상무	둘이 사이 왜 안 좋아?
동훈	좋겠어요? (보는)
박 상무	… (알겠고) 정신 똑바로 차리고 있어. 니가 그 오천 버리는 바람에,
	쟤들 한 방 먹고 벙쪄 있는데, 곧 다시 움직일 거야. 그전에 어떻게든
	돈 댄 업체 찾아내서, 저것들 줄줄이 아웃시켜야지….

그때 윤 상무가 멋모르고 훅 들어오고. '이건 뭔가' 싶은데… 박 상무는 그냥 나가버리고. 동훈은 어물쩍거리다가 개인 구역 안으로.

S#18 ── 대표이사실 (낮)

윤 상무가 흥분해서 떠벌떠벌. 준영은 대수롭지 않게 듣고.

윤 상무	기집애들도 아니고, 남자 둘이 화장실에서…. 이건 백 프로 뭔 일 꾸미는
	거예요. 박 상무 저 인간 벌써 박동훈 부장 포섭해서 뭔 작당하고 있어요.
	백! 프로예요.
준영	(OL) 작당하고 꾸밀 일이 뭐 있어요? 캐는 거지. 누가 돈 댔나.
윤 상무	…!
준영	누군지 내가 알고 있는 게 나을까요, 모르고 있는 게 나을까요?
윤 상무	(코 삐질) …원하시는 대로.
준영	(보는)
윤 상무	(긴장)
준영	기술 쪽이면,
윤 상무	(OL) 제가 절대로 '설계' '안전진단' 이런 기술 쪽에선 야로 안 부립니다.
	저도 엔지니어인데.
준영	(보는)
윤 상무	(버티다가 후룩 실토) 파견업쳅니다.
준영	!

[INS] '파견직 워크숍'이라고 써 붙인 문으로 들어가면, 청소부 복장인 중년 남녀와 지안

또래의 젊은 여자들 백여 명이 앉아 있고. 그 틈에 앉아 있는 지안.

윤 상무 (E) 사람 모아서 보내주고, 그냥 가만히 앉아서 중간에서 뽀찌 뜯어먹는 건데,
저희가 받는 파견직이 백 명이 넘어요.

[INS] '관리소장'이라는 이름표를 단 사람이 부서 배정표를 돌리며 설명 중. 소장, "작년에 뺐던 분들도 계시고, 올해 처음 뵙는 분도 계시는데, 중간에 잘리는 불상사 없이 계약기간 다 채울 수 있도록 열심히 해주시고…" 지안의 앞에 놓이는 부서 배정표. '안전진단 3팀/경리'. 그걸 내려다보는 지안. 소장의 동선을 따라가다 보면 춘대가 앉아 있는 것도 보이고. 설명이 끝나고, 다들 일어나 나가는데 지안과 춘대는 모르는 사이인 척 서로를 무심히 지나치고.

윤 상무 (E) 가라로 만들어주는 인원도 꽤 되구요. 뭐 우리야 일하는 청소부가 몇 명인지
누가 신경 써요. 파견업체에서 소장이 나와서 직접 관리하니까, 소장이
삼십 명이다 그러면 그런가 보다 하는 거죠. 그렇게 해서 뒤로 더 챙겨주는 거지,
그쪽 사장 놈도 절대 그냥 돈 댈 놈은 아녜요.
준영 그 사장, 어떤 사람이에요?
윤 상무 살짝, 양아친데. 의리는 있어요. 절대 불진 않을 겁니다.
준영 양아친데 의리는 있다….
윤 상무 돈이 우선인 놈이라, 돈 따라서는 아주 칼같이 정직하게 움직이는 놈이에요.
준영 …좋네요! 언제 같이 식사 한번 하죠.
윤 상무 영광이죠!

S#19 ─ 복도 (낮)

점퍼에 운동화 차림인 회장이 빠른 걸음으로 걷고, 좌우로 준영, 왕 전무, 박 상무, 윤 상무가 따른다.

회장 중국에선 내일 들어오나?
준영 모레 들어옵니다.

회장   죽기 전에 백 층 넘는 건물 설계해보나 했더니 (박 상무 보며) 하네? 잘 대접하고.

박 상무   (고개 숙여) 넵.

윤 상무   (살짝 배알 꼴리는)

회장   무조건 많이 멕여. 중국 손님들은.

그때 회장이 동선을 홱 꺾어 안전진단3팀 쪽으로. 대표실 방향으로 가던 무리들이 의아해하며 회장을 따라가고.

S#20 — 사무실 (낮)

동훈과 팀원들이 회의하느라 테이블에 몰려 앉아 있다가 회장 일행의 등장에 다들 놀라 일어나고, 구십 도로 인사. 동훈은 준영과 시선이 마주치자 좀 불편해지고.

회장   어. 일해? (둘러보다가 동훈에게) 오늘 저녁 시간 돼? 내가 밥 살까 하는데.

준영   !

그 말에 지안이 자판을 치다가 멈추고. 동훈은 주저하며 힐끗 지안을 보는데, 동훈을 빤히 보는 지안! 준영은 둘의 이상한 기운을 느끼고.

회장   내가 자네 때문에 요 며칠 기분이 아주 좋아. 뭐 좋아해?

동훈   (지안의 눈치를 보며) 제가… 오늘은 선약이 있어서…

지안   (그제야 시선 거두고 자판을 치고)

동훈   죄송합니다.

회장   (살짝 멋쩍고) 어쩔 수 없지 뭐. 그럼 자네가 편한 날 잡아. 난 뭐 아무 때나 괜찮아. 한가해. (나가고)

박 상무가 회장을 따라 나가면서 동훈을 보고는 '등신…' 하는 눈빛.

김 대리   아 진짜 도도해.

동훈이 김 대리를 눈으로 잡고. 동훈과 지안 둘 사이에 말없이 흐르는 기운.

S#21 — 복도 (낮)

회장을 따르는 무리들.

준영 박동훈 부장이 사람은 참 진국인데, 유두리가 없어요.
회장 이 바닥 기술 무지렁뱅이들이 다 그 모냥이지 뭐. 숫자만 갖고 놀아 버릇해서
         꽉 막혀갖구.

엘리베이터 쪽으로 방향을 트는 회장.

준영 벌써 가시게요?
회장 까였는데 가야지 뭐 해? (올라타고) 내려오지 마.
왕 전무 저만요. (올라타고)

준영, 박 상무, 윤 상무가 안에 대고 고개 숙여 인사. 엘리베이터가 닫히자, 박 상무는 찬바람 일으키며 먼저 가고. 윤 상무는 그런 박 상무를 같잖게 보고.

#준영은 대표이사실로 가며 지안을 보곤 빙긋이 동훈을 본다.

S#22 — 거리 일각 (낮)

무뚝뚝한 얼굴로 거리를 걷는 동훈. 그러다가 잰걸음으로 걷고… 저 앞에 보면 지안이 가고 있다. 행여 누가 볼까 싶어 나란히 걸을 수는 없고. 그런데 갑자기 코너를 꺾어 눈앞에서 사라지는 지안. 동훈이 철렁해서 잰걸음으로 코너를 향해 달리고, 그렇게 코너를 돌아와서 눈으로 허둥지둥 지안을 찾으며 걷는데, 저 앞에 멈춰 서서 자신을 돌아보고 서 있는 지안! 동훈은 당황하지 않은 척 다시 덤덤히 걷고. 지안은 동훈이 따라왔는지 확인하고 다시 가고.

S#23 ─ 술집 (밤)

지안은 이미 앉아 있고, 동훈이 들어와서 지안 앞에 앉는데, 인사도 없고 눈도 마주치지 않고.

〈 Cut to 〉

술 마시는 와중에도 말 한마디가 없고. 동훈은 어색해 죽을 지경인데, 지안은 먹기만 잘 먹고. 지안이 얼추 배를 채우고 술잔을 기울이기 시작하자

동훈	어디 살아?
지안	안안초등학교 뒤요.
동훈	(지안을 보는 시선)
지안	맞아요. 엄청 후진 동네.
동훈	… (시선을 거두고 마시다가 무심히) 아버진 뭐 하시고?
지안	… (동훈을 빤히 보다가) 아저씨 아버진 뭐 하세요?
동훈	!
지안	난 아저씨 아버지 뭐 하시는지 하나도 안 궁금한데, 왜 우리 아버지가 궁금할까?
동훈	그냥 물어봤어.
지안	그런 걸 왜 그냥 물어봐요?
동훈	(살짝 욱) 어른들은 애들 보면 그냥 물어봐, 그런 거.
지안	잘사는 집구석인지 못사는 집구석인지 아버지 직업으로 간 보려고?
동훈	미안하다.
지안	실례예요, 그런 질문.
동훈	실례했다.

동훈은 말하기를 포기하고 마시다가

동훈	(날 구린 인간이라 생각하고 막 대하나 본데) 여태 뇌물 같은 거 받아본 적 없어.
지안	!
동훈	가지려고 한 것도 아니고… 잠깐 고민한 것뿐이야. (변명 같아 계면쩍고)

Episode 3

지안	…
동훈	그 오천. 덫이었어. 뇌물 받았다 치고 자르려고.
지안	누가 그런 건데요?
동훈	누가 그런 거 같냐?
지안	…도준영 대표?
동훈	(!) 왜?
지안	박 상무랑은 친한 거 같으니까 그쪽 사람은 아닐 거고. 반대편이라는 건데. 그렇다고 윤 상무 혼자 오천씩 움직였을 리는 없고. 도준영 대표밖에 없지 않나?
동훈	(애 대단하다. 그런데) 도준영이 날 왜.
지안	모르죠. 왜 그런 거 같은데요?
동훈	몰라.
지안	짐작 가는 것도 없어요?
동훈	아나 보지. 내가 자기 싫어하는 거.
지안	왜 싫어하는데요?
동훈	사람 싫은데 이유 있나. 그냥 싫어.
지안	이유 있던데. 잘 생각해보면.
동훈	왜 싫은지 이유도 생각하기 싫은 사람 있어.
지안	…정말 싫어하는구나. / 괴롭겠다. 그런 사람이 잘나가서.
동훈	내가 싫어하는 사람들은 다 잘돼.
지안	(그 말에 동훈을 보고, 진지한 눈빛) 나 좀 싫어해줄래요?
동훈	!
지안	엄청나게. 끝 간 데 없이. 아주아주 열심히.
동훈	(보다가 실없는 소리라는 듯 마시고)
지안	나도 아저씨 싫어해줄게요.
동훈	!
지안	아주아주 열심히. (빤히 보는 시선)
동훈	(딴청 피우는)

S#24 ── 지하철 역 플랫폼 (밤)

모르는 사람처럼 거리를 두고 서 있는 동훈과 지안. 열차가 들어온다는 안내 방송이 들리고.
이어 전철이 들어오고. 올라타는 사람들. 동훈과 지안도 올라타고.

S#25 ── 열차 안 (밤)

동훈과 지안이 약간 떨어져 있는데, 열차가 멈춰 서자 다음 열차를 이용하라는 안내 방송이
계속되고, 사람들이 꾸역꾸역 밀려 들어오고. 점점 밀착되는 동훈과 지안. 동훈이 어색함에
긴장해서 고개를 빳빳이 드는데 지안은 무심한 얼굴.

⟨ Cut to ⟩

곡선 철로를 달리는 듯, 열차에 가득 찬 사람들이 일제히 한 방향으로 쏠린다. 그 바람에 지
안이 거의 포옹하듯 동훈에게 붙고. 동훈은 숨을 참는데. 지안이 빠르게 한 손으로 동훈 주
머니에서 핸드폰을 꺼내 (기범이 보낸) 도청 파일 다운로드 버튼을 터치하고. 설치. 다운로
드가 끝나면 실행을 터치하고, 다시 핸드폰을 동훈 주머니에. 아무것도 모르는 동훈은 그
저 진땀만 나고.

S#26 ── 동네 역사 앞 (밤)

역사에서 훅 먼저 빠져나오는 동훈. 이어서 나오는 지안. 동훈은 인사도 없이 뚜벅뚜벅 제
갈 길만. 지안은 그런 동훈을 슬쩍 봤다가 뒤돌아 가고. 그렇게 등지고 걸어가는 두 사람. 빠
르게 걸어가는 동훈의 옆에선 신호등 보행 신호 소리가 삐리릭 삐리릭….

S#27 ── 기범의 거처 (밤)

그 보행 신호 소리가 컴퓨터에서 흘러나온다. 기범이 통화하며 도청 상황을 체크한다.

기범　　어. 돼.

S#28 — 동네 일각 (밤)

전화를 끊고 가는 지안. 도망가는 사람처럼 빠르게 뚜벅뚜벅 걷는 동훈.

[INS] 파견업체 관리소장이 이력서를 들며, 나가는 동훈에게 큰 소리로 "뭐라고 하기 없기 예요! 얘 부장님이 뽑았어요!" 한다.

굳은 얼굴로 가는 동훈 모습에, 동훈의 터질 것 같은 가슴처럼 지나가던 자동차 경적 소리 가 크게 '빠아앙-!'

S#29 — 요순 집 앞 (다음 날, 낮)

불쌍한 얼굴로 서 있는 상훈. 주머니에는 소주 한 병이 꽂혀 있고. 집을 올려다보며 망설이 다가 기훈에게 전화하며 들어간다.

상훈   문 열어놔. 조용히.

S#30 — 요순 집 거실 (낮)

기훈이 혼자 거실 밥상에 앉아 있고, 요순은 김치를 썰어 그릇에 담고 있는데, 상훈이 조용 히 문을 닫고 들어와 밥상에 앉는다. 기훈은 그런 상훈을 한 번 흘겨보고. 상훈은 맞은편에 놓인 요순의 밥(눌은밥)과 수저를 가져와 먹는데, 아무 생각 없이 김치 들고 돌아서던 요순 이 상훈을 보고는 멈칫.

요순   (가만있다가 팩) 왜 벌써 겨 들어와?
상훈   …
요순   수위 한대매?
상훈   …신용불량자라… 안 된대요.
요순   (울화통 터지고) 그것도 얘기 안 하고 간 거야? 그것도 얘기 안 하고 영종도까지

Episode 3

상훈   (꾸물꾸물 먹는)

요순은 그런 상훈을 보다가 열 받아 도로 주방으로 돌아서고 심호흡. '그래도 밥은 줘야지'
싶어 밥을 푸고.

⟨ Cut to ⟩

눌은밥을 먹고 있는 상훈의 밥그릇을 확! 뺏어, 흰쌀밥으로 쾅! 놔주고. 그 앞에 앉는 요순.

기훈   그래도 밥은 새 밥 주네? (히죽)

요순   (노려보면)

기훈   (바로 시선 내리고)

요순   (노려보며) 그 어렵다는 대학 삼 형제가 줄줄이 턱턱 붙을 땐, 남들 못 낳는
          아들 나만 셋씩이나 낳은 줄 알고… 행여 사람들 시기 질투에 자식새끼들
          될 일도 안 될까 싶어서, 잘난 척 안 하려고 무진장 애썼는데…
          (둘을 노려보며) 이… 고학력 비엉신들.

상/기   …

요순   나이 오십도 안 돼서 집구석에서 삼시 세끼 밥 처먹을 줄 누가 알았어.

상/기   …

요순   공부는 뭣 하러 했니? 응? 공부는 뭣 하러 했어?

기훈   하래니까 했지 뭐….

요순의 서슬에 기훈이 조용히 먹는데, 그때 초인종 소리.

기훈   누구세요?

대답이 없어 기훈이 일어나 "누구세요?" 하며 문을 열면, 삼십 대 남자.

직원   박상훈 씨 계세요?

기훈   (경계) 누구신데요?

125

직원	신용금고에서 나왔는데요.
기훈	그 인간 여기 안 살아요. (문 닫으려고 하는데)
직원	와이프 되시는 분이 박상훈 씨 여기 사신다고 그러던데요.
기훈	(밥상으로 가며) 그 여편네는 왜 맨날 사람들을 이리 보내고 지랄야 씨,
	여기 없다는데도. 그 인간 우리한테도 돈 사고 쳐서 우리 앞에 못 나타나요.
	아부지 제사 때도 안 와요. 딴 데 가서 찾아봐요. 잡히면 죽여버려 진짜.
	(다시 먹는데)

찍소리 안 하고 어색하게 먹고 있는 상훈. 그런 상훈을 보는 직원.

직원	거기… 박상훈 씨 아녜요?
상훈	에? (간 떨리는) 아닌데요.
직원	맞죠?
상훈	(어이없다는 듯 웃으며, 어색한 연기) 아니라니까.
직원	맞는데 뭐.
상훈	참 나… (도와달라는 듯 기훈을 보며 웃는데)
기훈	(젓가락을 내던지고) 아 씨, 연기 드럽게 못하네 진짜.
상훈	!
기훈	나 머리에 땀 나는 거 안 보이냐? 개쪽팔림 무릅쓰고 혼신의 연기를 다하고
	있는데, 그 따위로 받아치고 싶냐? 도와주면 좀 제대로 받아 처먹든가.
	맨날 드라마는 끼고 살면서, 그것도 못 받아쳐? (밥상 아래 숨겨놓은 소주병을 발로
	차며) 대낮부터 술 처먹으니까 머리가 안 돌지!
상훈	어쩌라구 븅신아. 내가 너처럼 뻔뻔한 줄 알어?
요순	(힘없이 손 저으며) 나가. 둘 다 나가. (직원에게) 얘 그냥 잡아가요.

S#31 — 형제 청소방 앞 (낮)

사거리와 가까운 건물 앞. 일 층에는 계단 청소 사무실이 있고, 사무실 앞엔 커피 자판기가 있다. 기훈과 상훈은 패잔병처럼 주머니에 손 넣고 웅크린 포즈를 똑같이 하고는 가게 앞으로 걸어가고. 기훈이 먼저 도착해 사무실 문을 열어보는데, 잠겼다. '낭패다' 싶고. 추운데

갈 데는 없고. 기훈이 새삼 상훈을 흘기고,

기훈   신용불량자란 얘기도 안 했냐?

상훈   (뻗대는) 얘기하면 안 될 거 아니까, 가서 어떻게든 비벼볼라고 그랬지!

그 심정도 알겠고. 둘은 다시 데면데면해지고.

상훈   …돈 얼마나 있냐?

기훈   ('있겠냐'는 눈빛으로 흘기고는, 정면을 보는데) 저기 오네.

보면, 사거리에서 좌회전해서 오는 다마스. 신호 끝물인지 속도를 내며 방향을 틀기 시작하는데, 차체가 작고 봉긋하게 솟아 자빠지기 딱 좋은 자세로 기우뚱한 채 달려오고.

기훈   에- 저 형 또 밟아, 또, 또, 또, 또!

가까워질수록 기울기는 더욱 커지고, 조마조마해서 '에-' 하며 보는 기훈. 사무실 앞까지 오면 들렸던 바퀴가 땅에 닿으며 착지.

기훈   아 심장 쫄려 진짜. 그렇게 달리지 마라 좀! 자빠질라구.

제철   (운전석에서 내려서 문 꽝 닫으며) 또 쫓겨났냐?

제철이 짐칸에서 청소 장비를 내리고. (다마스에 '빌라계단청소전문/010-****-****'라고 인쇄돼 있고)

S#32 — 형제 청소방 (낮)

청소 약품과 도구들이 가득한 실내. 한쪽에는 소파와 책상. 제철이 문을 따고 청소 장비 들고 들어와 충전기에 꽂고. 상훈과 기훈이 따라 들어온나. 상훈은 난로 먼저 켜고.

기훈   내가 형 좌회전하다가 자빠진 거, 일으켜준 것만 두 번이야.
           큰일 날라고 그렇게 밟어?

제철 타봐라 임마. 주황불에서 멈춰지나.

상훈은 제철이 청소 도구 정리하는 걸 보다가 난로 앞으로 오며,

상훈 할 만하냐?

제철 진짜, 드러워서 못 해먹겠다. 계단에 똥 싸놓는 인간들도 있어.

상훈 거기 사는 인간이 그래 낳겠어? 어떤 놈이 지나가다 급해서 뛰어 들어왔지.
　　　왜 혼자야? 제수씬?

제철 …청소하다 말고 울면서 갔다. 제약회사 이사 사모님 소리 듣다가…
　　　청소하고 다닐래니 눈물 나겠지….

상훈 …평생 돈 벌어다 바친 공로는 없다. 당장 못 버는 죄만 클 뿐.

제철 이 동네에 대기업 다니는 부장은, 이제 동훈이 하나 남은 거야?

상훈 개새… 그 자식 어제 우리 문자 씹었어. 겨울이라 좋을 거야. 밤이 길어서.

기훈 그만해라아? (괜한 소문 돌기 전에)

S#33 ── 회사 회의실 (낮) – 회상

동훈, 긴 테이블 위에 놓인 네댓 개의 이력서를 보고 있다.

소장 (이미 간택된 이력서를 추려 잡으며) 일찍 오시지. 몇 명 안 남았는데.

동훈 (이력서를 하나 들고 와 건네고) 얘로 할게요.

소장 (이력서를 봤다가) 얜 돌려보낼 생각하고 복수로 잡은 건데. 얘 진짜 괜찮아요?

동훈, 지안 이력서의 취미와 특기란을 짚어주는데 둘 다 '달리기'라고 쓰여 있다.

동훈 달리기. 심플하고 좋잖아요. (나가는데)

소장 뭐라고 하기 없기예요! (이력서 들고) 얘 부장님이 뽑았어요!

그 생각에 가만있는 동훈.

형규   (E) 끝났습니다!

그 말에 정신 차리고 보면, 형규와 송 과장이 드론을 내리고 있다. 좀 떨어진 곳에선 삼각대
를 펼쳐놓고 기울기 체크하는 중이고.

동훈   시절 좋다. 옛날에 원전 안전진단할 땐 도시락 싸 들고 올라가서 맨 꼭대기
            돔에 앉아서 도시락 까먹고 내려왔는데. 입가심으로 커피 마시고.

형규   아, 구리게 또 호랑이 담배 피던 시절 얘기.

송 과장   호랑이 담배 피던 시절은. 드론 나온 지가 얼마 됐어? 십 년밖에 더 됐어?
            그 전엔 올라가는데 두 시간, 올라가서 진단하는 데 두 시간. 점심시간 딱 걸려.
            나도 먹어봤어.

동훈은 짧은 양말을 신은 형규의 발목에 시선이 간다.

동훈   (형규 발 보며) 그건 유행이냐?

형규   (자기 발 보며) 뭐요?

동훈   한겨울에 짧은 양말 신는 거.

#사무실: 자리에 앉아 이어폰 꽂고 듣는 지안.

동훈   그러다 발목 언다.

형규   섹시하지 않아요?

동훈   엠…(비) (돌아서며, 기울기 체크 쪽에 대고) 차 막히기 전에 빨리빨리 가자.

모두   (기울기 쪽) 네에!

S#35 — 복도 (낮)

동훈과 무리들이 장비를 들고 들어오는데, 맞은편에서 통화하며 오는 준영. 살짝 목례하고 지나치는 동훈. 준영도 살짝 눈빛으로만 인사.

S#36 — 사무실 (낮)

"다녀왔습니다." "수고하셨습니다." 서로 인사하는데, 지안은 여전히 제 할 일만. 현장 다녀 온 직원들은 각각 씻으러 나가거나, 커피 사러 간다고 일어나면서, 하나둘 자리를 비운다. 자칫하다간 지안과 단둘이 남게 될지도 모르는 상황. 그때 하나 남은 김 대리도 지갑을 뒤지며 일어나자, 동훈은 얼른 가방을 뒤져 상품권 봉투를 꺼내 들고 일어나는데

김 대리 (잡고) 어디 가세요?

동훈 왜?

김 대리 저 천 원만. (커피 쿠폰 보이며) 쿠폰 쓸 땐 카드 안 돼서.

동훈 (지갑에서 천 원을 꺼내는데)

김 대리 (동훈 손에 들린 상품권을 보고) 근데요. 저번부터 물어보고 싶었는데,
왜 뇌물을 돈으로 안 주고 백화점 상품권으로 줘요?

동훈 기업 회계 감사가 얼마나 깐깐한데. 출처 없는 돈 만들기가 쉬운 줄 알아?
법인카드로 상품권 사면 지출로 잡히고, 받는 사람은 깡 하면
삼 프로밖에 안 떼니까….

순간 뭔가 떠오른 듯 말이 없어지는 동훈. 천천히 머리가 도는 듯한 느낌. 그 느낌을 감지 하는 지안.

김 대리 그래서 상품권 주는 거구나. 난 또 선물의 의미를 담는 건 줄 알았지. (나가고)

동훈, 박 상무 방을 넘겨본다. 비었다. 조용히 핸드폰으로 전화 걸고

동훈 전데요. 어디 계세요?

지안   (표정)

S#37 — 설계팀 (낮)

입체적으로 설계한 건물을 사방의 시선에서 돌려보는 영상. 박 상무와 팀원이 그 모니터 앞에 있고.

박 상무   (통화) 구 층 회의실, 내일 중국 손님 때문에. 왜?

S#38 — 사무실 (낮)

동훈   제가 그리 갈게요.

동훈이 전화를 끊고 나간다. 지안은 책상 위 동훈의 핸드폰을 보며 기범에게 전화 건다.

지안   박동훈한테 전화해. 지금 당장. 끊었다 걸었다 반복해.

전화를 끊고 나면 잠시 후 동훈의 핸드폰이 울리기 시작. 지안은 동훈의 핸드폰을 챙겨 들고 나간다. 부쳐야 하는 우편물도 챙기고.

S#39 — 사무실 복도 (낮)

지안이 잰걸음으로 다가와서 동훈에게 핸드폰을 건네며

지안   전화 왔었어요. 계속 울리던데.

흠칫 놀라는 동훈. 보면 부재중 전화 세 통. 지안은 우편물을 안고 볼일 보러 가는 것처럼 가고.

S#40 ── PC방 앞 + 사무실 복도 (낮)

기범이 지하에 있는 PC방에서 올라오며 통화.

기범　(짜증) 차 좀 빼주세요. 여기다 이렇게 차를 대면 어떡해요?
동훈　저 차 없는데요⋯.
기범　사칠이일 차주 아녜요?
동훈　아닙니다! (뚝 끊고 설계 사무실 쪽으로)

#회사 일각: 조용히 이어폰 끼는 지안.

S#41 ── 회의실 + 회사 일각 (낮)

동훈과 박 상무가 마주 서 있고.

박 상무　그지. 그걸 현금으로 샀을 리는 없고. 분명히 법인카드 긁었을 텐데.
　　　　오천만 원어치 법인카드 긁은 데 찾는 건 어렵지 않을 거고.
　　　　그럼 어느 업첸지 나올 거고.

#회사 일각: 사람들이 왔다 갔다 하는데 미동도 않고 이어폰 끼고 듣는 중인 지안.

박 상무　오케이. 내가 알아볼게. 친구 동생이 백화점에 있어. 말만 잘하면 도와줄 거야.

#회사 일각: 멈춰 있던 지안, 빠르게 걷기 시작한다.

동훈　돈 댄 업체 찾는다고 해도, 순순히 불까요? 누가 시켰는지.
박 상무　지 살리려면 다 불어. 없는 것도 만들어 불어.

#이어폰 낀 채 엘리베이터에서 내려 사무실로 가는 지안. 그런 지안 위로

박 상무   (E) 도준영 이 새끼, 잡혔어. 도준영 내보내고 나면, (ON) 동해 가서

전복 뚝배기에 소주 한잔하자. 새파란 바다 보면서. 그래본 지가 언제냐?

옛날엔 진짜 회사 분위기 좋았는데. 철철이 놀러 다니면서 으쌰으쌰.

(E) 내가 오늘 당장 그 친구 만나볼게.

S#42 —— 사무실 (낮)

지안, 누군가의 책상에 놓인 내선 전화를 들어서

지안   안전진단3팀이요.

비서는 갸웃하는 얼굴로 전화기를 대표실로 돌리고. 연결되는 동안 지안은 누가 들어오나
안 들어오나 문 쪽을 보고,

지안   박 상무, 백화점 연줄 통해서 법인카드로 오천만 원어치 긁은 데 알아본대요.

전화를 끊고 돌아서자마자 직원들이 우르르 들어오고.

S#43 —— 대표이사실 (낮)

천천히 전화를 내려놓는 준영. 그리고 다시 내선 전화기를 든다.

S#44 —— 윤 상무 방 (낮)

전화받고 있는 윤 상무.

윤 상무   네, 네. 알겠습니다. (끊고 급하게 핸드폰 하는, 문밖을 노려보며) 내가 저 씨…
박 씨들이랑 전생에 뭔 악연이었길래… 뭐 하다가 이제 받어? 미팅은 씨. 너,
내가 묻는 말에, 잘 대답해야 된다. 진짜 잘 대답해야 된다. 너 그거, 현금으로

샀어, 법인카드로 샀어? (법인카드라고 한 듯. 흐으응… 흐느적… 울겠다. 그러다가 버럭)
넌 독립운동도 하지 마 새꺄! 남들 줄줄이 잡혀가게 하지 말고!

S#45 ── 회사 건물 옆 분리수거장 (낮)

춘대가 재활용 쓰레기를 분리하다가 문소리 나서 보면, 동훈이 자신을 보고 서 있다.

춘대	!
동훈	혹시 며칠 전에 쓰레기통에서 상품권 발견하신 분이…
춘대	!
동훈	누런 봉투에 들어 있었는데….
춘대	아, 네. 맞아요.
동훈	감사합니다. 덕분에… 감사합니다. (챙겨 온 상품권 건네며) 이거 약소하지만.
춘대	(펄쩍 뛰며 사양) 아우 됐어요. 우리 이런 거 받으면 큰일 나요.
동훈	받으세요.

동훈은 거의 던지듯 상품권을 춘대에게 안긴 후 내빼고. 춘대는 떨어진 상품권 봉투를 조용히 집어 든다.

S#46 ── 사무실 (낮)

동훈이 퇴근 준비 중인 지안 옆에서 괜히 물 따르며

동훈	내가… 오늘 저녁은… (못 먹어.)
지안	(OL) 전화할게요.

그리고 훅 나가버리는 지안. 준영 역시 퇴근하는 듯 대표이사실에서 나와 엘리베이터 쪽으로. 동훈은 굴욕을 참으며 조용히 자기 자리로.

Episode 3

말없이 있는 준영과 지안.

준영   천만 원 날아가게 생겼네. 빨리 뛰어야겠어?
지안   고양이 쥐 생각해주시네.
준영   (허…)
지안   2G폰이나 들고 다녀요. 무음으로 해놓고.

엘리베이터에서 내리는 지안. 황당한 미소로 보는 준영.

S#48 ── 지안 집 앞 (밤)

광일이 차 안에 앉아서 통화 중.

광일   어디 숨었냐?

S#49 ── 거리 일각 + 지안 집 앞 (밤)

지안은 걸어가며 통화 중.

지안   서울 시내 쌔고 쌘 게 찜질방.
광일   찜질방은 아니란 얘기고.
지안   똑똑해.
광일   근데 주소지는 왜 엄한 데다 해놨냐? 빚쟁이들 찾아올까 봐 그랬냐? 그래도
          가끔씩 가서 우편물은 챙겨 와야지, 그 집 주인은 뭔 죄야, 맨날 우편물 쌓이고.
          (요양원 우편물 보며) 요양원에서 너 애타게 찾더라. 돈 내라고. 내가 대신 냈다.
          사백팔십.
지안   ! (발걸음이 멈춰지고)

광일	그럼 이제 니 빚이 얼마냐…. 희한하지? 내 돈 꿔주는데 왜 적금 쌓이는 기분일까?
지안	…
광일	발버둥 쳐봤자 넌 내 손 못 벗어나. 애들 풀어서 잡아 족치기 전에 얼른 돈 갖구 내 눈앞에 딱 나와라, 응? 이 버러지 같은 년아!

조용히 핸드폰을 내리는 지안. 숨도 쉬지 않고 정지한 듯한 눈빛.

S#50 — 도로 일각 (밤)

기사가 운전하는 차 뒷좌석에 앉아 있는 박 상무. 평범한 택배 오토바이 같은 것이 백미러로 종종 보이고.

S#51 — 룸살롱 건물 앞 (밤)

박 상무 차가 와서 서고, 기사는 주차된 차에서 내려 박 상무에게 키를 건넨다.

박 상무 들어가. 대리해 갈게.

기사가 박 상무에게 꾸벅 인사. 좀 떨어진 한쪽에 도착해서 그런 박 상무를 보는 오토바이. 헬멧을 벗으면 기범. 간판을 보며 전화를 건다.

기범 논현동 ***(술집 이름).

기범이 전화를 끊고 둘러보다가 맞은편에 보이는 김밥집으로 뛰어가고.

⟨Cut to⟩
김밥 집에서 포장된 김밥 봉지를 들고 나와 룸살롱 건물로 들어간다.

S#52 — 룸살롱 건물 앞 (밤)

기범은 모자에 마스크로 대충 얼굴을 가린 상황. 직원들이 복도를 지나고 있고.

기범   (직원에게 괜히) 여기 손님이 시키셨는데. (복도를 걸으며 크게) 김밥 시키신 분.

기범은 각 방을 "김밥 시키신 분" 하고 돌면서 박 상무가 어디 있는지 확인에 들어간다. 그렇게 두세 군데 돌다가 한 문을 열고 "김밥 시키신 분" 하는데, 박 상무가 앉아 있다. 맞은편에도 사람이 있고. 기범은 박 상무 앞에 놓인 술잔에 눈도장을 찍고.

기범   죄송합니다. (나가며 통화하는 척) 여기 아냐?

S#53 — 룸살롱 건물 앞 (밤)

기범이 한곳을 보면, 그쪽에서 지안이 걸어온다.

기범   술잔 돌았어.

지안이 건물 안으로 직행. 기범은 천천히 텀을 두고 따라 들어가고.

S#54 — 룸살롱 건물 안 (밤)

지안이 건물 두꺼비집 뚜껑을 열고. 가만히 보다가 다 내린다. 그러자 박 상무와 남자가 얘기하고 있는데 전등이 나가고. 암흑이 된 룸살롱 실내. "뭐야 이거?" 사람들은 웅성웅성. 다들 복도로 나오고. 핸드폰 플래시를 켜고. 박 상무와 일행도 복도로 나오고. 그때 기범은 어둠 속에서 박 상무가 있던 방 쪽으로 빠르게 움직인다. 마치 직원처럼 "죄송합니다, 죄송합니다" 하며. 그렇게 방에 들어가 박 상무 술잔에 약(캡슐을 따서 가루만)을 넣고. 다시 밖으로. 지안이 두꺼비집을 올리자 룸살롱 실내에 다시 불이 들어오고, 웅성이던 사람들은 다시 방으로. 박 상무도 다시 방으로. 자리에 앉아 아까 그 술잔을 들어 마시고.

S#55 ── 룸살롱 건물 앞 (밤)

건물 밖으로 나와 걸어가는 지안. 지안을 나란히 따라 걷던 기범.

기범　　가.

그렇게 인사하고는 다시 룸살롱 쪽으로 되돌아간다. 덤덤히 가는 지안.

S#56 ── 사무실 (밤)

아무도 없는 조용한 사무실. 동훈은 윤희와 아들 사진을 멍하니 보다가, 책상 위 핸드폰을 내려다본다. 아무 연락이 없다. '뭐 하는 짓인가' 싶어 그냥 일어나고 만다.

S#57 ── 술집 (밤)

술잔을 기울이는 동훈. 옆에 앉은 상훈이 그런 동훈을 그윽한 눈으로 보다가, 괜히 동훈의 머리를 가지런히 만져주고. 동훈은 상훈의 손을 털어 치우고는 눈으로 잡고.

상훈　　며칠 사이에 젊어진 것 같다, 우리 동생?
동훈　　(눈으로 잡는)
상훈　　아침에 눈이 번쩍 떠지지?
동훈　　그만해라.
상훈　　(실실거리다가) 어제 둘이 뭐 하고 놀았어?
동훈　　(확) 그만하라고!

#식당: 이어폰 꽂고 설거지하던 지안의 동작이 멈춘다!

동훈　　애다. 남의 집 애 데리고 그렇게 말하고 싶냐? 어떤 놈들이 은진이 갖고
　　　　　그렇게 얘기하면 좋아?

상훈   (느낌 확 오고 기가 죽는다) 넌 예를 들어도… 내가 놀려먹는 재미도 없으면

뭔 재미로 사냐…. (기죽어 있다가 그래도) 너는 아무 감정이 없어도 개는…

동훈   (OL로 입술 깨물어지고)

상훈   (지레) 알았어. / 간만에 재밌는 사건이었는데… 급 심심해진다…. / 사고 치지

않을 건 알고 있었어. 넌 유혹에 강한 놈이니까.

#식당: 가만있는 지안의 뒷모습.

동훈   …내가 유혹에 강한 인간이라 여태 사고 안 친 것 같애? (잠잠해지는 표정)

S#58 — 식당 일각 (밤)

일 마치고 나가려는 지안. 흰옷을 입은 주방장으로 보이는 남자가 지안을 가로막는다.

남자   가방 봐.

지안의 가방을 빼앗아 안을 보고. 음식물이 담긴 비닐봉지를 꺼내 테이블에 던져놓고, 가

방을 돌려주며

남자   아웃. 낼부터 나오지 마.

지안은 미련 없이 나오고.

S#59 — 술집 앞 (밤)

밝은 얼굴로 통화 중인 기훈.

기훈   네. 내일 뵐게요. 들어가세요, 형. (끊고 가볍게 춤추며) 영화 들어간다!

그때 애련이 뿌한 얼굴로 오는 게 보인다. 한 손에는 이혼 서류 들고.

기훈   형수 웬일이에요? 형 집에 갔는데.

그 말에 애련은 기훈에게 손이 올라가는데, 기훈이 뒤로 자빠질 뻔하며 피하고. 애련은 그 냥 힘없이 술집으로. 그때 상훈과 동훈도 나오고. 양쪽의 어색한 기류.

애련   징글징글한 삼 형제. 니들 사귀지? 사귀지 않고서야 이렇게 맨-날
         붙어 다닐 순 없어. 니들 셋 사겨. 그지?
기훈   우리 당분간 만나지 말자. (가버리고)
애련   부탁이야. 나 이제 기운 없어 당신 못 다그쳐. 진짜 부탁할게. (서류 주며)
         이혼하자. 이혼하고, 주소지 좀 깨끗이 파 가라. 응? 그래주라.
상훈   (서류 안 받는다)
애련   (상훈의 주머니에 우격다짐으로 구겨 넣으려고 용쓰는데)
상훈   (안 받고 버티며) 빚은 내가 어떻게든 갚아.
애련   (꽥) 어떻게-! 어떻게 갚을 건데?

S#60 ── 동네 일각 (밤)

상훈과 동훈, 집으로 가는 길. 분위기가 많이 다운됐다.

동훈   …그냥 마음 편하게 이혼하든가.
상훈   이혼은 안 한다. 나 돈 없을 거고, 여기저기 아플 거고, 엄마 가고
         기훈이 결혼하면, 빼박 독거노인이야. 늙어서 폐지를 주워도 둘이면 그래도
         견딜 만할 거고, 내가 월 백이라도 꾸준히 버는 거 보면, 은진 엄마도 다시
         합칠 거야. 다시 합치기 전까지 바람 이빠이 펴보는 거고. (분위기 바꿔)
         히히히히, 신난다. 바람!
동훈   (피식) 좋댄다.
상훈   어차피 망조 들린 인생, 울면 뭐 하냐. 울 엄니 가슴만 아프지. (웃는데 눈은 촉촉)
동훈   …

Episode 3

S#61 — 아파트 엘리베이터 (밤)

엘리베이터 타는 동훈. 문이 닫히고, 올라가는데 문자 착신음. 문자를 확인하는 얼굴 위로

지안   (E) 나와요. 밥 사요.
동훈   (가만히 본다)

S#62 — 거리 일각 (밤)

시린 발목을 한 지안이 바람 부는 거리에 서 있고. 진동으로 문자 착신음이 울려 확인하면

동훈   (E) 늦었어.

#동훈은 핸드폰을 주머니에 넣고 가만히.
#지안 역시 그 자리에 가만히.

S#63 — 모텔 방 (다음 날, 낮)

어둑어둑한 실내. 조용히 눈 뜨는 박 상무. 뭔가 기운이 이상하다. 벌떡 일어나 앉는다.
'여기가 어딜까?' 일어나 커튼을 확 젖히면, 눈앞에 펼쳐진 푸른 동해 바다! 박 상무의 황
당한 얼굴!

S#64 — 모텔 주차장 (낮)

핸드폰 하며 달려 나오는 박 상무. 쫓아 나오는 모텔 직원(남).

소리   (E) 전원이 꺼져 있어…

'이런 씨.' 핸드폰을 직원에게 던져주고 차로 가다가, 다시 직원에게 달려가

박 상무 어제 나 여기 몇 시에 들어왔어? 누구랑?

남자 (어벙)

박 상무 (지금 그게 문제가 아니다. 다시 차로 가며) 다시 올 거야. CCTV고 뭐고,
다 손대지 마. 손대면 죽을 줄 알어.

박 상무가 급히 차에 올라 내달리고. 직원은 "안녕히 가십쇼" 구십 도 인사. 그런데 박 상무
차가 커튼처럼 내려진 주차장 입구 차양을 훅 밀고 나가자마자, 쾅! 지나가던 차와 부딪친
다! 직원이 놀라 달려가고.

S#65 — 주차장 앞 (낮)

멈춰 있는 양쪽 차. 그때 갑자기 박 상무 차가 후진해서 차를 빼고, 그대로 내달린다. 상대
차에선 한 남자가 내려 허리를 잡으며 달아나는 박 상무 차를 보고. 직원도 황당한 눈으로
사라지는 박 상무 차를 보고.

S#66 — 호텔 (낮)

중국인으로 보이는 세 사람이 굳은 얼굴로 앉아 있고. 그 앞에는 통역하는 남자가 정자세
로 앉아 쩔쩔매며 상냥하게 얘기 중.

통역 (중국어) 서울은 아침에 교통 체증이 심해서….

난감한 얼굴로 한쪽에 몰려 있는 설계팀장과 팀원들. 전화하던 한 팀원이

팀원 전원 꺼져 있어요.

팀장 미친 거 아냐?

S#67 ── 호텔 로비 (낮)

중국인 일행은 굳은 얼굴로 나가고.

팀원   (따라붙으며) 죄송합니다. 정말 죄송합니다.
통역   (중국어) 죄송합니다. 정말 죄송합니다.

S#68 ── 사무실 (낮)

삼삼오오 모여 웅성거리는 직원들.

송 과장   박 상무님 경찰서에 있대.
김 대리   왜요?
송 과장   …뺑소니.
모두   (뜨악한) 웬 뺑소니.
송 과장   기자들 냄새 맡고 확인 전화오고 난리란다. 회사 임원이 뺑소니 쳤다고.

그 소란에도 조용히 생각에 빠져 있는 동훈. 윤 상무가 큼큼거리며 대표이사실로 급히 가는 걸 본다.

S#69 ── 대표이사실 (낮)

들떠서 쾌재를 부르는 윤 상무. 가만히 생각하는 준영.

윤 상무   하늘이 도왔습니다. 이 인간이 이렇게 제 풀에 자빠질 줄은.
          이번엔 회장님도 감싸고 들기 힘들 겁니다.

그때 울리는 책상 위 사내 전화.

143

준영   (받고) 네!

#다른 이의 책상에서 사내 전화를 하는 지안.

지안   천만 원 준비해놔요. (뚝)

조용히 전화기를 내려놓는 준영. 뭔가 서늘해진다.

S#70 — 복도 (낮)

동훈이 퇴근하는데 맞은편에서 오는 준영. 이젠 목례도 나오지 않고. 그냥 스쳐 가는 듯한데.

동훈   다음은 나니?
준영   !
동훈   왜? 너한테 잘못한 거 없는 거 같은데. …너 싫어하는 거 티 낸 적 없는데.
준영   ! 제가 왜 선배님을 잘라야 돼요? 박동운 상무는 내가 자르려고
          수작 부렸다고 오해할 만하다고 쳐요. 적수가 되니까. 근데, 선배는
          내가 왜 잘라야 돼요?
동훈   !
준영   !
동훈   뭔 죄를 졌나 보지, 나한테. 내가 모르고 있는 거지.

짱짱한 서로의 기운. 동훈이 먼저 가고 준영은 그런 동훈을 보고.

S#71 — 영화 제작사 사무실 (낮)

소파에 선배와 마주 앉아 있는 기훈. 기훈은 터지기 일보 직전이지만, 얘기는 늘 하던 대로의 느낌. 한쪽엔 한 놈이 등 돌리고 책상에 앉아 둘 간의 짱짱한 기운을 감지한 채 긴장하고 있고.

기훈   형 꺼 조연출 하라고? 또? 형, 내 꺼 얘기하러 왔잖아 나.

선배   니 껀 잘 모르겠고.

기훈   왜 몰라, 한글인데.

선배   재미없다고. 알아들어라 좀. / 어떻게, 할 거야 말 거야?

기훈   (좀 있다가) 형, 우리 다신 보지 말자. 그냥 보지 말자고 하면,

        또 볼 거 같으니까…. 형! 한 대만 맞자.

그 말에 돌아앉아 가만있던 놈이 이쪽을 보고.

기훈   나만큼 일 잘하는 놈 없어서 형은 나 또 부를 거고, 이 모욕을 당하고도

        난 한 푼이 아쉬워서 또 올 거고! 우리 그러지 말자.

선배   하지 마 새꺄. 할 사람이 없는 줄 알아?

기훈   그니까 형! 나한테 한 대만 맞어. 이번 생에서 우린 여기까지. 응?

        다음 생에선 내가 너 죽여버릴 거니까 잘 피해 다니고!

하며 선배에게 달려드는데, 한 놈이 다가와 기훈을 막는다. 기훈에게 애정이 있는 놈.

기훈   이번 생으은! 여기서 끝내자, 한 대만 맞고!

한 놈의 손에서 빠져나와 선배에게 달려가 퍽!

S#72 — 형제 청소방 앞 (낮)

기훈은 자판기 앞에서 커피 뽑으려고 동전을 찾으며 한 놈과 통화 중. 주먹에는 상처가 좀
있고.

한 놈   (F) 나와. 한산해.

기훈   나 진짜 안 해.

한 놈   (F) 너 안 한다는 말 십 년째야.

기훈   진짜 안 해. (그때 동전이 떨어지고, 떨어진 동전을 따라 차도 가까이로 가는)

한 놈 (F) 안 하면 뭐 해 먹고 살 건데?

기훈 (터지듯) 연봉 오백 받으면서 이십 년 버텼다! 어디 가서 그보다 못 벌까!

주저앉듯 그 자리에 쪼그려 앉는다. 마음이 쓰린데, 그걸 아는지 수화기 너머에서도 말이 없다.

한 놈 (F) 너나 나나, 돈 때문에 이 바닥 붙어 있었던 거 아니잖아.

기훈 …

그때 위태롭게 좌회전해 오는 다마스에 기훈의 시선이 가고. 또 기우뚱해서 달려오는 다마스. 조마조마한 기훈. 결국 기훈 앞에서 다마스가 쿵 자빠지고.

기훈 (울컥) 그만 좀 해라 좀! 한두 번도 아니고! (통화) 너한테 한 말 아냐….

잠시 후 운전석 문이 힘겹게 텅 열리고. 허우적거리는 손. 그런데 보면, 상훈이다! 기훈이 황당한 시선으로 보다가 핸드폰을 내리고. 상훈이 간신히 빠져나와 기훈 옆에 털썩. 다마스는 쓰러져 있는 채로…

상훈 진짜 주황불에 안 서지는구나…. 밟으면 안 된다 싶은데 밟게 되네.

기훈 뭐야?

상훈 제철이 와이프가 족발집 하쟀대. 망해도 장사하는 게 낫겠대. 내가 넘겨받았어. 권리금은 다달이 갚기로 하고.

두 사람 말이 없다가

상훈 …같이 안 할래?

기훈 … (이렇게 흘러가는 건가. 씁쓸하다)

S#73 ─ 빌라 계단 (다음 날, 낮)

#허름한 작업복에 마스크 차림으로 묵묵히 계단을 청소하는 상훈과 기훈. 기훈이 먼지를 날리며 창틀과 계단을 쓸어 내려오면, 이어서 상훈은 대걸레질하며 내려온다. 동작은 절도 있고 힘 있으나 표정은 별로.
#빌라 앞에 세워진 다마스. 기훈이 그 안에 청소 도구를 넣고. 상훈은 계단 입구 게시판에 스티커를 붙인다. 원래 붙어 있던 스티커 위에,
[계단청소 / 형 010 - ✱✱✱✱ - ✱✱✱✱ / 동생 010 - ✱✱✱✱ - ✱✱✱✱]
#기훈이 운전석으로 가고 상훈이 올라타면 차가 떠난다.

S#74 ─ 요순 집 (밤)

식탁 위 펼쳐놓은 보자기에 반찬 통 몇 개가 올려져 있고. 또 다른 반찬을 챙기는 요순. 분주히 움직이면서 연신 콧물을 훔친다. 우는 듯. 동훈은 말없이 식탁에 앉아 있고.

요순　공부만 시키면… 공부한 만큼은 살 줄 알았는데…. 시대가 그런 건지… 팔자가 그런 건지…. 아까워도 어쩌겠어…. (울컥하고 터질 것 같은데 숨 크게 쉬며 애써) 됐다 이제. 이제 둘 다 돈 벌고. 사람 구실할 테니. 너 속 썩는 일도 없을 거고. 됐어.

그때 동훈 핸드폰에 문자 착신음. 보면, 지안이다.
[나와요. 밥 사요.]
동훈은 무시하고 핸드폰을 다시 주머니에 넣으며 노모의 얘기에 집중.

요순　착실하게 일하고 빚 갚고… 그러는 거 보면 은진 에미도 이혼하자는 소리 잠잠해질 거야.

동훈의 핸드폰이 울린다. 지안에게서 온 전화. 보나가 서절을 누르는데. 또다시 울리는 핸드폰. 동훈의 표정.

S#75 — 은행 (밤)

ATM 기기 앞에 서 있는 동훈. 잔액이 또 얼마 없다. 현금 서비스를 누른다.

S#76 — 술집 (밤)

지안 앞으로 돈 봉투를 미는 동훈.

동훈 백이야. 한 번에 천은 못 줘. 다달이 백씩 줄게.

지안 (보기만)

동훈 밥은 그만 먹자. (일어나려는데)

지안 왜. 말 돌까 봐 겁나나?

동훈 …음.

지안 !

동훈 불편해. 몰래 숨어서 밥 먹고 그러는 거.

지안 재밌어할 줄 알았더니.

동훈 !

지안 혹시 좋아질까 봐 그래요?

그 말에 동훈은 그냥 조용히 일어난다. 그리고 돈 봉투를 챙긴 뒤, 조용하지만 단호한 어조로

동훈 그냥, 그 오천 니가 버렸다고 말해. 그게 낫겠다. 나이 먹어서 너같이
         어린애한테 질질 끌려다니느니 그냥 다 말해, 니가 버렸다고.
         나도 가질 생각은 없었다고 말하면 되니까.

나가는 동훈. 그냥 있는 지안.

Episode 3

S#77 ── 공원 일각 (밤)

동훈이 걸어가는데 뒤에서 조용히 따라 걷는 지안. 그러다가 달려와 동훈 옆에서 나란히 걷고.

동훈	(멈춰서) 뭐 하자는 거야? 왜 따라와?
지안	(보기만)
동훈	뭐?
지안	(그저 보는)
동훈	뭐-?

하는 순간 느닷없이 동훈에게 키스하는 지안. 찰나의 닿음이지만 스틸이 걸리겠고. 동훈은 냅다 지안의 목덜미를 움켜쥐어 밀어내 떨어뜨리고! 지안의 목덜미를 꽉 잡은 동훈의 쭉 뻗은 팔. 떨리는 손.

동훈	(분노를 참으며 떨리는) 하지 마. …하지 말라고. …말귀 못 알아들어-?

동훈 손에서 빠져나와 아무렇지 않게 가는 지안. 멀어지는 지안을 보다가 얼굴을 쓸어내리 며 어쩔 줄 몰라 하는 동훈. 무심히 걸어가는 지안의 얼굴에서

S#78 ── 기범의 거처 (밤) – 회상

어둠 속에서 녹음 파일을 듣고 있는 지안.

동훈	(E) 내가 유혹에 강한 인간이라서 여태 사고 안 친 거 같애? …유혹이 없었던 거야. …그러니까 모르는 거야. 내가 유혹에 강한 인간인지 아닌지.

S#79 — 공원 일각 (밤)

바람은 마구잡이로 불어대고 멀어지는 지안을 보고 있는 동훈. 욕지거리가 튀어나오기 직전인 얼굴이다.

#근처: 기범이 핸드폰을 보며 걷는다.

[INS] 핸드폰 액정: 지안과 동훈 키스 장면이 찍힌.

기범   (전화 걸고) 찍었어. (전화 끊고 가볍게 달려가는)

지안은 전화를 끊고 동훈을 돌아봤다가 뚜벅뚜벅 가고. 그 자리에서 어쩔 줄 몰라 하는 동훈의 모습에서 엔딩.

Episode

4

S#1 ─ 지하철 플랫폼 (낮)

삐리리 지하철이 들어오는 소리가 들리고. 문이 열리면서 쏟아져 나오는 사람들.

S#2 ─ 도심 일각 (낮)

거리는 일제히 한 방향으로 출근하는 얼굴들로 넘쳐나고. 인파들의 걸어가는 뒷모습. 그 무리 속에 축 처진 어깨를 하고 서 있는 동훈의 뒷모습. 그런 동훈을 지나쳐 가는 수많은 사람. 동훈의 뒤통수에서…

[INS] 키스할 때, 자신에게로 훅 들어왔던 지안의 얼굴.

동훈의 고개가 들리고, 어떤 결심이 선 것처럼 뚜벅뚜벅 간다. 전투적으로 걷는 중에도 떠오르는,

[INS] 자신에게 훅 들어왔던 지안의 얼굴.

동훈은 화난 사람처럼 건물 안으로.

S#3 ─ 사무실 (낮)

동훈이 출근해서 보면 지안이 자리에 앉아 있고. 동훈은 직원들 인사도 받지 않고 지안에게 직행.

동훈　이지안 씨. 오늘까지만 근무해요.
지안　!
동훈　내일부터 안 나와도 돼.
지안　!

Episode 4

그렇게 단호하게 말하고 자리로 가는 동훈. 직원들은 '이게 무슨 상황인가' 싶어 분위기 썰렁해지고. 회의실로 향하던 준영과 윤 상무도 이를 보며 지나치고. 동훈은 옷을 벗고 가방을 건 후 자리에 탁 하고 앉는다. 잠시 멈춰 있던 지안은 이내 아무렇지 않게 제 할 일만.

S#4 ─ 임원 회의실 (낮)

준영과 윤 상무가 들어오고, 목에 깁스를 한 채 미리 와서 앉아 있던 박 상무는, 자리에 앉는 준영을 좇아 본다. 윤 상무는 박 상무를 야멸차게 봤다가 이내 시선 돌리고. 왕 전무와 그 외 임원진들이 굳은 얼굴로 속속 도착.

⟨ Cut to ⟩

임원진 열댓 명이 폭탄 투하하듯 박 상무에게 퍼붓는다.

모 상무   아침에 그 중요한 미팅이 있는데, 전날 술을 퍼마신다는 게 말이 돼요?
전화기도 꺼놓고! 회사 십 년 사활이 걸린 미팅을 그렇게 한 방에
날려버리는 게, 이게 말이 되는 거냐고?

이사1   어떻게 대-삼안 임원이, 술을 마시고 사업을 그르쳐요? 창피하게?
대-삼안이 무슨 동네 구멍가게예요?

이사2   뺑소니는 또 뭐예요? 기사까지 뜨게 만들어서, 회사 이미지 다 말아먹고. 기자들
전화해대고 난리예요 지금! 안전을 책임지는 회사에서 뺑소니가 말이 돼요?

윤 상무   어떻게 이렇게 큰 사고를 연타로 치십니까? 재주도 좋습니다!

박 상무는 모욕을 꾹 참으며 견뎌야 하는 상황. 왕 전무는 가만히.

준영   (마무리) 중국에는 미팅 있던 날 아침에 박 상무님이 교통사고를 크게 당해서
참석하지 못한 걸로 말하고, 이번 주 내로 제가 중국 들어갑니다. 윤 상무님이
설계팀상하고 중국 일 맡으세요. (박 상무 보며) 박 상부님은 지금 현재 병원에
입원 중인 겁니다.

박 상무를 포함해 모두들 조용. 어쩔 수 없이 받아들이는 모양새.

S#5 —— 왕 전무 방 (낮)

왕 전무와 박 상무가 가만히 서 있고.

박 상무   아시다시피, 태어나서 술 먹고 실수해본 적, 단 한 번도 없습니다. 눈 떠보니
동해였고, 핸드폰도 없어졌고. 만취했어도 뜨문뜨문 기억나는 게 있어야 되는데,
전혀, 기억나는 게 없습니다.

왕 전무   …걸려든 건가?

박 상무   …

왕 전무   도준영 이 자식, 갈수록 대범하게 노네?

S#6 —— 사무실 복도 (낮)

대표이사실로 가는 준영. 지안을 힐끗 보는데, 문자를 넣고 있다. 따라오던 윤 상무에게

준영   일 보세요.

윤 상무는 약간 머쓱해져서 멈춰 선 채 고개 숙여 인사.

S#7 —— 대표이사실 (낮)

준영이 들어와 서랍에서 2G폰을 꺼내 확인해보는데, 들어와 있는 문자.
[천만 원, 오늘 줬으면 좋겠는데.]
지안이다. 밖 쪽을 보는 준영.

S#8 —— 윤 상무 방 (낮)

윤 상무, 서서 초콜릿 까먹으며 동훈에게

Episode 4

윤 상무	누구? 이지안? 걔가 누군데?
동훈	…파견직이요.
윤 상무	(동작 굳었다가, 어이없어 웃음 나는) 나 참. 왜, 뭐 영수증 빼먹었어 걔가?
	그래서 뿔따구 나서 잘라버린다고 협박하고 지금 내 방에 쳐들어와서 이르는
	거야? 내가 맞장구 쳐줘야 돼, 여기서? 똑같이 없어 보이게? 파견직 하나 놓고?
	(앉으며) 아 나 씨… 상무이사 개똥으로 아나… 쪽팔리게 어디 와서
	파견직 얘길…. 누가 박 상무 따까리 아니랄까 봐 하는 짓하곤…
동훈	…
윤 상무	이유나 들어보자. 왜 자르려고 하는 건지. 말해봐. 이유가 뭐야?
동훈	…

[INS] 자기에게 훅 들어왔던 지안의 얼굴 컷 짧게.

윤 상무	뭐냐고?
동훈	품행이 단정치 않습니다.
윤 상무	(파! 짧게 웃음 터지고) 나 진짜… 웃겼다, 품행. (본래 어투) 여기에 품행 단정한
	인간이 어딨냐?
동훈	…

S#9 — 사무실 (낮)

맥 빠진 얼굴로 오는 동훈. 직원들은 눈치만 보고 있고. 동훈은 지안을 등지고 가만히 서 있다가, 홱 뒤돌아보며

| 동훈 | 이지안 씨. 회의실로 와요. |
| 지안 | ! |

⟨ Cut to ⟩

사무실에서 보이는 회의실. 지안은 앉아 있고. 동훈이 블라인드를 올린다. 모든 이에게 깔끔하게 보이려는 제스처. 직원들은 눈동자만 움직여 그들을 탐색하고.

S#10 — 직원 회의실 (낮)

동훈이 지안을 보다가

동훈   만만해 보이냐? 뇌물 받고 어쩔 줄 몰라 하는 거 보니까, 한 번 구해주면
          강아지처럼 꼬랑지 착 내리고 따라붙을 줄 알았어? 니가 들이대면
          '성은이 망극하옵니다' 그러고 감지덕지할 줄 알았어?

지안   …

동훈   재밌냐? 나이 든 남자 갖고 노니까 재밌어?

지안   (같잖다는 듯 혼잣말) 재미는…

동훈   !

지안   그냥. 남자랑 입술 닿아본 지가 하도 오래돼서. 그냥 대봤어요.

동훈   !

지안   나만큼 지겨워 보이길래. 어떻게 하면 월 오륙백을 벌어도 저렇게 지겨워
          보일 수 있을까… 대학 후배 아래서, 그 후배가 자기 자르려고 한다는 것도
          뻔히 알면서 모른 척…. 성실한 무기징역수처럼 꾸역…꾸역…. (밖을 둘러보며)
          여기서 제일 지겹고 불행해 보이는 사람…. 나만큼 인생 그지 같은 거 같아서…

동훈   !

지안   입술 대보면… 그래도 좀 덜 지겨울까…. 잠깐이라도 좀 재밌을까…
          그래서 그냥 대봤어요. 그래도 여전히 지겹고, 재미없고… 똑같던데.
          아저씬 어땠어요?

동훈   부모님은 아시냐? 너 이러고 다니는 거?

지안   아저씨 부모님은 아세요? 아저씨 이렇게 사는 거?

동훈   (살짝 욱) 말조심해.

지안   !

동훈   한 번만 더 그런 짓하면, 그땐 사유 다 얘기하고 자를 테니까 그렇게 알어.

지안   ! (흔들림 없이 동훈만 보는)

동훈   ! (나간다)

S#11 — 사무실 (낮)

동훈이 자리에 앉고, 김 대리가 회의실에서 나와 자리로 돌아가 앉는 지안을 시선으로 좇아가고

김 대리 (동훈에게) 왜 그런 거예요?
동훈 (무심을 가장하지만 진정되지 않는 얼굴. 속을 들킨 기분)

S#12 — 룸살롱 (낮)

[INS] CCTV 화면: 만취한 박 상무와 친구가 웨이터들 손에 이끌려 나온다.

그 화면을 보고 있는 박 상무. '내가 이 정도로 취했다고?' 믿을 수 없는 눈빛. 옆에서 룸살롱 직원이 화면을 같이 보며

직원 두 분 다 많이 취하시긴 취하셨는데…
박 상무 그날 우리 방에 술 얼마나 들어왔어?
직원 (장부 보고) 그날… 양주 두 병 들어갔는데요.

양주 두 병이면 만취할 수 있다 싶은데, 그때.

[INS] CCTV 화면: 문가에서 누군가(기범)가 웨이터들에게 박 상무를 인계받는 모습이 살짝 걸리고.

박 상무 스톱. (화면의 기범을 짚으며) 이건 누구야?
직원 대리…기사 같은데요?

그놈을 자세히 보는 박 상무. CCTV 화면에서 기범의 모습이 반복 재생되고.

S#13 — 동해 모텔 (낮)

[INS] CCTV 화면: 주차장에 박 상무 차가 들어오고. 대리기사(기범)가 내려 안으로 들어간다. 모자를 쓰고 턱 아래로 마스크도 내리고 있어 얼굴이 보이지 않는다. 잠시 후 직원 두 명과 함께 와 뒷좌석을 열어 보여준다. 직원 두 명이 뒷좌석에서 만취한 박 상무를 끌어내고, 한 놈이 업어서 들어가려는데, 대리기사가 박 상무를 잡아 세워 그의 옷을 뒤진다.

예의 주시하며 CCTV를 보는 박 상무.

[INS] CCTV 화면: 지갑을 꺼내고 그 안에서 돈을 꺼낸다. 이십만 원 정도. 그리고 가는 대리기사.

전화하는 박 상무.

박 상무   난데, 내 핸드폰 통화 기록 조회해서 보내줘.

S#14 — 바다가 보이는 곳 (낮)

차 옆에 서서 통화하고 있는 박 상무.

남자   (F) 콜 들어와서 갔는데, 안 계시길래 전화했더니, 대리기사 와서
          벌써 출발했는데 뭔 소리냐고… 어떤 놈이 채간 거죠 뭐, 동해라니까.
박 상무   !
남자   (F) 먼 데 간다 싶으면 중간에 채 가는 놈들 많아요.
박 상무   내가 동해 가자고 했다고?
남자   (F) 콜센터에서 그러던데요. 달라는 대로 준다고 했다고, 속초든 강릉이든
          동해로 쏘자고.

황망한 박 상무의 얼굴에서

Episode 4

⟨ Cut to ⟩

차 옆에 황망하게 서 있는 박 상무. 뭔가 헷갈리기 시작하는 기분. 차를 타려고 운전석 문을
여는데, 멈칫. 운전석 아래에 삐죽 보이는 핸드폰 모서리. 꺼내본다. 본인 핸드폰이다. 전원
이 꺼져 있다. 충전기 잭을 연결하고 켜보는데… 배터리가 상당히 있다.

박 상무   (눈빛이 매섭게 살아나고) 빠데리 있었어.

S#15 — 병원 앞 (낮)

회장이 입원해 있는 병원 일각. 왕 전무와 박 상무가 마주 서 있다.

박 상무   중간에 대리기사를 가로채고 들어와서 핸드폰 기록은 남기지 않았고,
　　　　　CCTV를 정확히 알고 움직이는 놈처럼, 얼굴도 전혀 잡히는 게 없습니다.
　　　　　제 핸드폰은 일부러 꺼둔 게 확실하고.

왕 전무   …

박 상무   더 이상 윤 상무랑 단둘이 움직이는 것 같지 않습니다. 전문가 써가면서,
　　　　　조직적으로 움직이는 느낌입니다.

왕 전무   이것들… 까딱하다간 사람까지 죽이겠어? 회사 주인이 되느냐 마느냐,
　　　　　몇천억이 왔다 갔다 하는 판에 못 할 짓이 없겠지. (박 상무를 보며)
　　　　　자넨 이번 사건 온전히 자네 실수로 인정한 척, 조용히 부산으로 내려가.

박 상무   !

S#16 — 병원 복도 + 달리는 박 상무 차량 + 회사 앞 (낮)

병원 복도를 걸어가는 왕 전무와, 차를 운전해 가는 박 상무, 회사 건물에서 나와 어딘가로
가는 준영이 교차되면서

왕 전무 (E) 내가 회장님하고 얘기해서 자네 부산 지사로 발령 내는 선에서 끝내는 걸로 할 테니까, 백기 든 척, 팔다리 잘린 척 조용히 부산으로 내려가고, 내려가자마자, 바로 도준영 캐. 여기서 우리가 뭔가 캐치했다는 낌새 풍기면, 도준영 저거 못 잡아. 미꾸라지 새끼처럼 또 달아나. 지들 작전이 통했다고 안심하게 하고, 뒤에서 아무도 모르게, 조용히 캐야 돼. 그래야 잡을 수 있어.

S#17 ― 병원 입원실 (낮)

창가에 서 있던 회장이 들어오는 왕 전무를 보며

회장 임원들 왜 그래? 군기가 빠진 거야?

왕 전무 (허리 굽혀 꾸벅) 죄송합니다. (오랫동안 고개 숙이고 있는)

S#18 ― 경복궁 분위기 (낮)

준영이 한곳을 향해 천천히 걷는다. 거기에는 중국인 열댓 명이 가이드 설명을 듣고 있고. 무리 끝에 지안이 서 있다. 지안 근처로 다가가는 준영. 눈길도 주지 않고 조용히 말하는 두 사람.

준영 너 혼자 한 거 아니지? 이런 일 처음 하는 거 아니지? 그지?

지안 …

준영 너 진짜 뭐 하던 애야?

지안 그냥 돈 주고 가죠?

준영 왜 허락도 없이 막 움직여? 박 상무는 한 번도 술로 실수한 적 없는 인간이야.

지안 그럼 어떤 실수는 했는데요, 그 인간이?

준영 ! (돈 주며) 함부로 움직이지 마. 어떻게 할 건지 미리미리 보고하고 움직여. 실행 전에 나한테 먼저 얘기하고, 내 허락 떨어지면 움직여. (가려는데)

지안 벌써 작업 들어갔는데요, 박동훈 부장.

준영 !

Episode 4

무리들이 가이드를 따라 일제히 움직이는데 준영과 지안은 그 자리에 가만히.

S#19 ── 사무실 (낮)

놀라 입이 쩍 벌어져 컴퓨터를 보는 채령. 동훈과 지안의 입맞춤 사진이 인터넷 게시판에 올라와 있다. '저들은 따뜻할 거야' 류의 제목. 측면 구도 사진인데 동훈은 꽤 정확히 보이는 반면, 지안은 정확히 보이지 않는다. 채령은 사진 속 여자가 누군가 싶어 자세히 보는데, 그때 여자의 발목에 시선이 가고, 까치발을 든 여자의 발이 보이는데, 짧은 바지에 경중한 발목. 누군지 알아챈 듯 더욱 눈이 커지고. 그때 송 과장이 지나가며

송 과장 뭔데?
채령 아녜요. (얼른 사이트 내리고 가만. 동훈을 본다)

S#20 ── 경복궁 분위기 (낮)

지안 제일 입 싼 직원이 자주 들락거리는 사이트에 올렸으니까, 소문나는 거
　　　　시간문제고. 그럼 잘라요. '상사와 여직원의 부적절한 관계.'
준영 (답답) 회사 내에서 이런 일 연달아 터지면 박 상무 백 프로 조작질인 거
　　　　눈치챈다고! 시간을 뒀어야지!
지안 내가 돈이 급해서.

뚜벅뚜벅 가는 지안. 서서히 말린다 싶은 준영.

S#21 ── 대표이사실 (낮)

준영이 밖을 의식하며 2G폰으로 통화 중.

준영 팩스 하나 보냈어. 확인해봐.

S#22 — 변호사 사무실 (낮)

지안의 이력서가 팩스로 도착. 그걸 살펴보며 통화하는 윤희.

윤희　　어, 왔어.

S#23 — 대표이사실 + 변호사 사무실 (낮)

준영　　걔 좀 알아봐줘. 자세히.
윤희　　누군데 그래?
준영　　…나중에 얘기해줄게.
윤희　　박 상무는 어떻게 됐어?

그때 비서가 노크를 하고 들어오자, 준영은 얼른 손을 내려 2G폰이 보이지 않게 하는데, 비서를 뒤따라 들어오는 왕 전무.

비서　　전무님 오셨습니다.

철렁한 준영은 열려 있던 서랍에 2G폰을 자연스럽게 넣고 서랍을 무릎으로 밀어 닫으며 상냥하게 맞는다.

준영　　어쩐 일로.
왕 전무　회장님 전화받았지?
준영　　(괜히 침통한 얼굴) 네.
왕 전무　(괜히 쭈뼛쭈뼛) 박 상무 어떻게 할지 자네랑 알아서 결정하라는데… 뭐… 정리해야지. 나도… 감쌀 명분도 없고…. (준영 보고) 그렇다고 그냥 자르긴 뭐하잖아? 부산으로 내려보내는 걸로 하자고. 상무는 해임하고.

Episode 4

S#24 — 윤 상무 방 (낮)

소리 죽여 온몸으로 환호를 표하는 윤 상무.

윤 상무   예-쓰!

S#25 — 사무실 (낮)

직원들 전부 고개 빼고 박 상무 방을 넘겨다보고 있다. 박 상무 방에선 감사실 직원들이 짐을 정리하는 중이다. 상무 명패도 치우고. 지안은 아무렇지 않게 영수증을 정리하고 있고. 황망하게 보다가 조용히 자리에 앉는 동훈.

S#26 — 형제 청소방 (낮)

간단한 고사상 앞에서 두 손 모아 정성껏 절하는 요순. 그 뒤로 나란히 서 있는 상훈과 기훈. 맨 뒤에는 제철.

⟨ Cut to ⟩

상훈이 술을 따르고, 기훈과 같이 절하고.

⟨ Cut to ⟩

요순은 고사상을 저무리는 끝물이고. 상훈과 기훈이 제철의 지도하에 분주히 청소 도구를 내어 나르고.

요순   (도시락 두 개 들고) 이것도 가져가야지!
제철   도시락까지 싸주세요?
요순   사 층짜리 계단 한 번 청소하고 내려오는데 일이만 원인데 그럼 사 먹어?
　　　　 (들어오는 상훈 흘겨보며) 내가 아들자식 둘이 빗자루 들고 살지는 몰랐다.
상훈   우리도 몰랐어요. (도시락 받아 들고 나가고)

제철	오십 넘으면 다들 이러고 살아요. 자동차 회사 다니던 진범인 지금 미꾸라지 수입해요. 은행 부행장이었던 권식인 모텔에 수건 대고. 공부해서 다니는 직장은 낑해야 이십 년이에요. 백 세 인생에 한 직업으로 살기엔 지루하죠. 서너 개는 해봐야 지루하지 않고 좋죠.
요순	(나가면서, 그래서 넌) 요즘 지루하지 않고 좋은가 보다?
제철	(애매한 얼굴로 쫓아가는)

S#27 — 형제 청소방 앞 (낮)

상훈은 벌써 운전석에 앉아 있고. 기훈이 문을 잠그려고 서 있고, 요순과 제철이 나오면 사무실 문을 잠근다.

요순	족발집 할 거래매?
제철	왔다 갔다 해요. 떡볶이가 나을 것 같기도 하고. 동훈인 기술 있으니까 회사 잘려도 우리 같지는 않을 거예요. 안전진단 업체 차리면 되니까.
요순	(도끼눈) 개가 회사를 왜 잘려? 동훈인 칠십까지 다닐 거야.
기훈	노인네 욕심도. (차로 가며) 타요. 태워다 드릴게요.
요순	됐어, 가. 금방이야. (제철의 손을 잡고, 청소업 넘겨줘서) 고맙다.
제철	(계면쩍고)
요순	(차에 오른 상훈과 기훈에게) 부지런히 갚아!

떠나는 다마스. 떨리는 숨을 내쉬며 다마스 뒤꽁무니를 보는 요순.

S#28 — 작은 상가 (낮)

작업복에 마스크 차림의 기훈. 벽에 붙은 스티커를 떼어 바닥에 던지고, 전단지를 구겨 던지고, 먼지도 뒤집어써가며 계단을 쓸고 내려오는데, 삼십 대 여자가 나오다가 먼지에 입을 막자, 살짝 고개 숙여 죄송하다는 제스처. 여자는 종종종 내려가고. 상훈은 위에서 물걸레질하면서 내려온다.

Episode 4

경비실 용도로 만들어놓은 듯한 작은 공간. 그 옆에 청소 도구들이 놓여 있고. 그 안으로 들어가면, 똑같은 도시락을 펼쳐놓고 마주 앉아 밥 먹는 상훈과 기훈. 기훈은 자신의 반찬을 먹는 상훈을 보다가

기훈   ···같은 거잖아.

상훈   ···난 꼭 남의 께 맛있어 보이더라.

기훈   ···기타노 다케시가 한 말이 있어. 아무도 안 볼 때 쓰레기통에 처박아버리고
              싶은 게 가족이라고.

상훈은 끽소리 안 하고 자기 것을 먹고. 기훈도 다시 먹기 시작.

S#30 ── 요순 집 주방 (밤)

한편에는 고사 지내느라 쓴 물건들이 있고, 애련이 심통 난 얼굴로 훌쩍이고, 요순은 애련 앞에 앉아 있다.

요순   올 거 없다. 그래도 아침 일찍 일어나서 둘이 나가는 거 보니까, (긴 한숨)
              숨통이 트이더라. 내가 이런데 걔들은 오죽했겠니. 하루하루 맥없이 시간만
              뭉개고 앉아 있으면서 오죽 속이 썩어났을까.

애련   이 서방한테는 아범 청소하는 거 말하지 않았으면 좋겠어요. 우리 별거 중인
              것도 몰라요.

요순   근데 이혼은 어떻게 할라구?

애련   (꽥) 할 거예요! ···애들 좀 사는 거 보고. 천천히 할 거예요. 은진이 아빠
              대기업 다니다가 장사한 거까지만 알지, 빚더미 앉은 것도 몰라요.

요순   그거 빚더미 축에도 안 낀다.

애련   (꽥) 언제 갚아요, 청소해서? (눈물 줄줄)

요순   너 왜 우니 자꾸? 일 안 한다고 잡아먹을 땐 언제고. 일한다는데 왜 울어?

애련   (꽥) 청소인 줄은 몰랐죠! (눈물 줄줄)

요순	(휴지 뽑아서 준다) 울지 마라. 나도 맘 안 좋다.
애련	(코를 팽 푸는, 서럽다)

S#31 — 회사 근처 (밤)

퇴근 차림인 동훈, 한쪽에 서서 핸드폰을 하고 있다. 받지 않는 듯 계속되는 신호음.

S#32 — 박 상무 차 안 (밤)

박 상무가 차 안에서 울리는 전화를 보고 있다. 박동훈 부장이다.

[INS] 3화: 동훈에게 동해 가서 소주 한잔하자고 했던 장면, 이어서 대리기사가 달라는 대로 준다고, 속초든 강릉이든 동해로 쏘자고 들었다며 상황 설명하는 장면.

결국 전화받는 박 상무.

S#33 — 회사 근처 + 박 상무 차 안 (낮)

동훈	어떻게 된 거예요?
박 상무	뭐 어떻게 되긴 어떻게 돼. 너 이제 끈 떨어졌다는 거지. 어뜩하냐. 너 이제 딴 데 줄 서야겠다?
동훈	제가 줄을 언제 섰다고… / 이거 도준영이 수작 부린 거 맞죠?
박 상무	수작은 무슨. 내가 술 먹고 실수한 거지 씨이.
동훈	그런 적 한 번도 없으시잖아요.
박 상무	(짜증) 아 늙었나 보지. (마음이 안 좋다. 좀 있다가) 동훈아. 내가 널 이십 년 가까이 봐왔는데. 내가 널 못 믿는다는 건 말이 안 된다. 그지? 근데! 지금은 너도 못 믿겠다.
동훈	무슨 소리예요?
박 상무	아무도 믿지 마. 송 과장도. 김 대리도. 아무도.

동훈　!

김 대리　(E) 안 가요?

보면, 한쪽에 무리 지어 서 있는 송 과장, 김 대리, 형규.

S#34 — 지안 집 앞 (밤)

광일의 차가 주차되어 있고. 대시보드는 이런저런 영수증과 서류 들로 어지럽다.

S#35 — 지안 집 (밤)

둘러보는 광일의 시선 컷으로, 개수대에 있는 컵 하나는 믹스커피를 마셨는지 갈색으로 눌어붙어 있고. 찬장을 열어보면 냄비와 그릇 몇 개. 양념은 소금 봉지 정도. 회사에서 훔쳐왔을 법한 믹스커피 대여섯 개. 냉장고에는 역시 고추장, 된장 같은 양념류만. 옷장을 열어보면 대충 둘둘 말려 있는 옷가지 몇 개. 방바닥 한쪽에는 이불이 쌓여 있고. 방을 둘러보며 통화하는 광일.

광일　방이 냉골이야. 며칠째 안 들어왔어.
종수　(F) 딴 나라로 튄 거 아냐?
광일　걔 할머니 있는 동안은 이 나라 못 떠.
종수　(F) 그니까 그년 직장을 알아냈어야 된다니까.
광일　메뚜기처럼 이리저리 옮겨 다니는 년 직장을 어떻게 캐고 다녀.
　　　　어차피 그년은 내 손 못 벗어나.

S#36 — 지안 집 앞 (밤)

무심히 나오다가 살짝 놀라 멈칫하는 광일. 지안이 자신의 차 옆에 서 있다. 절대 밀리지 않는 짱짱한 지안의 기운. 다가가는 광일.

광일　넌 오늘도 안 나타났으면 돼졌어.

지안, 돈 봉투를 차 보닛에 던져놓고.

광일　공손은 밥 말아먹었지. 싸가지 없는 년. 어디서 갚는답시고 유세 떨고 지랄야.
　　　(봉투 안을 보고, !)

지안　천만 원. 영수증 써.

광일　요즘 크게 논다? 어디서 훔쳤냐? 꽃뱀이라도 하냐? 아니면 뭐 삑치기?
　　　단위가 딱 떨어지는 게, 뭔가 수상타.

지안　(광일의 차에서 영수증 꺼내주며) 써, 한 줄 더 써. '다시는 무단침입하지 않는다.
　　　무단침입할 시엔 나머지 빚은 안 갚아도 된다.'

광일　내가 쓸 거 같냐?

지안　써. 죽어버리기 전에.

광일　!

지안　나 괴롭히는 맛에 사는 새끼, 사는 맛 한 방에 없애버리기 전에.

광일　(실실) 죽어. 니네 할머니 괴롭히는 맛에 살게.

지안　멍청한 새끼. 내가 죽을 때 혼자 죽겠니? 할머니 죽이고 죽지?

광일　!

지안　그니까 써. 내가 숨 쉬는 공간에 니 숨결 남아 있는 거 못 참아.
　　　행여 숨 쉬다가 니 숨결까지 들이마실까, 그래서 그 인간 숨결까지 마실까,
　　　토 나와.

그 말에 광일이 손등으로 지안의 싸대기를 날리고. 훅 뒤로 젖혀지는 지안.

S#37 — 윤희 거처 (밤)

잡동사니 가득한 책상에서 서류를 보던 윤희.

윤희　어머, 얘 사람 죽였네.

윤희	칼로 찔러서 죽였는데? 2012년이면… 중2, 중3?
준영	(서류를 빼앗아 보더니) !
윤희	누구야? 이런 애를 왜 알아봐달래?
준영	…
윤희	누구냐고?
준영	직원. (서류에 열중하고)

S#38 —— 지안 집 앞 (밤)

광일의 손에 만신창이가 된 지안.

광일	살아, 이년아. 넌 절대 못 죽어. 죽여달라고 빌어도 안 죽일 거고,
	늙어 말라비틀어져 죽을 때까지 괴롭힐 거니까! 죽어도 살아! 이 살인자년아.
지안	그랬어야 됐는데. 나도 니네 아부지 살려놓고, 이렇게 괴롭혔어야 됐는데.
	내가 너무 착했어. 한 방에 죽여버리고. 내가 너무 착했어!

광일의 손이 세차게 올라오는데, 그 손을 막으며 온몸으로 대항하는 지안. 차분히 눈발 날리는 하늘에, 격하게 치고받는 광일과 지안의 숨소리.

S#39 —— 기범의 동네 일각 (밤)

여전히 눈발이 날리고. 긴 계단 중간쯤 멈춰 서 있는 지안. 그 와중에도 한 손에는 홍시가 담긴 비닐봉지가 들려 있고. 다시 걷는다.

지안이 들어와 봉애를 이불째 끌어 화장실 앞으로 데리고 가는데, 봉애가 지안의 얼굴을 보고는 놀라서

봉애   (수화) 얼굴이 왜 그래?
지안   (그냥 이불을 끈다)
봉애   (수화) 얼굴이 왜 그래?
지안   (수화) 엎어졌어.

지안이 다시 이불을 끄는데, 그게 아닌 걸 아는 봉애 마음은 무너지고. 끌려가는 이불 위에서

봉애   (수화) 누가 그랬어? 누가 그랬어?

지안은 상관없이 움직이고. 화장실 앞에서 봉애를 일으키려 하자, 봉애가 지안을 잡고

봉애   (수화) 그놈이야?
지안   !
봉애   (수화) 나 때린, 그놈이야?
지안   (수화) 그놈은 내가 죽였잖아.
봉애   !
지안   (다시 봉애를 일으키려 하고)

⟨ Cut to ⟩

제자리에 누운 봉애에게 홍시 담은 그릇을 수저와 함께 건네는 지안. 마음이 안 좋은 봉애는 먹지 않겠다고 손사래. 지안은 그런 봉애를 보다가 옆에 홍시 그릇을 놓고 일어나고. 한쪽으로 가서 영수증을 펼쳐본다. 맞았을 때 잘못됐는지, 새끼손가락이 떨리고.
[영수증 / 천만 원 갚았음. / 무단침입할 시에는 나머지 빚은 안 갚아도 된다. / 날짜 / 이름]
잘 접어서 적당한 곳에 둔다. 떨리는 새끼손가락….

S#41 — 식당 (밤)

취한 동훈, 채워지는 소주잔을 빙긋이 내려다본다.

동훈   사수가 떠났는데… 술은 달다….

송 과장   그래도 윤 상무님보다는 박 상무님이 오래 다니실 줄 알았는데.

김 대리   그니까 줄을 잘 서야 돼요. 내가 윤 상무 존경하는 거 딱 하나 있잖아요.

           줄을 기가 막히게 잘 서. 지보다 나이가 어리든 말든, 무조건 쎈 놈이다 싶으면

           그냥 딱 붙어.

형규   (동훈에게) 근데 이지안 씬 왜 그만두라고 하신 거예요?

김 대리   누구?

형규   파견직이요. 영수증 정리하는.

김 대리   이번 팀 따까리?

형규   네. 걔가 뭐 어쨌길래 그만두라고 하신 거예요? 난 걔 입 뻥긋하는 걸 못 봤는데.

김 대리   걔 겁나 싸가지야. 저번에 내가 에이포 용지 좀 달래니까,

           서랍을 발로 (발로 책상 서랍 여는 시늉) 이래. (손으로 서랍 여는 시늉) 이렇게

           열어야지. (액션 보이며) 열어서 이렇게 꺼내줘야지, 두 손으로. (발로) 이게 뭐야?

           나 얼결에 고개 숙이고 꺼냈잖아. 커피 떨어졌다고 하면, (선반 위를 가리키는 시늉!)

형규   왜 그러신 거예요?

동훈   … (그냥 술잔을 비우고)

#어둠 속에 앉아 컴퓨터 스피커로 나오는 그들의 얘기를 듣고 있는 지안.

김 대리   (E) 왜 그랬는데요?

동훈   그만하자. 쪽팔리다. 남자 넷이 앉아서 여자애 하나 씹고.

김 대리   뭔데 그래요?

동훈   별일 아냐.

김 대리   별일이구만 무슨. (조르는 투) 뭔데요?

동훈   …니들은 걔 안 불쌍하냐?

#어둠 속에 앉아 컴퓨터 스피커로 듣고 있는 지안.

김 대리 뭐가 불쌍해요? 그런 싸가지가?

동훈 ···경직된 인간들은 다 불쌍해. 살아온 날들을 말해주잖아.

#지안의 얼굴 위로

동훈 (E) 상처받은 아이들은 너무 일찍 커버려. 그게 보여. 그래서 불쌍해.

#지안의 눈에서 이는 분노, 떨림.

동훈 걔의 지난날들을 알기가, 겁난다.

#순간 지안이 스피커를 확 잡아 빼버리고. 씩씩대며 컴퓨터 쪽을 보고

지안 개, 새, 끼···.

S#42 — 서소문 아파트 앞 (밤)

취한 동훈이 그윽한 눈길로 건물을 올려다보고, 그 옆에 몰려서서 똑같은 포즈로 올려다보는 송 과장, 김 대리, 형규.

송 과장 부장님 이 건물 참 좋아해. 이렇게 낡은 걸 왜 좋아하세요?

동훈 나랑 같애.

턱짓으로 머릿돌 가리킨다. 머릿돌 보면 지어진 년도가 1974년.

동훈 칠사년생.

셋 (취해서 똑같이 오버) 오, 동갑!

동훈 이 건물 밑이 하천이야.

셋	(똑같이 오버하며) 에-?
동훈	(돌아보며) 물길 따라 지어서 휘었잖아.
셋	(돌아보며) 그러네.
동훈	복개천 위에 지은 거라 재개발도 못하고, 그냥 이대로 있다가 수명 다하면…
	없어지는 거야. 터를 잘못 잡았어. …그것도 나랑 같애. 나도 터를 잘못 잡았어.
	지구에 태어나는 게 아닌데.
김 대리	우리 부장님 오늘따라 왜 이렇게 센치해? 경직된 인간이 불쌍하네 어쩌네…
	그래서? 어디에 태어나고 싶은데요?
동훈	안 태어날 거다 새꺄. (웃으며 앞장서 가고)
셋	(웃으며 따라간다)

S#43 ― 버스 안 (밤)

어두침침한 실내. 중간쯤 앉은 동훈의 굽은 등. 흔들리는 버스. 가만히 앉아 있는 동훈.

지안	(E) 성실한 무기징역수…

동훈의 뒷모습에 쓸쓸함이 훅.

S#44 ― 사무실 (다음 날, 낮)

입술 터진 지안이 다다다 자판을 치다가 움찔. 새끼손가락 한 마디가 시커멓게 부었는데 부러진 듯 움직임이 불편하다. 밴드로 동여매듯이 감는다. 여러 개를 뜯어 동여매는데 채령, 여직원과 탕비 코너에서 커피 타며 지안이 들으라는 듯

채령	(까치발하며) 이거 말야…. 까치발하는 거 말야. 키스할 때 여자가
	(다시 까치발) 까치발을 들었어. 그럼… 여자가 하고 싶었던 거지?
	남자가 하고 싶었던 게 아니라….
지안	!

Episode 4

여직원 아마도?

채령 음, 어떤 상황인지 알 거 같애.

여직원 뭐가?

채령 어제 아침에 부장님이 왜 그러셨는지. 역시 우리 부장님, 멋져. (자리로 가는)

지안 !

S#45 — 사무실 일각 (낮)

지안이 다급히 기범과 통화.

지안 사진 다 내려. 당장. 싹 지워. 퍼 나른 것도 찾아내서 지워. (말 안 듣는 듯) 빨리.

S#46 — 유라의 빌라 앞 (낮)

기훈이 몰고 온 다마스가 급히 빌라 앞에 서고, 기훈은 청소 도구를 들고 뛰어 올라간다.

S#47 — 유라의 빌라 계단 (낮)

청소 도구를 둘러매고 가뿐히 다다다 올라가던 기훈이 사 층으로 올라가는 계단에서 기겁하고 뒤돌아 내려가며

기훈 에이… 아, 나 진짜.

몇 계단 내려와서 입 다물고 심호흡. 울분을 참는 얼굴. 위를 노려보며 어쩔 수 없이 마스크를 올려 쓰고.

⟨Cut to⟩

토사물을 치우는 기훈. 얼추 큰 것은 치워진 분위기. 그때 402호 여자(삼십 대)가 안에서 문을 조금 열고서는

402호	죄송해요. (옆집 가리키며) 401호 여자가 그래놓은 거예요.
기훈	양이 여자 위장이 아닌데요 뭐.
402호	여자예요. 여자 혼자 살아요.
기훈	본인이 치우라고 하던가. 이런 거까지 부르고.
402호	초인종 누르고 아무리 두드려도 안 나와요. 없는 척해요. 저도 미치겠어요.
	일주일에 한두 번은 이래놓으니까.
기훈	이럴 때마다 부르시면 안 돼요 진짜! (401호 현관문을 노려보는 기훈의 시선에서)

S#48 — 형제 청소방 (낮)

제철	그럴 때마다 불러 거기. 옆집 여자도 죽을 맛이지. 뭔 웬수졌다고 꼭 거기다
	토해놓을까. 좀만 들어가면 지 집인데, 지 집 화장실에서 토하면 될 걸.

상훈과 기훈이 도시락을 펼쳐놓고 먹는데, 상훈은 정신이 딴 데 가 있는 듯 힘없이 수저질만 하는 수준. 제철은 한쪽에 앉아 있고.

기훈	내가 거기 갔다 올 동안 저 인간은 한 동도 못 치웠잖아. 열통 터져 진짜.
	느릿느릿…. 아주 하기 싫어 죽겠는 거 억지로 하지? 내가 형수가 이해가 된다.
	그런 형이랑 장사를 했으니.
제철	(수저질이 시원찮은 상훈을 보고) 밥 먹는데 그만해라. 형한테.
기훈	한 며칠 바짝 한다 했어, 저 인간.

상훈이 반도 안 먹은 상황에서 수저를 놓는다. 그리고 심호흡.

기훈	왜? 밥맛 떨어져? 토한 거 치우고 온 나도 잘 먹는데, 왜?
제철	(분위기 바꾸려 어르는) 상훈이 이러면 안 돼. 상훈인 밥 다 먹는 사람이야.
	얼른 마저 먹어.
상훈	… (심호흡)
기훈	(뭔가 이상하다 싶고) 뭐야. 왜 그래?
상훈	…

기훈　왜? 벌써 하기 싫어졌어? 청소하려니까 신세가 처량해?

상훈　(살짝 짜증 나 울컥) 그냥 힘들어서 그래. 힘들어서….

축 늘어진 상훈의 어깨. 그러다가 나간다.

제철　쟤 뭔 일 있다.

기훈　(상훈이 나간 쪽을 보며) 형수랑 또 한판 했구만. (밥 먹는)

S#49 — 형제 청소방 앞 (낮)

자판기에서 종이컵이 떨어지고 커피가 채워지는 동안, 몸은 자판기 앞에 서 있지만 커피에는 전혀 마음이 없고 딴 데 생각이 가 있는 듯한 상훈의 얼굴. 컵을 빼 들고서 커피를 입으로 가져가려다 뭔가 울컥. 터질 듯한 설움을 참는 상훈의 모습.

S#50 — 사무실 일각 (낮)

채령, 비실비실 웃으며 맞은편을 본다. 맞은편엔 지안이 앉아 있고 직원들은 없는 상황.

채령　재밌네? 생긴 건 그렇게 안 생겨서, 별짓 다 해?

지안　…

채령　무슨 일 있었는지 다 말했으면 당장 잘렸을 텐데. 우리 부장님 모질지 못하셔서, 다는 말씀 못 하셨을 테고. (가증) 나도 그렇고. 나도 그렇게 모진 인간은 못 돼서.

지안　…

채령　상사한테 수작 걸 시간에 일을 좀 더 열심히 하는 게 어때? 내가 뭐라고 하면 한 번도 "(공손) 네~" 하는 꼴을 못 봤는데. 이제 좀 볼 수 있을까? 보고 싶은데.

지안　(피식)

채령　애 봐. 웃네. 애! 너 지금 어디서 대담한 척이니? 너 잘릴래?

지안　같이 잘리자.

채령　뭐?

지안	상사한테 수작 걸다가 잘리는 판에, 직원끼리 바람 핀 거 안 잘리겠어?
채령	!
지안	회사 내에서 유부남 유부녀 붙어먹는 거, 바퀴벌레 숫자보다 많다더니,
	너도 그중에 한 마리더라.
채령	(떨리는 미소) 너… 무슨 소리 하니?
지안	안전진단1팀 박 과장.
채령	!
지안	니가 법인카드로 통영에서 밥집 긁을 때, 박 과장은 통영에서 모텔 긁고.
	둘이서 회삿돈으로 연애질하니까 좋지?
채령	어쩌다 같이 갔나 보지, 각자!
지안	툭하면 몰래 삼 층 회의실로 기어들어 가고. 거긴 CCTV도 없으니까
	아무도 모를 줄 알았지?

[INS] 삼 층: 텅 빈 복도. 춘대가 파란 쓰레기통을 밀고 오는데, 회의실 문이 잠겨 있고. 복도를 청소하다 보면 채령과 박 과장이 시간차를 두고 나와 각기 다른 방향으로 간다.

채령	(마른침을 꿀꺽)
지안	난 어차피 파견직이라 좀 있으면 나가는데, 나랑 같이 손잡고 나가고 싶지
	않으면 입 닥치고 조용히 있던가.

지안이 먼저 일어나고, 채령은 굳어서 가만.

S#51 — 약국 (밤)

밴드로 동여맨 지안의 새끼손가락이 풀어져 있고. 여자 약사가 그 손가락을 들어서 보고 있다. 약사는 지안의 터진 입술을 힐끗거리며 얘기…

약사	그때그때 치료받아야지, 안 그럼 뼈 변형돼요. (다른 손가락 보며)
	이쪽도 다쳤던 거 같은데….

누가 봐도 폭행이다. 약사가 의자에 앉아 핸드폰 하는 기범을 슬쩍 보고. 말하면서 종이에 뭐라고 쓴다.

약사　　일단 소염제는 드리겠는데, 병원 가보세요. 치료받아야 될 거예요 이거.

종이를 지안 쪽으로 살짝 민다.
[도와줘요?]
지안이 그 글을 가만히 본다. 약사는 지안의 표정을 살피고.

S#52 ── 패스트푸드점 (밤)

커피를 놓고 마주 앉아 있는 지안과 기범. 기범은 미안한 마음에 뿌해 있고.

기범　　니가 맞고만 있을 애는 아닌데. 왜 맨날 맞아줘? 그만 맞으면 안 되냐?
지안　　…
기범　　거기… 나 때문에 진 빚도 있는데. 마음이 안 좋다 진짜.
지안　　내일 할머니 우리 집으로 모셔.
기범　　광일이는 어쩌구?
지안　　이제 집엔 안 들어올 거야. / 박동훈은 어떻게 됐어?
기범　　털어도 없어 그 인간. 아들 하나 있는데 외국 나가 있어서 손쓸 방법 없고.
　　　　　　와이프는 변호사라 잘못 건드렸다간 큰코다칠 것 같고. 운전이라도 하면
　　　　　　내가 어떻게 자동차 바퀴에 발이라도 슬쩍 넣어보겠는데…
　　　　　　맨날 형제들이랑 술이나 퍼마시고.

지안은 알바 모집 공고를 보고 있다. 기범이 그 시선을 알아차리고

기범　　그만해라. 좀 쉬어라. 나 너 이부자리 깔고 반듯하게 누워서 자는 거
　　　　　　본 적이 없다. 맨날 지쳐서 아무렇게나 쓰러져 자고.
지안　　지치지 않았는데 어떻게 잠이 오지? (전단지 보는 표정)

S#53 ─ 사무실 (밤)

어두운 실내, 한 책상의 컴퓨터 불빛만 있고. 거기서 채령의 소리가 들린다.

채령　너 얻다 말하고 다녔지? 근데 걔가 어떻게 그렇게 다 알아? 다 안단 말야. 전부 다.

전화를 뚝 끊고, 정신없이 인터넷을 뒤진다. 사진을 찾는 듯.

채령　씨이… 분명히 있었는데…. 어디 갔어 씨이…. (복수하려고 뒤지는데 없는 듯)
　　　미치겠네… 분명히 봤는데…

S#54 ─ 동네 지하철 입구 (밤)

문자를 읽으며 지하에서 올라오는 동훈. 발걸음이 멈춰진다.
[겸덕: 어머니 여기 오셨어. 무슨 일 있냐? 말씀이 없으시다.]

S#55 ─ 술집 (밤)

동훈이 들어와서 보면, 기훈은 혼자 앉아서 TV 보다가 동훈을 보고.

기훈　왔어?
동훈　형은?
기훈　화장실.
동훈　(주문) 맥주요. / …엄마 왜 절에 가신 거야?
기훈　(처음 듣는 얘기) 절에 가셨대? (감 오고) 어쩐지, 오늘 분위기 이상했어.
　　　하루 종일 쌔한 게. 어우, 어떻게 하루도 조용할 날이 없냐 진짜.

그때 안에 딸린 화장실에서 상훈이 나오는데 눈이 벌겋다. 운 듯. 동훈은 그런 상훈을 보자 뭔가 철렁하고.

Episode 4

상훈   (짐짓) 왔냐?

상훈은 화장실 입구 쪽에 서서 TV를 본다. 형제들에게 운 얼굴을 보여주고 싶지 않은 마음. 기훈이 그런 상훈을 가만히 노려보다가

기훈   왜 그러는 건데에?
상훈   (슬쩍 돌아보며) 뭐가.
기훈   왜 울구 지랄야?
상훈   울긴 누가 울었다고. 감기야.

하며 콧물을 닦고, 눈을 껌뻑거리며 TV에 집중하는 척. 기훈은 열 받은 듯 테이블에 있는 담배를 확 챙겨 나가고. 상훈은 아무렇지 않은 듯 상체를 좌우로 움직이며 TV를 보다가 또 눈물을 훔친다. 동훈은 '뭔가 큰일이구나' 직감하고.

S#56 — 술집 앞 (밤)

상훈이 먼 산 보듯이 멀리 보며 얘기하고, 동훈은 상훈 옆에 서서 얘기를 들어주고, 기훈은 한편에 떨어져 삐딱하게 서 있다.

상훈   (말하는 동안, 당시 영상과 함께) 기훈이 잠깐 딴 데 청소하러 가고, 혼자 청소하는데, 어떤 놈이, 올라오다가 지한테 먼지 떨어졌다고 지랄지랄. 가뜩이나 되는 일 없어서 사우나 갔다가 자려고 집에 왔는데, 지한테 먼지 다 뒤집어쓰게 했다고. 빌라 짓는 업자래. 그 빌라도 그놈이 지은 거고. 그 동네 빌라 반은 지가 지은 거라고. 청소업체 다 바꿔버리겠다고. 제대로 사과하라고. 술 마셨는지 술 냄새는 푹푹 풍겨가면서… 뭐 어뜩해… (말이 없다가) 무릎 꿇었지….
동/기   … (마음이 무너진다)
상훈   그놈한테 한 십 분쯤 훈계 듣고 내려오는데… (한참 말이 없다가) 일 층 계단에…… 도시락이 있더라고.

말끝에 상훈의 눈에서 눈물이 주르륵.

4화

[INS] 일 층 계단에 놓인 도시락 두 개.

동훈과 기훈도 어떤 상황인지 감이 오고.

상훈　깜빡하고 도시락 안 갖고 왔거든. 설마… 못 봤겠지… 못 봤겠지….
　　　그냥 도시락만 두고 간 거겠지…. 그리고 집에 갔는데…

[INS] 집. 현관문을 열며 상훈을 맞이하는 요순의 환한 미소. 콧등과 눈은 벌겋지만 미소 짓는 요순의 얼굴 위로

상훈　(E) 노인네가… 웃더라고.
상훈　(그렁그렁해서 말을 잇지 못하는) 다 본 거야….

참담한 분위기의 삼 형제. 숨이 터진다.

[INS] 빌라 근처. 백지장 같은 얼굴로 걷는 요순. 그러다가 순간 멈춰 서서 어쩔 줄 몰라 한다. 무릎을 짚고 서니, "아…" 하는 낮은 신음소리가 새어 나오고. 그렇게 허리가 굽어 있는 요순의 모습.

무너지는 얼굴로 말없이 서 있는 삼 형제.

S#57 — 동네 일각 (밤)

씩씩거리며 전투적으로 걸어가는 기훈. "(시파) 개새끼. 죽여버려." 이런 류의 말을 중얼대며 간다. 그때 저 뒤에서 동훈이 달려와 기훈의 어깨를 잡아채는데, "놔!" 뿌리치고 계속 가는 기훈.

동훈   (잡아채며) 하지 말라고!
기훈   놔아! 내가 오늘 그 새끼 죽여버릴 거야.

기훈이 다시 전투적으로 걸어가고, 동훈은 달려와 기훈 뒤에서 허리춤을 꽉 끌어안는다.

기훈   (버둥대며) 놔아-!
동훈   (안은 채로 크게) 기훈아-!
기훈   … (울겠는) 아, 나 이 징글징글한 삼 형제. 나 삼 형제 안 해 (시팔)!

동훈은 기훈을 꽉 끌어안은 채 놓지 못하고.

S#58 — 윤희 거처 (밤)

소파에 엉켜 누워 있는 준영과 윤희. 준영은 다른 생각에 빠져 있는 듯한 얼굴이고.

윤희   동훈 씨, 내가 아니고 다른 여자였으면 아무 문제없었을 남자야.
　　　　성실하고 착하고. 근데… 사람이 좀 쓸쓸해. 그래서 옆에 있는 사람도 쓸쓸하게 해.
　　　　내가 별짓을 다 해도 나 때문에 행복해질 사람이 아니구나…. 항상… 뭘
　　　　잃어버린 사람 같았어. 뭘 잃어버리긴 했는데, 그게 뭔지, 뭘 잃어버렸는지
　　　　몰라서, 막막해하는 사람 같았어. 그러다가 체념한 거 같았어. '잘못 왔구나.
　　　　여기는 내가 있을 세상이 아닌데.' 그러면서도 여전히 가족에 대한 의무는
　　　　성실하게 다하는 답답한 인간. / 으… 지겹다. 내가 바람날 만했다고
　　　　이유 찾는 거. (준영의 얼굴을 보며) 내가 바람난 이유는 단 하나!
　　　　…니가 너무 매력적이었어.

준영	…
윤희	…너는 왜 전 와이프 얘기 한 번도 안 해?
준영	…!

준영은 그냥 일어나 앉는다.

준영	할 얘기가 뭐 있다고. …얼마 살지도 않았는데. (일어나 움직이는)
윤희	욕해. 들어줄게.
준영	가자. 늦었잖아.

S#59 — 동훈 집 거실 (밤)

넋이 빠져 앉아 있는 동훈. 도어락 누르는 소리, 문 열리는 소리, 사람이 들어오는 소리, 그런 소리가 하나도 들리지 않는 듯 넋 놓고 있다. 윤희가 들어와 그런 동훈을 보다가

윤희	무슨 일 있어?

동훈은 대답이 없고. 윤희는 포기하고 그냥 방으로. 그렇게 혼자 앉아 있는 동훈.

S#60 — 사무실 (다음 날, 낮)

지안의 얼굴이 벌겋다. 쓰러지기 직전. 버티려는 듯 두 팔을 쭉 뻗어서 의자를 꾹 눌러 잡고. 자꾸 감기는 눈을 힘겹게 뜬다. 결국 '우당탕탕!' 하고 자빠지는 소리에 직원들이 놀라서 그쪽을 보고. 널브러졌던 지안이 의자를 끌고 와 다시 자리에 앉는데.

김 대리	쟤 존 거야? 진짜… 대차게 존다.

존 게 아니라는 걸 아는 동훈. 지안에게서 시선을 뗐다가 다시 돌아본다.

S#61 ─ 회사 화장실 (낮)

세면대 앞에서 기범과 통화 중인 지안.

기범   (F) 박동훈 형인지 동생인지 누가 사고 친 것 같은데, 어제 삼 형제들끼리
          싸워대고 장난 아니었는데….

지안   엮어봐.

기범   (F, 앓는 소리) 안 엮여. 뭐 어떻게 만들어내려고 해도 엮이지가 않아.

지안   (OL) 만들어내. 어떻게든 만들어내.

전화를 끊고는 힘든 듯 서 있는 지안.

S#62 ─ 절 (낮)

집에 갈 채비하고 가만히 툇마루에 앉아 있는 요순. 옆에는 겸덕(스님)이 앉아 있고.

겸덕   다들 잘 지내죠?

요순   못 지내. 한 놈도 잘 못 지내.

겸덕   …

요순   니 팔자가 노난 팔자다. (가방 들고 일어나며) 다음 생에 자식새끼 낳으면,
          낳자마자 여따 갖다 버려야지.

요순이 앞장서 가고, 겸덕은 말없이 따른다.

S#63 ─ 편의점 (낮)

동훈이 들어와 카운터로 가서,

동훈   담배 한 갑이요.

4화

점원   어떤 거요?

동훈   (손으로 가리키는) 저거. 아니. 옆에. 네, 그거요.

점원이 담배를 꺼내며 한쪽을 보면서

점원   여기서 술 드시면 안 돼요!

점원이 말하는 쪽을 돌아보는 동훈. 지안이 캔 맥주를 마시고 있다. 이내 나가는 지안.

S#64 ── 편의점 앞 (낮)

지안이 맥주를 마시고, 동훈은 담배를 사서 나오고. 맥주 마시는 아픈 여자애. 담배 사는 금연가 남자. 동훈이 지안을 지나치다가

동훈   아프면 약을 먹어. (가는)

지안   …

S#65 ── 일각 (낮)

동훈이 담배 한 개비를 입에 물고 라이터를 든 채 가만히 있다. 불을 붙일까 말까 고민하는 듯. 그렇게 정지 화면처럼 있다가 휙 다 버리고 뚜벅뚜벅.

S#66 ── 동네 일각 (낮)

일을 마친 듯 다마스 타고 오는 상훈과 기훈. 두 사람, 말이 없고. 그러다가 저 앞에 요순이 걸어가는 뒷모습을 본다. 거기에 차를 세우고. 보조석에 앉았던 기훈이 내려서서,

기훈   타요.

요순   됐어.

기훈   타요.

기훈이 요순의 가방을 빼앗아 보조석에 던져놓고 뒷문 열고 들어간다. 청소 도구가 있는 자리. 요순은 보조석에 오르고.

⟨ Cut to ⟩

흔들리는 차 안에 말없이 앉아 있는 상훈, 요순, 기훈.

S#67 ─ 지하철 (밤)

사람이 별로 없는 한산한 지하철. 지안은 지친 와중에도 핸드폰 도청 사이트에 접속하고, 지난 녹음 파일을 재생하려는데, 다친 손가락 때문에 손동작이 불편하고. 간밤에 있었던 삼 형제의 파란이 이어폰을 타고 흘러나온다.

기훈   (E) 놔아! 내가 오늘 그 새끼 죽여버릴 거야.

동훈   (E) 기훈아-!

기훈   (E) 징글징글한 삼 형제. 나 삼 형제 안 해 (시팔)!

터치해가며 빠르게 스킵하는 지안의 손동작.

동훈   (E) 들어가 자. 자고 나면 괜찮아. 아무것도 아냐.

기훈   (E) 이게 어떻게 아무것도 아냐? 어떻게 아무것도 아냐?

지하철 차창 밖 외부 풍경이 바뀌고.

동훈   (E) 뭐 해?

기훈   (F, 퉁명) 뭐 하긴, 청소하지?

동훈   (E) 형은?

기훈   (F) 청소해. 끊어, 바빠.

스킵하는 지안의 손동작.

제철   (F) 나도 그놈한테 두어 번 당했어. 서른 안짝인데 이름이 뭐래더라.
        강…용우던가? 에으, 잊어야지 별수 있냐. 청소하다 보면 별 인간 다 있다. /
        어머닌 오셨냐?
동훈   (E) …오시겠지.

가만히 듣고 있는 지안의 모습.

S#68 — 지안 집 (밤)

봉애가 무른 접시를 들고 와 지안이 개수대에서 설거지하는 동안에도, 스피커폰에서 동훈
의 소리가 흘러나온다. 편의점에 들어가 담배 사는 소리, "아프면 약을 먹어"라고 했던 소
리 등이 들리고. 설거지를 끝낸 지안이 핸드폰에 이어폰을 연결해서 귀에 꽂는다. 그 부분
을 스킵하고 다시 듣기 시작하는데, 똑똑똑 노크 소리, 끼익 문 열리는 소리.

여자   (E) 누구세요?

잠시 후,

동훈   (E) 여기… 강용우 씨 계신가요?

그 소리에 멈춰지는 지안!

여자   (E) 안에 계세요. (또각또각 걸어가는 소리, 문 여는 소리) 손님 오셨어요.

잠시 후 동훈이 들어갔는지 문 닫히는 소리. 긴장해서 듣는 지안.

용우   (E) 누구세요?
동훈   …

용우   (E) 누구시냐고.

S#69 —— 강용우 사무실 (낮)

그놈이 앉아 있는 책상에 놓이는 명함.

[INS] 형, 동생 둘의 연락처가 적힌 명함.

삼십 대 중반으로 보이는 강용우가 그 명함을 보다가 동훈을 보면.

동훈   내 동생하고 내 형.

서로 보기만 하는 두 사람. 동훈은 과일 바구니를 책상 위에 올려놓고.

용우   뭐야 또 이건?

S#70 —— 지안 집 (밤)

가만히 듣는 지안.

동훈   (E) 시간 좀 있나?
용우   (E) 왜? 어디 가서 한 따까리라도 하게?
동훈   (E) 얘기 좀 하게.
용우   (E) 무슨 얘기?
동훈   (E, 좀 텀을 두고) 나도… 무릎 꿇은 적 있어. 뺨도 맞고. 욕도 먹고.

S#71 —— 강용우 사무실 (낮)

동훈, 차분히 말을 이어간다.

동훈   그 와중에도 다행이다 싶은 건, 우리 가족은 아무도 모른다는 거.
       아무렇지 않은 척 먹을 거 사 들고 집으로 갔어. 아무렇지 않게 저녁을 먹고.

생각하는 동훈의 얼굴에서 회상.

[INS] 윤희, 싱크대 쪽에서 뚱하니 돌아보며 "더 줘?"

동훈   아무 일도 아냐. 내가 무슨 모욕을 당해도 우리 식구만 모르면, 아무 일도 아냐.
       어떤 일이 있어도, 식구가 보는 데서 그러면 안 돼. 식구가 보는 데서 그러면,
       그땐, 죽여도 이상할 게 없어.

S#72 ── 지안 집 (밤)

지안의 눈에서 눈물이 뚝.

[INS] 과거. 으헉– 소리를 내며 허리가 뒤로 접히면서 나가떨어지는 봉애. 봉애를 날려버
린 건장한 사내의 등짝이 보이고. 얻어터진 얼굴을 하고 부엌 쪽에 있던 지안은 방에서 벌
어진 광경에 심장이 멎어버리는 듯. 시선은 할머니를 보면서, 손은 싱크대 위 부엌칼을 집
어 들고 사내에게로 전진.

용우   (E) 에이씨, 거 말 드럽게 많네. 그래서 뭐? 뭐? 어쩌라고?

S#73 ── 강용우 사무실 (낮)

시선 내리고 있던 동훈, 용우를 똑바로 보고.

동훈   (분노와 슬픔) 우리 엄마가 봤다고. 이제 내가 너한테 무슨 짓을 해도 된다고.

그렇게 감정을 꾹 누르고 있는 동훈의 얼굴에서,

S#74 ── 요순 집 거실 (밤)

벌에 쏘인 사람마냥 뚝뚝한 얼굴로 서 있는 용우의 얼굴. 동작이 정지된 상황처럼 그런 용우를 보고 있는 요순, 상훈, 기훈. 용우의 손에 과일 바구니가 들려 있다. 현관에 서서 과일 바구니를 거실에 내려놓으며

용우　(상훈 보며) 그날은… 죄송했습니다. 제가 되는 일도 없고. 술도 좀 마시고
　　　했어서. (꾸벅) 죄송합니다.

밥상을 차리고 있던 요순, 마음이 풀어지는 듯

요순　들어와요. 밥 먹고 가요.
용우　아, 아녜요. 죄송합니다. (후다닥 나가는데)
요순　(따라 나가며) 밥 먹고 가지 왜애!

S#75 ── 지안 집 (밤)

가만히 듣고 있는 지안의 모습 위로

용우　(E, 어깃장 놓으며) 미쳤어 새꺄, 내가 이딴 거 들고 가서 사과하게?
　　　내가 뭐 알았어? 노인네가 봤는지 어쨌는지! 그리고 내가 언제 무릎 꿇으라고
　　　했냐고, 지가 꿇었지. 말 똑바로 하라 그래 씨이!
동훈　(E) 진짜 못 가겠냐?
용우　(E) 못 가 새꺄! 안 가 새꺄!

S#76 ── 강용우 사무실 (낮)

동훈, 조그만 망치를 들고 서 있다.

용우   (앉아서 여유롭게 헛웃음) 미친 새끼. 웃긴 새끼네 이거. 연장도 갖고 왔냐?
　　　큰 것 좀 갖고 오지 그랬냐? 그걸로 인형 머리나 뽀개겠냐?

동훈   (망치로 벽을 툭툭 쳐보면, 경쾌한 소리 나고) 내장재. (힘껏 막 쳐보면 찢어지는 것이
　　　합판 류의 내장재가 맞고)

#듣고 있는 지안 얼굴 위로 벽을 내려치는 소리와 함께

용우   (E) 뭐 하는 거야 새꺄!

동훈   (옆으로 가 툭툭 쳐보면, 좀 덜 경쾌한 소리) 벽돌. (또 막 때려보면 벽돌이 맞고)

용우   그만 안 해?

동훈   (옆으로 가 툭툭 쳐보면 무거운 소리가 들린다) 콘크리트···. (세게 치는데 둔탁한 소리만.
　　　절대 까지지 않는다. 망치질하면서 눌렀던 울분이 솟고. 계속 옆으로 가며 팍! 팍! 때리는데
　　　견고하다) 콘크리트···. (그런데 바로 옆이 문이다) 콘크리트 여길 뚫었냐?
　　　지진 견디라고 해놓은 걸. 너 들락날락 편하라고 건물 척추 뼈를 날려?

용우   !

동훈   (실내 한쪽에 있는 위로 난 계단을 가리키며) 천장은 뚫어서 계단 내고. 보, 슬라브
　　　다 잘라먹고. (위 가리키며) 옥상도 잘 만들어놨더라. 나무도 심고.
　　　옥상은 설계할 때 하중 적게 잡아. 뭐 있을 게 없으니까. 근데 거기다 흙을
　　　일 미터씩 쌓아? 너 같은 새끼들 때문에 삼풍이 무너진 거야.

용우   (비아냥) 옘병, 건축사냐?

동훈   구조기술사다!

용우   구조는 해변에 가서 해, 새꺄!

동훈   무식한 새끼. 프리즌 브레이크도 안 봤냐? 석호필 직업이 구조기술사야.
　　　건물 구조. 스트럭츄럴(structural) 엔지니어! / 니 건물이 몇 채라고?
　　　보나 마나 다 이렇게 건드려놨을 거고. 그 많은 건물 죄다 벌금 때려 맞고,
　　　원상복구 명령 떨어지면 넌 새 됐어 새꺄.

용우   !

서로 짱짱하게 보는데

동훈 과일 바구니 들어.

용우 !

동훈 들어!

S#77 — 거리 일각 (밤)

담배 피는 동훈의 구부정한 뒷모습. 자신을 버린 것 같은 씁쓸함, 울컥함. 허리가 숙여진다. 손등으로 눈가를 꾹 누른다.

S#78 — 지안 집 (밤)

지안, 숨죽이고 가만히 있다. 이내 담배 연기를 내뿜는 소리인지 한숨인지 동훈의 긴 숨소리가 들린다.

S#79 — 거리 일각 (밤)

동훈의 핸드폰이 진동으로 울리고. 한참 만에 받는데.

S#80 — 요순 집 거실 (밤)

급하게 점퍼를 챙겨 입으며 전화하는 상훈.

상훈 야야야, 정희 왔대. 태국에서 오늘 들어왔대. 얼른 와.

기훈은 벌써 나가고 있고.

상훈 같이 가아!

S#81 ── 정희네 외경 (밤)

'정희네'라는 간판이 보이고.

S#82 ── 정희네 (밤)

제철, 진범(미꾸라지 수입하는), 권식(모텔에 수건 대는), 그 외 정희네 모이던 군상들이 간만에 다 같이 모여 신난 상황. 상훈과 기훈이 개선장군처럼 들어온다.

상훈　이제 우리 다시 모인 거야? 몇 개월 만이냐 이게.

제철　삼 개월!

상훈　눈물 난다. 맨날 남의 집구석 기웃대는 것처럼 기 못 펴고.

　　　　안주에 머리카락이 빠졌든 코가 빠졌든, 끽소리 못 하고 마셨는데.

제철　오늘 맘 놓고 마셔보자!

두 팔 벌려 하늘 향해 "마셔보자-!" 하면, "죽어보자-!" 제창하는 무리들. 상훈이 복분자 병 들고 "복분자!" 하면, 감탄하듯 오버해서 "으아-!" 뒤로 넘어가는 무리들. 복분자를 다들 잔에 채우고, 건배 대신 "테스토스테론!"을 외치며 연달아 원샷. 뒤늦게 동훈이 들어오고. 얼큰하게 취한 이들이 "오~ 양복쟁이!" 동훈은 어울리지 않게 한 바퀴 뱅그르르 돌아주고. 다들 부어라 마셔라. 중간중간 전투적으로 "테스토스테론!"을 외치며 마시고. 동훈이 얼큰하게 취해서는 뒤늦게, 한쪽 구석에 처박혀 자는 정희(태국 옷차림)를 발견하고 눈이 커진다. "정희야!" 이제껏 그렇게 여자를 호탕하게 불러본 적 없는. 시차 적응이 안 돼서 만취한 채 누워 있는 정희. 비틀거리며 그 앞으로 가는 동훈.

동훈　태국은 좋았어? 어? 정희야!

만사 귀찮은 정희가 눈 감은 채로 동훈의 얼굴에 찰싹 싸대기. 동훈은 머쓱하게 자리로 와서 다시 마시고. 그렇게 무리에 섞여서 부어라 마셔라…. 어느새 정희가 일어나 사람들 사이에서 태국 말. "넝 아유 타우라이 캅? 땡안 깝 폼 다이 마이 크랍? 폼 깽 툭 르엉 러이 나 캅." (몇 살이야? 나랑 결혼할래? 난 뭐든 잘해) 대상을 바꿔가며 같은 말 반복하는 정희. 웃는데

동훈   (E) 누가… 나를 알아. 나도… 걔를 좀 알 것 같고.

기훈   (E) 좋아?

동훈   (E) 슬퍼.

기훈   (E) 왜?

동훈   (E) 나를 아는 게… 슬퍼.

쓸쓸하게 웃는 동훈…

제 방에 앉아 있는 지안의 뒷모습….

숨이 터지며 돌아보는 지안의 얼굴에서 엔딩.

Episode

5

S#1 ── 정희네 외경 (다른 날, 밤)

S#2 ── 정희네 (밤)

왁자하게 단골들(남자만)이 술을 마시고 있고. 삼 형제가 같이 앉아 있고, 상훈은 TV 쪽으로 몸을 돌려 스포츠 중계에 열중. 기훈은 취해서 눈이 벌건 채로 결의를 담아 투사처럼 또박또박 동훈에게…

기훈	내가 아무리 돈이 없어도. 팬티는 오만 원에서 몇백 원 빠지는 거 사 입어.

기훈 내가 아무리 돈이 없어도. 팬티는 오만 원에서 몇백 원 빠지는 거 사 입어.
　　　내가 오늘 죽어도! 교통사고 당해 죽든, 강도당해 죽든! 병원에 실려가
　　　빨가벗겨놔도! 절대 기죽지 않게! 팬티는 비싼 거 입어. 형은 얼마짜리 입어?
　　　중요한 거야 이거. 죽어서 쪽팔린 건 대책 없어. 죽으면 팬티 못 갈아입어.

동훈 수의 입힐 건데 뭔 걱정이야 임마.

기훈 …마지막은 팬티야! 수의는 다 똑같이 입는 거고! 내 마지막은, 내 팬티야!

그때 스포츠 중계에 모두 일어나 "야야야야야야야야!" "가가가가가!" 그러다 졌는지 아쉬운 탄성도 없이 그저 두 손으로 머리를 잡고 허망하게 서 있는. 다들 맥없이 제자리에 앉고. 기훈도 앉아 다시 얘기를 이어간다.

기훈 내 말은, 내가 막 사는 것 같아도. 오늘 죽어도 쪽팔리지 않게! 매일매일
　　　비싼 팬티 입고! 그렇게 비장하게 산다는 거야. (동훈을 보고) 그니까 형.
　　　나 쪽팔려하지 마라. 형이 나 쪽팔려하면 나 진짜 슬프다.

동훈 누가 쪽팔려한다고.

기훈 (가만 보다가) 근데 왜 작은형수가 몰라? 나 청소하는 거.

동훈 (외면하고 후딱 마시는)

기훈 전화했더니 나보고 영화 언제 들어가냐고 그러더라?

동훈 얘기할 시간 없었어.

기훈 왜 얘기할 시간이 없어? 부부잖아. 아침저녁으로 보잖아. 형수한테 내 얘기하기
　　　쪽팔렸어? 큰형이랑 둘이 청소한다고 말하기 쪽팔렸어?

상훈 그만해라 좀. (다시 TV 보고)

상훈은 기훈이 왜 어깃장인지 알기에 TV 쪽으로 돌려 앉은 분위기. 상훈도 마음이 좀 상했었던 듯.

기훈   형, 나 쓰레기봉투에 들어가고 싶었어. 이십 년간 영화판에서 내가 한 일은,
　　　　기다리는 거밖에 없었어. 기다리는 거. 이 나이 되도록 작은형한테
　　　　용돈 받아 쓰고. 내가 너무 쓰레기 같아서, 쓰레기봉투에 들어가고 싶었어.
　　　　어디서 상품권 생겼다면서 준 거, 형이 사서 준 거 다 알아….

동훈   (괜히 TV 중계 보는 척)

#뷔페에서 접시 닦는 아르바이트하며 듣는 지안. 손동작이 멈춰지고.

기훈   맨날 형한테 돈 받아 쓰는 거 부담스러워할까 봐, 일부러 상품권 사서,
　　　　어디서 생겼다고 하면서 준 거 다 알아.

#가만히 듣는 지안.

기훈   내가 진짜, 끼깔 난 영화 만들어서 잘난 척 쎄-게 한번 해보고 싶었는데!
　　　　(말을 잇지 못하다가) 이젠… 돈 벌어서… 형 참치 사주고 싶어.

동훈   …

기훈   …응? 참치 사줄게!

동훈   (잔을 혹 비우고) 비싼 거 사, 새꺄. 인당 구만 원짜리.

또 스포츠 중계에 모두 일어나 "야야야야야야야야!" "가가가가가!" 또 졌는지, 허한 얼굴로 TV 보며 서 있는 무리들.

⟨ Cut to ⟩

파장 분위기. 제철과 동훈이 장부 보고 서 있다가

제철   야. 이만 원씩 내. (동훈에게 이만 원을 주고)

무리들이 동훈에게 이만 원씩 주고 나가고. 상훈은 그냥 나가고. 기훈은 술병들을 치우고. 동훈은 지갑에서 육만 원(삼 형제 것)을 꺼내 걷은 돈 위에 얹고는 다시 세고, 돈 통에 있는 만 원짜리도 다 꺼내어, 주방에 들어와 포개진 그릇 사이에 넣는다. 그러고는 냉장고 문을 열고 서서 안에 대충 던져 넣고 있는 정희에게

동훈　　문 잘 잠그고 자. 또 도둑맞지 말고. (주방에서 나가고)

정희는 취해서 뒤로 넘어갈 듯하다가, 냉장고 문을 잡은 손힘으로 버티고.

S#3 ── 정희네 앞 (밤)

동훈이 나오면 상훈, 제철, 진범만 남아 있는데 다들 취했고.

상훈　　한 잔만 더 하고 가. 어?

진범　　(괴롭고) 나 내일 아침 일찍 평택항에 미꾸라지 받으러 가야 돼.

상훈　　우리도 오래 안 있어. 나도 일 나가야 돼. 잠깐만 앉았다가 가.

동훈　　그만 가.

상훈　　(진범이 외면하자) 제철아.

제철　　가재잖아. 더 마시면 내일 청소하다가 계단에 토해 임마. 들어가. (진범과 가고)

상훈　　(뒤통수에 대고) 한 잔만 더 하고 가자.

제/진　　(손 흔들며 가버리고)

동훈　　(그들에게) 들어가세요.

상훈　　에라이. 가라.

정희　　(문가에 서서 목도리 휘휘 돌리며) 들어와, 한잔 더 해요.

동훈　　(얼른 목도리를 뺏어 자기 목에 두르고. 동훈 것)

상훈　　…가야지.

정희　　왜. 나도 쫌 아쉬운데 한잔 더 해요.

상훈　　간다. (앞장서 가고)

정희　　나 없는 사이에 어디 딴 데 뚫었어? 그랬니, 동훈아?

동훈　　들어가. (가고)

기훈	(가게에서 나오며) 가요, 누나. (가고)
정희	(가게에서 나와, 걸어가는 삼 형제 보다가) 나도 집에 가고 싶다!

S#4 — 동네 일각 (밤)

바람이 불고. 삼 형제가 비틀거리며 잔뜩 움츠리고 걷는다. 그렇게 말없이 걷다가…

상훈	화내지 말고 들어라. 내가 진짜 궁금해서 그래.
동훈	뭐가?
상훈	…걘 어떻게 지내?
동훈	(보면)
상훈	걔. (눈빛으로 설명)
동훈	(짜증을 꾹 누르며) 제발 그만 잊어라.
상훈	안 잊혀져 걘. 어떻게 잊냐. 흰머리 듬성듬성한 우리 동생을 좋아하는 여자애를.

#이어폰을 꽂고 걷고 있던 지안. 그 얘기를 들은 듯.

동훈	(멈춰 서서) 그런 거 아니라고 몇 번을 말해야 알아들어?
상훈	(멈춰 서서 동훈을 보고, 정색) 이쁘냐?
동훈	(미치겠고)
상훈	이쁘지?
기훈	그냥 이쁘다고 해줘! 아예 사귄다고 해줘 그냥!

#지안 표정.

삼 형제, 다시 걷기 시작하는데

기훈	여자 얘기라면 아주 환장을 하지. 저질 인생.
상훈	야, 우리 삼 형제는 여자 문제에 대해서 좀 오픈 마인드를 가질 필요가 있다. 우리가 너무 안 놀아봤어. 그래서 이 나이에 이러는 거야.

그때 정면을 보고 살짝 굳는 동훈. 지안이 이어폰을 낀 채 오고 있다. 지안도 동훈을 봤고.

상훈   애정사에는 할당량이라는 게 있는데, 할당량을 안 채웠어 내가. 놀아봤어야지.

동훈   그만해.

기훈   그래서 입으로만 놀지!

상훈   그러면 뭐 임마. 몸으로… 노는 게… 되냐 내가?

동훈   그만하라고.

지안과 거리가 점점 가까워지고. 상훈이 조용해지는가 싶은데.

상훈   …다시 태어나면 난봉꾼으로 살 거야. 막 살 거야. 이 여자 저 여자.

동훈   (미치겠다. 지안에게) 어디 갔다 오냐?

상훈과 기훈이 조용히 살핀다. 혹시 '애가 걔?' 하는 눈빛.

지안   알바요.

동훈   열일한다. 알바도 하고.

지안   …

동훈   가라.

동훈이 가면, 지안도 가고. 상훈과 기훈이 지안 쪽을 빤히 돌아본다.

동훈   (저 앞에서, 버럭) 안 가?

자꾸 지안 쪽을 돌아보며 꾸물꾸물 가는 상훈과 기훈.

#걸어가는 지안의 위로, 이어폰에서 들리는 소리.

상훈   (E) 걔지? …애가 쌔한 게… 느낌이 묘하다….

동훈   (E) 한마디만 더 해.

뚜벅뚜벅 가는 지안.

S#5 —— 요순 집 외경 (새벽)

동이 터오는 어둑어둑한 새벽녘.

S#6 —— 요순 집 주방 (아침)

주방에만 불이 켜져 있고. 도시락 두 개를 싸며 분주히 움직이는 요순.

요순　　(형제 방을 향해 꽥) 얼른 일어나!

⟨ Cut to ⟩

도시락 뚜껑을 딱딱 닫고. 요순이 어두운 거실을 가로질러 형제 방으로.

S#7 —— 요순 집 형제 방 (아침)

요순, 어둑어둑한 방문을 열고 전등을 켜면, 상훈이 이불 속에서 일어나 앉아 있는데 죽을
맛인 듯 어깨가 처져 있고. 기훈은 엎드려 누워 있다. 요순은 노려보다가

요순　　안 일어나?

그래도 가만있는 두 사람. 순간 기훈이 발딱 일어나 휘청거리며 밖으로 나가고. 상훈은 축
처진 어깨 그대로.

S#8 —— 지하철 안 (아침)

동훈 역시 초점 없는 눈으로 맥없이 앉아 있다. 그런 동훈 위로 겸덕과 주고받는 문자가 흐른다.

[동훈: 산사는 평화로운가. / 난 천근만근인 몸을 질질 끌고… / 가기 싫은 회사로 간다…]

잠시 후 들어오는 문자.

[겸덕: 니 몸은 기껏해야 백이십 근. / 천근만근인 것은 네 마음.]

겸덕의 그 말을 곱씹는 듯 상념에 빠지는 얼굴. 흔들리던 지하철이 잠잠해지는데, 그때 여전히 깊은 상념에 빠져 있던 동훈의 발을 후려 차는 어떤 발. 기겁해서 보면, 지안이 앞에 서 있다. 지안은 동훈을 빤히 보다가 뒤돌아 사람들을 따라 내리고. 가만 보면… 내려야 할 역이다. 서둘러 내리는 동훈.

S#9 —— 회사 근처 (아침)

앞서가는 지안. 따라가는 동훈. 지안이 먼저 회사로 들어가고. 동훈이 따라 들어간다.

S#10 —— 회사 엘리베이터 안 (아침)

조용한 엘리베이터 안. 그 틈에 있는 동훈과 지안. 동훈이 뚱한 얼굴로 있다가

동훈   (혼잣말처럼) 양반들이 머슴 깨울 때나 발로 깨우는 거지.
지안   …

사람들은 뭔 소린가 싶으면서도 별 반응 없고. 그때 엘리베이터 문이 열리고.

S#11 —— 공항 입국장 (낮)

입국장 문이 열리면, 기세등등한 얼굴로 나오는 준영, 윤 상무, 설계1팀장(최 팀장). 기사가 와서 얼른 준영의 트렁크를 받아 가고. 윤 상무가 트렁크를 길게 휙 밀어버리면, 저 멀리서 안전진단1팀장이 탁 받고.

윤 상무   (엄지 척) 나이스!

Episode 5

1팀장 옆에서 2팀장이 앙증맞게 박수 짝짝짝.

S#12 — 공항 주차장 (낮)

준영이 뒷자리에 오르고. 윤 상무와 설계팀장이 문을 닫아주며,

윤 상무 들어가서 뵙겠습니다.

떠나는 차에 꾸벅 인사.

S#13 — 준영의 차 안 (낮)

준영은 뒷자리에 앉아 통화 중.

준영 중국 일은 다시 추진하기로 했습니다.

S#14 — 병원 병실 (낮)

회장 수고했어.

S#15 — 윤 상무 방 + 왕 전무 방 (낮)

#윤 상무 방: 윤 상무를 포함한 이사 다섯 명이 앉아 있는 상황.

윤 상무 박 상무가 말아먹을 뻔한 중국 일, 이번에 내가 들어가서 다 해결했잖아요.
나머지 (윤 상무의 '내가'라는 말에 아니꼬운 얼굴들)
윤 상무 이제 완전 우리 판이에요. 현재 스코어 여기는 오! 저기는 사!

#왕 전무 방: 왕 전무를 포함해 셋이 있는데, 정 상무가 들어온다. 모두 일어나서 정 상무를 환대하고. 그렇게 해서 넷!

#윤 상무 방

윤 상무 박 상무 잘린 자리 채워서 우리 도준영 대표이사님 재신임 투표 들어가야 되는데, (테이블 가까이 빈 의자 하나 가져오며) 상무 후보로 오를 만한 사람이 다 내 밑으로 줄을 섰네? 그럼 육 대 사! (좋아라) 요기 누구 앉힐까요?

#왕 전무 방: 좀 심각한 분위기.

한 상무 윤 상무 쪽에 안 붙은 인간은 박동훈 부장 하난데, 박동훈 부장으로 되겠어요? 상무 선발에서, 제일 비중 많이 차지하는 게 직속 상사가 주는 점순데, 박동훈 직속 상사가 윤 상무예요. 그 인간이 점수 좋게 주겠냐고요.
모두 (침통…)
정 상무 그러고 보면 도준영이 참 머리는 잘 써요. 설계팀에 있던 박동훈을 굳이 안전진단으로 밀어내서 윤 상무 밑으로 박아버리고. 절대 올라오지 못하게 윤 상무보고 꾹꾹 밟으라는 거죠.

그때 왕 전무의 핸드폰이 울리고.

왕 전무 (받고) 음. (사이) 음. (일어나 창가로 가) 백화점에 알아보기로 한 건 어떻게 됐어?

S#16 — 백화점 앞 + 왕 전무 방 (낮)

백화점 앞에서 전화받고 있는 박 상무.

박 상무 (죄송스런) 검찰 아니고는 고객 정보 줄 수 없답니다. (조심스레) 여기 사람들 말로는 그냥 검찰에 뇌물 수사를 의뢰하는 게 어떠냐고 하는데요. 그럼 적극 협조하겠다고.

왕 전무 그걸 누가 오케이 하겠나? 회사 이미지 말아먹자는 건데.

박 상무 …

S#17 —— 사무실 (낮)

진지하게 컴퓨터 모니터를 보고 있는 동훈. 모니터엔 그동안 진단했던 원형 건물의 모형도가 떠 있고, 그 건물에 지진 강도 시뮬레이션을 해보는 상황. 송 과장, 김 대리, 형규가 같이 있고.

동훈 지역계수, 중요도 계수 제대로 입력했지? 리히터 규모 5로 돌려봐.

위태롭게 흔들리는데 상단만 아주 조금 무너지고.

동훈 (!) 6으로 돌려봐.

흔들리다가 얼마 안 가 상단이 와르르 무너진다. 심각하게 보는 동훈 뒤로, 윤 상무가 눈 내리깔고 모니터를 보고 있다.

윤 상무 한반도에 지진 6이 오겠냐?

동훈 (돌아보고)

윤 상무 저거 내진 설계 보강하려면 못 잡아도 이십억은 들 텐데. 건물주는 어떻게든 비싼 값에 빨리 팔아치우려고 하는데, 안전진단 보고서에 이렇게 큰돈 들어갈 구멍 떡하니 만들어 보여주면, 참 좋아하겠다?

동훈 구조기술사는 구조적 판단만 해야 된다고 생각합니다.

윤 상무 (같잖은) 그니까 자네가 만년 부장인 거야. 지 일만 생각하지.

동훈 !

윤 상무가 차갑게 가버리고. 직원들 모두 무거운 침묵. 역시 무겁게 앉아 있는 지안.

S#18 — 유라 집 (낮)

커튼이 쳐져 있어 어두운 실내. 오랫동안 치우지 않은 듯 바닥엔 잡동사니가 가득. 어디에도 사람은 보이지 않는데, 쾅쾅쾅! 문 두드리는 소리와 함께

402호 (E) 나와봐요 좀. 토를 했으면 치우던가. 한두 번도 아니고.
어떻게 맨날 이래놓냐고. (쾅쾅쾅) 있는 거 다 아니까 나와봐요.

전혀 사람이 있을 것 같지 않은데 한 더미가 꾸물꾸물 움직인다. 이불을 뒤집어쓰고 자던 여자가 힘들게 일어나 앉는다. 머리는 앞으로 다 쏟아져 내려 얼굴이 안 보이고.

402호 (E) 내가 아침에 문 열어보기가 겁나 진짜. 밖에다 하고 들어오던가,
지 집에 들어가 하던가, 왜 꼭 여기다 이래놔.

S#19 — 유라 집 현관 앞 계단 (낮)

상훈과 기훈이 마스크 쓰고 치우고 있는데, 401호 문이 열리는 소리에 힐끗 그쪽을 본다. 괘씸해하는 눈빛.

402호 (냉랭) 누가 치우라고 맨날 여따 이래 놔요?
유라 (현관문 안쪽에서) 죄송해요… 일어나면 치우려고 했어요….
402호 이분들 일주에 한 번씩 와서 그냥 슥슥 청소하시는 분들이지, 아가씨 토한 거
치우는 분들 아니잖아요. 내가 왜 맨날 이분들한테 전화해서 사정사정해야
되는데요?
유라 죄송해요… (살짝 고개 내밀고 기훈과 상훈에게) 죄송해요….

유라 쪽을 흘겨보며 청소하던 기훈, 순간 멈칫. 아는 애다.

402호 혼자 사는 건물도 아니고, 같이 사는 사람들 좀 생각해줘야죠.
아침에 출근하는 우리 애 아빠 현관문 열자마자 쌍욕 나오게 해야겠어요?

Episode 5

여자가 말하는 동안 유라는 힘든 듯 현관문 안쪽에 쪼그려 앉고. 기훈은 무심을 가장하며
치우기만.

유라   (울먹이며 사정) 아줌마… 제가 지금 너무 힘들어서 그러는데요….
       나중에 혼나면 안 될까요….
기훈   …

S#20 — 유라 빌라 앞 (낮)

기훈이 묵묵히 청소 도구를 싣고, 상훈은 거들며

상훈   담부턴 전화 와도 받지 마. 여긴 무조건 목요일이라 그래. (청소 도구 던져 넣고)

기훈은 말없이 운전석에 오르고, 상훈은 보조석에. 그렇게 달려가던 다마스가 저 앞에서 끼
익 멈춰 서고. 기훈은 내려서 다시 빌라 쪽으로.

상훈   (내다보며) 어디 가?

S#21 — 유라 집 (낮)

유라가 맥없이 앉아 있다가 다시 누우려는데, 또 초인종 소리. 서러워 눈물이 쏟아지겠다.

S#22 — 유라 집 현관 앞 (낮)

유라가 힘들게 문 열고 서서

유라   (울먹) 왜요 또….

기훈이 마스크를 내려 얼굴을 보이고.

유라	…?
기훈	(명함 주며) 토하면 바로 전화해. 괜히 욕먹지 말고.
유라	…!

기훈은 명함을 그냥 초인종 틈에 꽂고서 경중경중 내려가고. 유라는 멍하니 있다가 쫓아 내려간다.

유라 저기요…. (계단을 돌며 내려가며) 감독님… 감독님 맞죠?

S#23 — 유라 빌라 앞 (낮)

기훈은 빌라에서 달려 나와 운전석에 오르고. 유라는 뒤늦게 쫓아 나와 떠나는 다마스를 본다.

상훈	… (돌아보다가) 아는 애냐?
기훈	…쟤 몰라?
유라	… (떠나는 차를 보며 서 있는)

S#24 — 회사 외부 일각 (낮)

남자 직원들이 모여서 담배 피며 숙덕숙덕.

남자1 나 같으면 진작 나갔다. 후배가 대표이사 되는 순간, 나갔다 나는.
그동안은 박 상무가 짱짱히 버텨줘서 그나마 바람막이해줬던 거지, 이제 누가 있어? 아주 대놓고 나가라 나가라 구박하는데, 진짜 안쓰러워서 못 봐주겠다.

코너를 돌면 조용히 듣고 있는 동훈과 팀원들. 송 과장이 불끈해서 그쪽으로 가려는데, 동훈은 조용하라는 듯 검지를 들어 보이고. 커피를 마시며 가만히 들어본다.

남자2   (E) 박동훈 그 인간이 나갈 거 같냐? 내기할래? 안 나가. 죽어라 버틸 걸.

남자1   (E) 야, 나갈 타이밍 한 번 놓쳤는데 이번에도 또 놓치면 진짜 너덜너덜해져서
　　　　나가는 거야. 머리가 있으면 진짜 빨리 판단해야 된다….

동훈   …

S#25 — 회사 앞 (밤)

동훈이 앞서 가고, 송 과장, 김 대리, 형규 모여 서서

송 과장   한잔하구 가요.

동훈   약속 있어.

김 대리   한잔하구 가요! 어디 가서 또 혼자 울지 말고!

동훈은 그냥 가고. 무리들은 그런 동훈을 보며 서 있다.

S#26 — 허름한 술집 (밤)

테이블마다 칸막이 쳐진 술집. 한 칸막이 안으로 가면, 동훈과 박 상무가 앉아 있다. 심각
한 얼굴로 앉아 있는 동훈.

박 상무   (농담조로 떠보는 중) 이렇게 될 줄 알았으면 도준영이랑 좀 친해두는 건데. 그지?
　　　　윤 상무처럼 살아야 돼. 지보다 어려도 힘 있다 싶으면 바짝 기고. 지 앞서서
　　　　치고 올라가도 속없이 따라붙고. 넌 너무 고까운 티 팍팍 냈어.

동훈   나보다 앞서 올라갔다고 그놈이랑 척 난 거 아녜요. MBA까지 하고 왔는데,
　　　　나보다 앞서갈 거 모르지 않았고.

박 상무   그럼?

동훈   …

박 상무   그럼 왜 척 난 건데?

동훈   …그놈이 나한테 죄를 져서지.

박 상무   ⋯ (무슨 얘긴가 싶어 보는)

동훈   ⋯작년 봄이었을 거예요. 그놈이 밖에서 점심 먹고 들어오더니⋯
          갑자기 나한테⋯ 친한 척을 했어요⋯.

[INS] 회사 복도. 해맑게 동훈에게 뭐라 뭐라 하는 준영. 한참 그렇게 있다가 동훈에게 웃어 보이며 가고. 그런 준영의 뒷모습을 보는 동훈 얼굴 위로,

동훈   (E) 그때 감 왔어요. 저 새끼⋯ 나한테 죄졌다⋯.

동훈   어디서 내 욕을 하고 들어왔나⋯. / 그 뒤로 몇 번 더 친한 척 엉기고
          들어왔는데 안 받아줬어요. 기분 드러워서. 대놓고 티 낸 거죠.
          '넌 나한테 죄졌고, 난 눈치 깠다⋯.' 그전에도 좋진 않았지만 그때부터
          서로 대놓고 틀어진 거예요.

#뷔페 탈의실: 앞치마를 천천히 벗는 지안. 이어폰을 끼고 있다. 듣고 있는 중.

박 상무   (가만히 보는) 그러니까, 결정적으로 틀어진 이유가. 너한테 친한 척해서?

동훈   ⋯

박 상무   (피식) 진짜 싫어하는구나.

박 상무는 동훈을 믿어도 되겠다 싶어 동훈 앞에 누런 봉투를 내놓고.

박 상무   한 번 파봐. 그 자식이 너한테 무슨 죄를 졌는지.

동훈   ⋯!

#뷔페 탈의실: 중요한 얘기를 듣고 있는 듯 가만히 있는 지안. 그때 핸드폰이 울리고.

S#27 ─ 지안 집 앞 (밤)

지안 집을 돌아보며 통화 중인 기범.

기범   난데. 주인아줌마 왔었어.

S#28 — 뷔페 건물 앞 (밤)

건물에서 나와 서는 지안의 얼굴 위로.

기범   (E) 월세 많이 밀렸냐? …할머니까지 있는 거 보고 당장 방 빼라고
           지랄하는데… 며칠만 시간 달라고 했어.

지안은 가만히 서 있다. '어떻게 해야 될까…'

S#29 — 윤희 모처 (밤)

소파에서 뜨겁게 뒤엉켜 있는 준영과 윤희. 테이블에 놓인 준영의 핸드폰 두 개 중 2G폰이
진동으로 울린다. 준영과 윤희, 고개를 빼고 보는데

윤희   2G폰이야. (다시 엉키고)
준영   !
윤희   (준영이 다시 엉키지 않자) 나 말고 저기로 전화할 사람 없잖아.

그 말에 다시 뒤엉키는 두 사람. 2G폰의 진동이 끝나고, 이번엔 핸드폰이 벨소리로 울린
다. 준영은 일어나 가서 울리는 핸드폰을 보고. 전화번호를 확인하더니 거절. 그리고 2G폰
으로 전화 건다.

준영   왜?
윤희   !

⟨ Cut to ⟩

준영은 옷을 챙겨 입고.

윤희	누구야? 그 전화(2G폰) 나랑만 쓰는 거 아니었어? 나 말고 비밀스럽게
	통화할 사람이 또 있는 거야?
준영	(핸드폰 두 개를 챙겨들고) 이상한 사이 아냐.
윤희	남자야 여자야?
준영	(현관 쪽으로)
윤희	남자야 여자야?

윤희의 얼굴 위로 쾅! 문 닫히는 소리.

S#30 — 도심 일각 (밤)

박 상무와 동훈의 대화가 지안의 핸드폰에서 흘러나온다. 듣고 있는 준영.

박 상무	(E) 도준영 통화목록이야. 최근 석 달치. 아무리 들여다봐도 내 눈엔 걸리는 게
	없어. 니가 보면 다른 게 보일 수도 있으니까, 한번 파봐.
동훈	(E) 이런 데 흔적 남기고 그럴 놈 아니잖아요.
박 상무	(E) 흔적까진 아니어도 어떤 연결 고리는 남겼을 수 있어. 너랑 나랑은 그놈에
	대한 정보가 다르니까, 난 놓친 거 너는 잡아낼 수도 있고. 파봐.
	도준영 그 자식, 이번에 반드시 끌어내려야 돼.

지안이 대화 재생을 종료하고.

준영	(재밌는) 도청도 하니?
지안	박동훈 손에 통화목록 들어갔고, 거기서 자기 와이프 핸드폰 번호 발견하면
	두 사람 사이 알아채는 건 시간문제일 텐데.
준영	내가 그렇게 허술하게 움직였을 거 같애? 거기 그 여자 핸드폰 번호는 없어.
지안	사무실 번호는요? 자기 와이프 회사 번호 정도는 알고 있을 텐데.
준영	(2G폰 아닌 스마트폰 들고) 여기로 걸어야 될 땐 공중전화로 했어.
	너도 이리 전화할 땐 공중전화로 해. 함부로 니 핸드폰으로 여기(자기 핸드폰)에
	걸어서 흔적 남기지 말고. / 입 싼 여직원은 입을 굳게 다물고 계신가 봐?

중국 갔다 오면 박동훈 부장 스캔들로 시끄러울 줄 알았더니, 잠잠하던데.

지안   …

준영   왜? 작전 실패야?

지안   스캔들보단 이게(녹음 파일) 더 깔끔하지 않나. 대표이사를 물 먹이기 위한

           작당 모의. 이 정도면 바로 잘릴 거 같은데.

준영   (피식) 불법으로 도청한 걸로 뭐 하게? 증거가 있어야지.

지안   던져주면 증거 찾아내는 인간들 따로 있지 않나?

준영   !

지안은 돌아서 뚜벅뚜벅. 준영은 그런 지안을 보고.

S#31 ── 거리 일각 + 기범 거처 (밤)

통화하며 가는 지안.

지안   녹음 파일, 감사실 메일에 올려.

기범   오케이!

지안   (전화를 끊고 뚜벅뚜벅)

S#32 ── 버스 안 (밤)

동훈, 누런 봉투에서 인쇄된 통화목록을 빼서 본다. 그리고 창밖을 본다. '이렇게까지 해야
하나.' 썩 내키지 않는 얼굴.

S#33 ── 지안 집 (밤)

창 아래에 누워 어두컴컴한 창밖을 보고 있는 봉애. 지안이 들어와 그런 봉애를 보고. 봉애
의 이불을 아랫목으로 끌어 옮기고.

지안	(수화) 추운데 왜 저쪽으로 가 있어? 감기 든다고.
봉애	(수화) 친구한테 내가 창문 아래로 옮겨달라고 했어. …달이 보일까 싶어서.
지안	!
봉애	(수화) 안 보이던데. 오늘 그믐이야?
지안	!

S#34 —— 마트 (밤)

지안이 빠르게 카트를 끌면서 두루마리 휴지를 담고. 홍시 팩을 담고. 제품을 살펴보지 않고 그냥 턱턱 집어 담는다. 그러고는 바로 계산대로 가 줄을 서고.

S#35 —— 마트 밖 (밤)

'CCTV 돌고 있습니다. 카트를 가져가지 마세요'라는 경고문 아래에서 카트를 정리하는 마트 직원. 그 옆에서 카트를 밀고 나오는 지안. 카트를 밀고 가는 발걸음이 빨라진다. 마트의 바운더리를 완전히 벗어나는 순간, 달려오는 자전거랑 부딪힐 뻔하자 확 방향을 돌리던 지안이 카트와 함께 자빠지고. 걸어오던 동훈이 그 소리에 그쪽을 보고. 카트를 정리하던 마트 직원도 소리 난 쪽을 보고. 자전거는 쓰러지지 않고 똑바로 서고. 지안은 쏟아진 물품을 급히 주워 담아 다시 간다. 모두들 그런 지안을 시선으로 쫓는데.

자전거 저기요! (지안이 엎어졌던 바닥을 가리키며) 이거 떨어졌어요!

뒤도 돌아보지 않고 가는 지안. 동훈이 뭐가 떨어졌나 싶어 가서 보면, 홍시 팩. 다시 지안 보면, 카트를 밀며 신호등을 건너고 있고.

〈 Cut to 〉

동훈이 홍시를 들고 뛰어 건널목으로 왔는데, 지안은 완전히 건넌 상황이고 신호는 깜빡깜빡…. '뛰어 말어' 고민하는 순간 빨간불이 되고.

Episode 5

동훈   이지안 씨!

차량 소음으로 지안은 듣지 못하고.

동훈   이지안 씨!

지안은 신호등에서 일직선으로 곧게 뻗은 도로로 쭉 들어가버리고. 동훈은 지안에게 전화를 하는데 신호음만 계속. 점점 멀어지는 지안. 신호가 바뀌면 뛰고. 저 멀리 코너를 돌아서 사라지는 지안.

S#36 ── 동네 일각 (밤)

동훈은 달려서 지안이 사라졌던 코너를 돌아오는데, 또 저 멀리 코너를 돌아가는 지안.

동훈   이지안 씨!

지안 옆으로 오토바이가 붕 지나가는 바람에 못 들었고.

동훈   이지안 씨-!

지안이 그냥 사라진다. 동훈은 다시 달린다.

S#37 ── 동네 일각 계단 아래 (밤)

지친 동훈, 이쪽저쪽 골목을 두리번거려도 지안은 없고. 전화를 걸어보는데 신호음만 가고. 포기다. 긴 계단 끝에 앉는다. 홍시 팩은 그냥 옆에 놓고. 달이 보인다. 그렇게 달을 보고 있는데, 달 그림에 텅… 텅… 쇳소리. 돌아보면 저 위 계단에서 지안이 뒷걸음질로 내려오고 있다. 무거운 카트를 마크하면서 끌고 내려오는 듯. 카트가 한 계단씩 내려올 때마다 텅, 텅…. 동훈이 홍시 팩을 들고 벌떡 일어나고.

동훈	(올라가며) 어디 가냐? 이 밤에.
지안	! (정지. 그대로 가만)
동훈	(올라가며) 이사 가냐?
지안	! (가만)
동훈	(올라가며) 떨어뜨린 것도 모르고.

정지해 있던 지안이 카트 무게에 뒤로 살짝 밀리자, 동훈은 경중경중 올라가 홍시 팩을 카트에 올려놓고 대신 카트를 잡는데. 그 안에 타고 있는 사람! 동훈이 놀라 휘청하다가 밀리는 카트를 다시 꽉 잡고! 봉애는 동훈에게 어정쩡한 미소.

⟨ Cut to ⟩

동훈이 힘들게 카트 끌며 뒷걸음질로 내려오고. 계단을 다 내려오면, 지안은 동훈 손에서 카트를 홱 뺏어서 가버린다. 멀어지는 지안을 보는 동훈.

S#38 — 동네 일각 (밤)

커다란 달… 그 위로 차르르 바퀴 굴러가는 소리. 카트 속에 누워 커다란 달을 황홀한 눈으로 보는 봉애. 지안은 카트를 밀며 무표정한 얼굴로 걸어가고.

⟨ Cut to ⟩

언덕쯤에 멈춰 있는 카트와 지안 그리고 달.
지안, 달에는 관심 없고 동훈에 대한 생각에 빠져 있는 듯 가만.

봉애	(수화) 아까 그 사람 누구야?
지안	(수화) …회사 사람.
봉애	(수화) 좋은 사람이지?
지안	…
봉애	(수화) 좋은 사람 같애.
지안	(차가운 얼굴로, 수화) 잘 사는 사람들은, 좋은 사람 되기 쉬워.
봉애	…
지안	… (외면)

Episode 5

S#39 ─ 동네 일각 계단 아래 (밤)

조용한 밤길. 카트 바퀴만이 요란한 소리를 내며 가고. 그렇게 카트를 밀며 오는 지안. 그러다 멈칫. 동훈이 계단 아래에 앉아 있다가 일어난다.

⟨Cut to⟩

동훈이 봉애를 업고 경중경중 계단을 올라가고. 지안은 계단 끝에서 보고 있고.

S#40 ─ 지안 집 앞 (밤)

계단을 다 올라온 동훈. 봉애는 이 집이라는 듯 손으로 가리켜 보인다. 동훈이 닫혀 있는 문을 보고, 뒤를 돌아보면 지안이 오고 있다.

동훈   문! (열라고)
지안   (문으로 가고)

S#41 ─ 지안 집 (밤)

동훈이 신발 신은 채로, 방문 앞에 있는 이불 위에 봉애를 눕히면, 지안이 이불을 끌어 봉애를 제 위치에 놓고, 이불을 덮어준다. 그런 지안을 보는 동훈.

봉애   (동훈에게, 수화) 고마워요.

동훈은 무슨 말인지 대충 느낌으로 간파하고 고개 숙여 인사. 초라한 살림살이…. 자세히 보는 건 예의가 아닌 것 같아 돌아서는데.

S#42 ─ 지안 집 앞 (밤)

나와 서는 동훈. 따라 나와 문간에 서는 지안. 서로 말없이 데면데면. 동훈은 주저주저하다가…

동훈	착하다….
지안	!
동훈	…
지안	!
동훈	(돌아서며) 간다….

계단을 내려가는 동훈….
그대로 서 있는 지안….

S#43 — 마트 앞 (밤)

아까 카트를 정리하던 마트 직원이 한곳을 본다. 동훈이 빈 카트를 끌고 오고 있다. 동훈이 직원에게 시선도 주지 않고 카트를 밀어 끼워 넣고 간다.

S#44 — 형제 청소방 외경 (낮)

다마스가 서 있고.

S#45 — 형제 청소방 (낮)

모바일로 검색한 유라 사진 이미지들이 슥슥 넘어간다. 제철은 그렇게 핸드폰을 보고, 상훈과 기훈은 도시락을 먹고.

제철	어, 알아 알아 얘. 그래 맞어, 얘. 기억난다. 맨날 토해놓는 애가 얘였어?
상훈	걔가 얘 인생 이렇게 조져놓은 거잖아. 얘 첫 장편영화에 주인공이었는데, 연기 드럽게 못해서 영화 찍다가 엎어지고, 그 뒤로 얘 인생… (검지를 아래로) 쭈욱… 단편영화로 깐느 가서 (허공에 점) 정점 찍고,

개 만나서 (검지를 아래로) 쭈욱….

제철　얘 그래도 한때 좀 잘나갔던 거 같은데, 어떻게 한 방에 훅 사라지냐?

상훈　걔도 얘 만나고 나서 이렇게 (검지를 아래로) 된 거 아냐. 둘이 똑같애.

　　　　둘이 정점에서 만나서, 둘이 사이좋게 손잡고, 내리막길.

기훈　걘 어차피 길게 못 갔어. (주먹 쥐고) 내가 태어나서 이 주먹을 쥐게 하는

　　　　여자를 첨 봤다. (답답해 주먹 나갈 듯) 어우. 연기 못한다 못한다…

　　　　그렇게 못할까. 어우.

제철　이쁜데도 주먹이 나갈 것 같냐?

기훈　죽이고 싶어.

제철　언제 한번 데꾸 와봐.

기훈　미쳤나. 어딜.

제철　그래도 연예인인데. 얼굴 한번 보자. 나 실제로 연예인 본 게 이용식이 전부다.

S#46 ── 형제 청소방 앞 (낮)

저 멀리 담벼락 뒤에 숨어 있는 유라의 시선 컷으로. 상훈, 기훈, 제철이 사무실에서 나오고,
제철은 가고. 상훈이 자판기에서 커피를 뽑고, 기훈은 장비를 바꿔 싣는데, 유라가 타이밍
을 잡고 있다가 순간 또각또각 다가간다. 기훈과 상훈은 다가오는 유라를 어정쩡하게 보고.
유라는 이전의 폐인 같은 분위기와 달리 뭔가 들뜨고 사랑스러운 느낌.

유라　(우연인 척) 안녕하세요. 여기서 또 뵙네요. 사무실이… 여긴가 봐요?

기훈　어….

유라　(애매하게 웃다가 상훈을 보고) 혹시… 형님?

상훈　예….

유라　아… 그렇구나. 안녕하세요. 저 예전에 감독님이랑 잠깐 작업했었는데.

상훈　예….

이어질 대화가 없어 어색한 분위기인데

기훈　어떻게 지내냐?

유라　전… 뭐… 잘 지내요. (사랑스런 눈빛으로 기훈을 빤히 보는)

기훈	(어색해서 시선 돌리고)
유라	(대뜸 빵 봉지를 내밀며) 이거. 오다가 좀 샀어요. 맛집이라길래. 팥빵이에요.
	출출할 때 드세요. (기훈 손에 들려주고)
기훈	고맙다.
유라	다음에 봬요. 반가웠어요.
기훈	그래. 가라.

유라는 자꾸 사랑스러운 눈빛으로 돌아보며 가고. 상훈과 기훈이 유라를 힐끗거리며

상훈	너한테 구박받던 애 같지 않았다. 쟤 너 좋아했냐?
기훈	쫌. (차로 가는)
상훈	근데 쟤 왜 숨어 있다가 나와?
기훈	옛날부터 발연기였어.

계속 기훈을 돌아보며 가는 유라.

S#47 ── 사무실 (낮)

지안은 앉아서 영수증을 정리하고, 동훈과 형규는 커피를 타고 있다. 형규가 커피를 가지고 자리를 뜨면

동훈	나와 있으면 할머니는 누가 봐?
지안	친구가 들러봐요.
동훈	(커피를 젓다가) 무슨 지 자야? 우리 아들이 지석인데.
지안	이를 지요.
동훈	안은?
지안	…
동훈	… (보면)
지안	…편안할 안이요.
동훈	…! (처지와 정반대인 이름. 짠하다. 그렇게 되길 바라는 마음에) 좋다…

이름 잘 지었다…. (커피를 들고 자리로)

지안　…

S#48 — 감사실 (낮)

감사실 팻말이 보이고. 이 부장이 자리에 앉아 있는데, 노크 소리와 함께 문이 열리며

직원1　잠깐 보셔야 될 게 있는데요.

이 부장　(보는)

⟨ *Cut to* ⟩

컴퓨터에선 박 상무와 동훈의 대화(지안이 준영에게 들려준 부분만)가 흘러나오고. 가만히 듣고 있는 이 부장. 그 옆에 있는 직원1, 2.

S#49 — 회사 앞 (밤)

동훈과 직원들이 회사에서 우르르 나오고.

송 과장　회식은 그냥 팀별로 하면 안 되나. 전체 회식을 누가 좋아한다고.

김 대리　앉자마자 그냥 막 마시고 취해버려요.

그때 동훈이 보면 지안은 반대 방향으로 혼자 가고 있고.

동훈　이지안 씨.

지안　(멈춰서 보고)

동훈이 지안에게 다가간다. 직원들은 의아해서 보고, 채령은 곱지 않은 시선.

동훈　회식 같이 가지?

지안	!
동훈	같이 가. 고기 먹어.
지안	!

S#50 — 고깃집 (밤)

#불판에 지글지글 고기가 익어가고. 지안은 가만있고. 좀 떨어진 곳에 앉은 동훈이 생고기 접시를 건네고, 중간에 앉은 사람이 받아, 지안이 앉은 테이블로 건네고. 그렇게 지안의 테이블로 오는 고기 접시. 그걸 지켜본 김 대리.

김 대리	부장님, 나 쫌 슬프네. 왕따가 왕따 챙기는 거 같아서.
동훈	스.

넷이 살짝 잔 부딪히고 마시고. 자기들끼리 얘기.

#지안 앞에 앉은 채령이 뚝뚝한 얼굴로 고기 굽고.

채령	어떤 점쟁이가 나한테 너는 불판 위에 고기가 타들어가는 걸 그냥 볼 줄 알아야 된다고, 그래야 인생이 편해진다는데, 팔자 못 고친다. 새파랗게 어린애 앞에 두고 또 연장 들고 있고. (신경질적으로 연장을 놓고, 소주를 좀 마시며) 좀 뒤집어주겠니?
지안	…
채령	(연장을 지안이 앞으로 던져주는데)
지안	…
채령	싫어?
지안	그러다 내가 더 잘 구우면 어쩌려구요? 남 수발드는 거, 다 이쁨받으려고 하는 짓인데, 그거마저 뺏어 가면 뭘로 이쁨받으려고요?
채령	!

같은 테이블에 앉은 사람들은 조용히 눈빛으로 대화. '대단한 년….'

Episode 5

#칸막이처럼 있는 문이 죄다 열려 있어서 방방이 연결되고 기역자로 꺾어진 곳으로도 방이 이어져 있고. 그쪽에 있는 1팀장과 2팀장의 무리들. 그때 1팀장이 벌떡 일어나 나가며,

1팀장　자자자, 오십니다.

그 말에 2팀장도 벌떡 일어나 따라 나가고.

#홀: 준영과 윤 상무가 들어오고. 1팀장과 2팀장이 맞는다.

1팀장　대표님까지 여긴 어쩐 일로. 영광입니다.

동훈이 그 소리를 들었고. 지안도 들었고. 대표, 윤 상무를 보고 엉거주춤 일어나는 모든 직원.

1팀장　(자기 쪽 방을 가리키며) 들어가시죠.

3팀은 모두 자리에 앉아 다시 술잔을 기울이는데, 준영의 뒤를 좇아 들어가던 윤 상무가 동훈 쪽을 보고,

윤 상무　3팀, 어른이 왔으면 인사 좀 해라.
김 대리　(또 반쯤 일어나며) 저희 인사했는데…요.
윤 상무　(고기 굽는 거 보고) 벌써 시작했냐? 어른도 안 왔는데?
3팀　…
윤 상무　부장이 저 모냥이니. 일루 와. 인사해. (방으로)
동훈　…
지안　…

동훈은 어쩔 수 없이 일어나 그쪽으로. 송 과장은 열 받아 훅 마시고.

송 과장　옘비. 선배가 후배한테 인사하러 가냐 씨이.
김 대리　여긴 학교가 아니고 회사잖아요.

송 과장   회사도 부장님이 입사 선배야.

김 대리   어쨌든 지금은 역전패당한 상황이잖아요. 그냥 후딱후딱 마시고 취해버려요.
이 꼴 저 꼴 안 보게. (송 과장과 잔 부딪힌 후 마시고)

송 과장   (뭔가 상당히 뒤틀린 얼굴)

#준영이 맨 위 상석에 앉아 있고. 동훈은 윤 상무, 1팀장, 2팀장과 함께 준영의 테이블에 앉아 있고. 준영이 잔을 들고는

준영   자, 다들 잔 채우시고.

모두들 잔을 채워 든다.

윤 상무   누가 대표님보다 잔을 높게 들어?

일사불란하게 잔이 내려가는데.

준영   (윤 상무의 팔을 지그시 눌러 잡으며) 상무님 그러지 마세요. 편하게 먹고 마시자는
자리에서. / 자, 편하게 잔들 드시고. / 대한민국의 안전이 여러분들 손에
달려 있다는 자부심을 가지시고! 파이팅!

모두   파이팅!

동훈, 천천히 꿀꺽꿀꺽 마시고 잔을 내려놓는데

윤 상무   (눈으로 잡으며 동훈에게) 뭐 해? 대표님 잔 비었잖아.

동훈   (병을 들어 두 손으로 준영에게 따르는데)

준영   (동훈에게 술 받으면서 1팀장에게) 인천공항 안전진단은 잘돼가고 있죠?

1팀장   네. 잘 진행되고 있습니다.

준영   (2팀장에게) 원전 안전진단 맡으셨다고 들었는데. 고생이 많으십니다.

2팀장   별말씀을요.

준영   (2팀장에게) 한잔 받으세요.

Episode 5

2팀장   네. (무릎 꿇고 받는다)

동훈   (조용히 자기 잔을 채워 마시는데)

윤 상무   (그런 동훈을 보고) 뭐 하는 거야?

준영   두세요. 박 부장 옛날부터 자작 좋아했어요.

송 과장   (표정)

준영   (동훈 보며) 예나 지금이나 박 부장님은… 그대로예요.

동훈   (조용히 마신다)

S#51 ── 회사 보안실 (밤)

[INS] CCTV 화면: 동훈, 가방에서 누런 봉투를 꺼내 서랍에 넣는 모습.

거기에서 일시정지. 이 부장과 직원1, 2가 그 장면을 보고 있고.

직원1   이거 같은데요.

S#52 ── 사무실 (밤)

어두운 사무실에 동훈 책상 쪽만 불이 켜져 있고. 감사실 이 부장과 직원1, 2가 동훈의 서랍을 다 엎어 뒤지고 있다. 누런 봉투 위주로 뒤지는데, 웬만한 서류는 전부 누런 봉투.

S#53 ── 고깃집 (밤)

직원들이 모두 자리에서 일어나, "안녕히 가십시오!" 준영이 방에서 앞장서 나오고, 윤 상무와 1팀장, 2팀장, 동훈이 준영을 배웅하기 위해 뒤따라 나오는데, 잔뜩 취해 홀에 혼자 앉아 있던 송 과장이 준영의 앞을 막아서고

송 과장   대표님, 질문 있습니다!

모두   !

송 과장	대표님이 저희 박동훈 부장님 대학 후배님이라고 들었습니다. 맞습니까?
모두	!
송 과장	그럼! 적어도 사석에선 선배님이라고 해줄 수 있는 거 아닙니까?
	박 부장 박 부장 그러지 말고!
동훈	너. (놀라 송 과장에게 다가가 말리는데)
윤 상무	이 새끼가, 어디서 감히 술 처먹고 주정이야. 여기가 무슨 학굔 줄 알아-?
송 과장	(욱) 이게 학교랑 뭐가 다릅니까? 짱 밑에서 눈치 보면서 짱이 싫어하는 애
	다 같이 왕따시키고!
윤 상무	이런 상놈의… (하며 앞으로 나오는데)
동훈	(윤 상무를 막으며) 상무님, 참으세요.
윤 상무	이 미친 새끼, 너 일루 와봐.

윤 상무가 손을 쭉 뻗어 간신히 멱살을 잡았는데, 동훈이 윤 상무를 껴안듯 마크하자, 열 받은 윤 상무는 동훈의 머리통을 밀어버리고. 동훈이 테이블 의자를 밀치며 나자빠지는데

윤 상무 저 새끼를 말려야지, 날 말려 새꺄?

놀라서 그 광경을 보는 전 직원. 준영은 불쾌한 얼굴로 나가버리고. 김 대리는 '시팔 망했다…' 하는 얼굴. 지안은 자리에 가만히.

S#54 — 고깃집 앞 (밤)

준영이 기사가 열어주는 차에 타려다가…

준영 오늘 일, 윗선은 아무도 모르게 해요. 회장님한텐 더더욱.
윤 상무 네! 염려 마십쇼. 죄송합니다.

준영이 차에 오르면, 윤 상무가 떠나는 준영의 차에 꾸벅. 그리고 열 받아 다시 고깃집으로.

Episode 5

S#55 — 고깃집 (밤)

윤 상무가 홀에 들어와 허리에 손 얹고,

윤 상무 니들! 오늘 일, 회장님 귀에 들어가기만 해! 이 얘기 윗선에 들어가서
대표님 면 떨어지게 하는 날엔! 각오들 해! (사이) 왜 대답이 없어?

누군가 조용히 "알겠습니다." 그 대답을 시작으로 점점 커지는 "알겠습니다!"

윤 상무 (둘러보며) 이것들(동훈과 송 과장) 어디 갔어?
지안 …

S#56 — 고깃집 담벼락 아래 (밤)

침울하게 있는 동훈과 송 과장. 송 과장은 아직 분이 안 가신 듯한 얼굴.

동훈 오늘, 니가 날 더 엿 먹인 거야. 아냐?
송 과장 (울컥) 그게 아니란 말입니다! (얼굴을 쓸어내리고)
동훈 …그만하자. (그냥 돌아서고)

S#57 — 고깃집 (밤)

3팀이 있는 방. 중간중간 자리는 비어 있고, 취한 김 대리가 술 상대를 찾아 지안 앞으로
옮겨와 앉아 있는 상황. 김 대리는 만취해서 개인 접시 위에 침을 뱉고 남자 동료들에게

김 대리 죽어났다 이제 우린. 아씨… 적당히 마시지 과장님은 씨, 부장님도 그래.
밑에 있는 우리 생각해서 좀 기어주면 안 돼? 아니면 깔끔하게 나가주던가.
지안 (가만히 듣고 있는)
김 대리 구박받는 상사 옆에서 보고 있는 우린 얼마나 괴롭겠냐고? 이러지도 못하고,

저러지도 못하고. 야, 솔직히 말해서, 진짜 솔직히 말해서, 이게 누구 잘못이냐? 잘난 도준영 잘못이냐, 못난 우리 부장님 잘못이냐. …남잔 무조건 잘나고 봐야 돼.

하며 또 침을 뱉으려는 순간, 김 대리의 싸대기를 가열차게 날리는 손. 김 대리 고개가 확 돌아가고. 모두 정적. 지안이 김 대리의 뺨을 날렸다.

지안　　드러운 새끼. (훅 일어나고)
김 대리　(어벙) 뭐야 저년.

S#58 ── 동네 일각 + 거리 일각 (밤)

\#눈이 내린다. 비틀거리며 가는 동훈. 문득 멈춰 선다. 고개 숙이고 가만. 두 발을 내려다 보고 있다. 동훈의 시선에서 가만히 서 있던 두 발이 순간 휘청. 뒤돌아본다. 길 끝까지 아무도 없고. 눈만 조용히 내리고. 동훈이 다시 비틀거리며 걸어간다. 그러다가 꽈당 하고 대차게 자빠지고.
\#다른 거리 일각. 이어폰을 꽂고 걷던 지안, 꽈당 하는 소리에 멈춰 선다.
\#저 멀리 대자로 하늘 보고 누워 있는 동훈. 미동도 하지 않고.
\#가만있는 지안. 아무 소리도 들리지 않자 이내 뛰기 시작.
\#여전히 미동도 않고 누워 있는 동훈. 카메라가 가까이 가서 보면, 동훈이 하늘을 보고 있다. 내리는 눈….
\#달리는 지안.
\#동훈, 힘들게 움직인다.

동훈　　내가, 오늘은 못 죽어. 비싼 팬티가 아냐.

동훈은 그렇게 일어나 가고. 멀리서 그런 동훈을 보고 있는 지안. 꾸역꾸역 걸어가는 동훈이 눈 속으로 사라지고.

기분 잡친 얼굴로 술을 벌컥벌컥 마시는 준영. 2G폰이 계속 울리지만 받지 않고. 그렇게 벨
이 끊기고 나면, 준영은 2G폰을 홱 집어 들고 (2G폰으로) 통화하며 나간다.

준영   좀 봐야겠지?

S#60 ── 도심 어딘가 (밤)

여전히 눈이 내리고. 걸어가는 지안. 저 멀리 준영의 뒷모습.
지안이 가까이 다가가자 돌아보는 준영. 취해서 좀 불량한 얼굴.

준영   회식도 참석해? 재밌냐? 오늘 같은 꼬라지?
지안   …
준영   박동훈 부장, 통화목록 받은 거 확실해?
지안   들었잖아요. 박 상무랑 얘기하는 거.
준영   (욱) 근데 왜 감사실에서 못 찾아내? 당장 찾아내.
지안   …근데요. 이렇게 중요한 타이밍에 왜 유부녀를 사귀요?
준영   넌 그냥 니 일이나 해. 오바하지 말고.
지안   헤어지면 그만인데, 그러기 싫을 정도로 매력적인 여잔가?
준영   (피식) 모르나 본데, 남자들 세계에서 제일 안전한 여자가 유부녀야.
         자기가 자기 입으로 떠벌리고 다닐 리 없는 여자.
지안   !
준영   그리고 지금 상황에선 헤어지는 것보다 계속 만나는 게 안전해.
         아직 열기가 떨어지지 않은 여자 함부로 내쳤다간 더 골치 아파.
지안   …!

S#61 — 동훈 집 (다음 날, 아침)

동훈이 식탁에 맥없이 앉아 있고, 윤희는 커피를 내리고 있다.

윤희	도련님 전화 왔었는데. 사업자 어떻게 내는 거냐고. 영화사 낸대?
동훈	제철이 형이 하던 청소업 넘겨받았어. 형이랑 둘이 같이 하기로.
윤희	(의외) 영화판은 완전히 접은 거고?
동훈	…그래야지 별수 있어.
윤희	…잘됐네. 어머니 이제 한시름 놓으셨겠다. (동훈 앞에 커피 놔주고, 마시다가) 당신도 사업하는 게 어때? 언제까지 회사 다닐 수 있는 것도 아니고. 한 살이라도 젊을 때 나와서 사업체 꾸리는 게 낫지 않아?
동훈	사업이 쉬워? 경력직 직원 여덟 명은 있어야 허가 나. 직원들 일 년치 월급하고 장빗값, 사무실 유지비…. 최소 오억은 갖구 시작해야 돼. 일 못 따면 그냥 오억 빚지고 끝나는 거고.
윤희	왜 오억 빚질 생각부터 해? 오억 벌 생각을 안 하고!
동훈	사업이 그렇게 생각대로 되는 거면 망하는 사람이 왜 나와?
윤희	!
동훈	형 말 못 들었어? 월 백을 벌어도 남의 돈 먹는 게 낫지, 가만히 앉아서 돈 까먹고 있는 거 미칠 노릇이라고. 형 어떻게 망가졌는지 옆에서 다 봤으면서도 그런 소리가 나와?
윤희	그럼 언제까지 이렇게 매일 도살장에 끌려가는 것처럼 나갈 건데? 이게 사는 거야 당신?
동훈	(OL로 외투를 챙겨 들고 나가고)
윤희	그냥 그만두라고! 내가 도와준다고!

문이 쾅 닫히고.

S#62 — 동훈 아파트 앞 (아침)

떨리는 숨을 몰아쉬며 아파트를 나오는 동훈.

Episode 5

#그 숨소리를 듣고 있는 지안.

S#63 — 회사 일각 (낮)

김 대리가 형규 앞에서 담배 피며

김 대리 나 어제 그년한테 싸대기 맞은 건 비밀이다. 쪽팔려서….

형규 근데 왜 맞은 거예요?

김 대리 내가 알어? 그년 진짜… 두고 봐….

S#64 — 회사 내 좁은 방 (낮)

묵묵한 얼굴로 앉은 송 과장. 앞에는 백지가 놓여 있다. '시말서…'라고 쓰기 시작하고.

⟨ Cut to ⟩

역시 시말서를 쓰고 있는 동훈.

S#65 — 사무실 복도 (밤)

동훈, 송 과장, 김 대리, 형규가 퇴근하려고 엘리베이터 앞에 서 있는데. 그때 윤 상무가 지나가다 흘겨보며

윤 상무 반성문 제대로 썼어?

엘리베이터가 도착했지만 동훈은 가만히 있고. 송 과장이 조용히 동훈의 등을 밀어 엘리베이터에 오르게 한다.

S#66 — 회사 일 층 로비 (밤)

엘리베이터 문이 열리면 직원들이 내리는데 동훈은 가만. 직원들이 돌아보면, 동훈이 안에서 버튼을 누르고. 도로 닫히는 문.

S#67 — 사무실 (밤)

다시 사무실로 들어오는 동훈. 겉옷을 벗고 자리에 앉아 서랍을 연다. 봉투를 뒤지는데 박상무에게 받은 게 없는 듯, 뒤지는 손놀림이 거칠어지고. 그러다가 혹 서랍을 잡아 빼고. 서랍 속을 뒤지다가 문득 빠진 서랍 뒤에 시선이 닿는다. 서랍 뒤로 빠져 끼어 있는 누런 봉투! 그걸 빼 들고 자리에 앉고. 동훈이 봉투에서 통화목록을 꺼내고. 회사 연락망과 대조해가며, 누군지 확인된 번호를 매직으로 하나하나 지워나간다. 그렇게 일 차로 지우고. 지워지지 않은 나머지 전화번호를 컴퓨터에 입력. 모두 입력 후, 전화번호 순으로 정렬. 그리고 인쇄. 인쇄된 통화목록에서 같은 번호를 묶음 표시하고. 이제 상당 부분 일이 끝난 듯 잠시 숨 고르기. 잠시 내선 전화를 보다가 들어서 전화번호를 찍는다. 신호가 간다. 잠시 후,

누군가   (F) 여보세요.

동훈   안녕하세요. 삼안이앤씨인데요. 저희 창립 기념일 선물을 보내려고 하는데요, 주소하고 성함 좀 부탁드립니다.

S#68 — 형제 청소방 앞 (밤)

다마스에서 사무실로 짐을 옮기는 상훈과 기훈. 저 멀리 유라가 또 숨어서 보고 있다. 이번에는 웬 남자(조감독)와 함께.

상훈   (그쪽으로 시선을 주지 않고 짐 옮기며) 쟤 또 왔다.

기훈   알어. 쳐다보지 마.

두 사람, 못 본 척 짐만 옮기고. 기훈이 사무실 문을 잠그는데, 유라가 조감독과 함께 종종

종 온다. 두 사람은 시종일관 생글거리며 얘기.

유라   안녕하세요.

조감독   안녕하세요. 저 기억하세요? 감독님 조감독 했었는데.

기훈   그럼 알지. 널 왜 몰라.

유라   같이 술 마시다가 제가 감독님 봤다니까, 와서 인사하고 싶다고….

조감독   진짜 오랜만이에요. 나 감독님 진짜 궁금했었는데… 요즘 어떻게 지내세요?

기훈   (요놈 봐라?) 들었을 텐데. (유라에게) 말 안 했어?

유라   예? 에. 헤헤헤.

조감독   언제 한번 같이 술 마셔요, 감독님.

기훈   (티꺼운) 그러자.

조감독   갈게요.

유라   (조감독에게) 가.

기훈   (유라에게) 너도 가.

유라   … (애매한 미소)

기훈   가아. 뭐 좋았던 사이라고….

유라   … (가만)

상훈   (긴장해서 양쪽을 보는)

유라   (다시금 미소를 띠며) 저기요, 감독님. (기훈의 옷자락을 잡고, 진심을 담아)

             고마워요. …망해줘서.

기훈   !

유라   이제 좀… 살 거 같아요. 정말 고마워요.

기훈   !

유라는 가면서 아쉬운 눈빛으로 기훈을 돌아보고. 기훈은 멍하니 그런 유라를 보고 있는데

유라   (다시 종종종 되돌아와) 저기요 감독님, 술 드실래요?

S#69 — 정희네 (밤)

유라는 신나서 정희한테 떠벌떠벌. 정희와 상훈은 기훈의 눈치가 보이고.

유라   그때 감독님이 완전 뜨는 별이었거든요. 제가 감독님 첫 장편영화에
        주인공 됐단 소문 돌자마자 여배우들이 다 나 시기하고 질투하고….
        근데 제가 감독님 밑에서 딱 삼 개월 만에 말 더듬고 병신 됐잖아요.
        하도 구박을 받다 보니까, 내가 생각해도 정말 별 바보 같은 짓을 다 하는
        거예요. 어쩜 그렇게 바보 같을 수가 있을까….

정희   (기훈의 눈치가 보이고) 근데 왜 이렇게 좋아해?

유라   이 사람이 완전 망했잖아요! 장편 한 편도 못 찍어보고, 손 털고 나왔잖아요.
        그니까 내가 문제가 아니라 이 사람이 문제였다는 거잖아요!

기훈   …

유라   난 여태 내가 문젠 줄 알고…. 내가 이 사람 만난 뒤로 망가진 거거든요.
        술을 마시기 시작한 것도 그때부터고. 어디서 감독님 얘기만 들으면 심장이
        뛰었어요. 감독님이 정말 잘 풀렸으면, 난 아마… 괴로워 죽었을 거예요.

기훈   내가 진짜 성공할 뻔한 거, 꾹 참았다.

유라   고마워요. (진심으로 따뜻한 눈) 망한 감독님은, 참 사랑스러운 거 같애요.

기훈   …

S#70 — 동네 일각 (밤)

주머니에 손 넣고 패잔병처럼 걸어가는 상훈과 기훈. 기훈이 문득 돌아보며…

기훈   미, 친, 년.

상훈   (쭈뼛쭈뼛 멈춰 서고)

기훈   저년 때문에 내가 안 풀린 거야.

기훈이 다시 걸으면, 상훈도 따라서 걷는다.

S#71 —— 사무실 (밤)

수화기를 들고 있는 동훈 얼굴 위로

여자   (F) 지금 거신 전화는 수신이 불가한 번호입니다.

뭔가 이상하다. 다시 건다.

여자   (F) 지금 거신 전화는 수신이 불가한 번호입니다.

수화기를 내려놓고. 인쇄물을 보면 이 번호로 걸려온 게 석 달 동안 오십 통이 넘는다. 쭉 묶음 표시 후 '수신 불가'라고 쓰고는 물음표까지. 박 상무에게 받은 통화목록에서 이 전화번호의 패턴을 찾는다. 전화번호 옆에 찍힌 날짜를 짚어가며 확인. 하루걸러 한 번씩 통화했다. 가만히 보는 동훈.

S#72 —— 사무실 (낮)

조용한 사무실. 지안이 우편물을 나눠주며 조용히 움직이고. 동훈은 자리에 앉아 멍하니 생각에 빠져 있다.

동훈   착신금지도 알겠고, 수신거부도 알겠는데, 수신불가가 뭘까….
김 대리   (그런 동훈을 힐끗 보고) 수신이 불가능하다…. (그게 뭐 어려워?)
동훈   (허한 얼굴로 김 대리를 보다가) 그니까 수신이 불가능한 전화가 뭐냐고.
김 대리   걸어도 못 받는 전화라고요.
동훈   (말을 말자)

우편물을 나눠주던 지안. 가만히 있다가 동훈에게 다가가서

지안   공중전화요.
동훈   ?

지안   발신만 가능하고 수신은 불가능해요.

동훈   !

지안이 자리로 가고. 동훈은 서둘러 '공중전화 위치' 검색. 연결 사이트가 나오고. 접속해 본다. 사이트에 그 전화번호를 입력한다. 양천구 신월동까지만 나오는. 동훈이 114에 전화를 건다.

동훈   저기 공중전화 위치 좀 정확히 알 수 있을까요? (통화목록을 펼치며) 예… 번호가…

S#73 ── 회사 보안실 (낮)

[INS] 모니터 속 CCTV 화면에는 엎드려서 서랍 뒤로 빠진 봉투를 꺼내는 동훈.

허한 얼굴로 그 영상을 보던 이 부장. 화면을 보다 말고 휙 나간다.

S#74 ── 일 층 엘리베이터 앞 (낮)

감사실 이 부장과 직원 두 명이 엘리베이터에 오르면. 옆 엘리베이터에서 동훈은 가방을 들고 통화하며 내리고.

동훈   (통화) 잡을 수 있을 거 같아요.

#전화받고 있는 박 상무의 눈빛.

S#75 ── 사무실 (낮)

감사실 이 부장과 직원들이 들어오고.

이 부장   박동훈 부장은?

김 대리 (둘러보며) 금방 계셨는데?

이 부장이 눈짓하면, 직원1과 2가 동훈의 책상을 뒤진다. 직원들은 '이건 또 뭔가' 싶은 표정. 그리고 지안의 표정.

S#76 —— 회사 앞 (낮)

동훈은 통화하며 택시에 오르고. 기사에게 메모한 주소지를 건네며,

동훈 여기요. (이어서 통화) 공중전화였어요. 하루걸러 한 번씩은 공중전화로
둘이 통화했어요. 여기서 멀지 않아요. 근처 가보면 대충 누군지 윤곽 나오겠죠.

S#77 —— 윤희 변호사 사무실 근처 (낮)

멈춰 섰던 택시가 떠나고 황망하게 서 있는 동훈. 윤희가 있는 로펌 건물이 정면에 보인다. '설마, 설마.' 눈으로 공중전화를 찾는다. 저기 공중전화가 보인다. 가서 기기의 상단에 있는 번호를 확인해본다. 적어 온 숫자와 일치하는 공중전화 번호. 후룩 떨린다. 입을 쓸어내린다. 공중전화에서 떨어져 나와 다시 윤희가 있는 로펌 건물을 본다. 그 건물에서 웃으며 나오는 윤희와 직원들. 점심을 먹으러 가는 길인 듯. 윤희가 동훈을 발견하고… 직원들에게 먼저 가보라는 제스처. '저 사람이 여긴 웬일인가. 싸웠다고 화해하려고 왔나.' 대수롭지 않은 얼굴로 다가오는 윤희. 그런 윤희를 보는 동훈. 도로 건너편에서 천천히 걸어가며 그런 둘을 보는 지안. 그런 셋의 모습에서 엔딩.

Episode

6

S#1 ─ 커피숍 (낮)

(문제의 공중전화가 보이는) 창가 쪽에 앉은 동훈. 커피를 놓고 가만히. 잠시 후 핸드폰이 울리고.

S#2 ─ 사무실 (낮)

송 과장이 구석에서 조용히 통화 중.

송 과장 어디세요? 전화도 안 받으시고. 몇 번을 했는데. 좀… 들어와보셔야 될 것 같은데.

송 과장이 힐끗거리는 곳을 보면, 직원1과 2가 사무실 공용 책장까지 뒤지고 있다. '통화목록이 어디 끼어 있나.' 이미 동훈의 책상은 다 뒤진 듯 난장판이고. 이 부장은 난장판인 동훈의 책상을 둘러보며 서 있고. 지안은 어느새 들어와 자기 자리에 앉아 있고.

⟨Cut to⟩

송 과장과 김 대리가 (지안과 가까운) 탕비 코너에서

김 대리 (낮게) 이거, 보복 아녜요? 회식 때… 그거….
송 과장 (자신도 그렇게 생각하고)
김 대리 부장님은 뭐라세요?
송 과장 그냥 두래.
김 대리 (힐끗 감사실 무리들을 보고) 도대체 뭘 찾는 거예요? 한 시간 넘게.
송 과장 내가 아냐.
지안 …

이 부장과 직원1, 2는 아무것도 못 찾은 듯 난감해 멈춰 있고. 김 대리는 지안을 힐끗. 벼르는 느낌.

Episode 6

S#3 ── 커피숍 (낮)

가만히 앉아 있는 동훈의 얼굴 위로

[INS] 3화, 박 상무: "그 오천, 일부러 먹인 거야. 뇌물 먹었다 치고 자르려고." "나라고만 장담 못 해. 너일 수도 있어." "널 잘라내겠다는 의지가 상당히 셌단 말이지."

[INS] 5화, 윤희: "당신도 사업하는 게 어때? 언제까지 회사 다닐 수 있는 것도 아니고. 한 살이라도 젊을 때 나와서 사업체 꾸리는 게 낫지 않아?" "그냥 그만두라고! 내가 도와준다고!"

모든 게 꿰어지는 느낌.

S#4 ── 윤희 사무실 근처 (낮) - 회상

전회 엔딩에 이어, 황망하게 서 있는 동훈에게 다가오는 윤희.

윤희   웬일이야, 연락도 없이.
동훈   …근처에 왔다가.
윤희   점심은?
동훈   …

S#5 ── 식당 (낮) - 회상

동훈은 그저 묵묵히 국밥을 먹는데, 윤희가 자신의 국밥에서 고기를 건져 동훈의 그릇에 넣어준다.

윤희   왜 아무 말 안 해? 할 말 있어서 온 거 아냐?
동훈   … (먹기만)
윤희   밥 먹자고 그냥 들른 거 아니잖아.

동훈	그냥 들렀어.
윤희	… (살짝 실망하는, 무심히 먹으며) 생각해봤어? 사업하는 거.
동훈	… (기어이)
윤희	돈 때문에 그러는 거면 걱정하지 마. 아파트 담보 대출도 좀 받고,
	여기저기서 끌어모으면, 어떻게 마련할 수 있을 거야.
동훈	딴 집 여자들은 어떻게든 회사 오래 붙어 있으라고 난리라던데.
윤희	그런 집 남자들은 기술이 없는 거고. 구조기술사 중에 굶어 죽는 사람 없어.
	충분히 능력 되는데, 뭐 하러 후배 밑에서 일해?
동훈	(심증이 확증으로 넘어가는 순간이지만, 그저 아무렇지 않게 먹기만)
윤희	(살짝 울컥) 안 봐도 뻔해. 당신 회사에서 어떤 대접 받을지.
	나이 먹어서 쓸데없이 눈칫밥 먹으면서 살지 마.
동훈	(후룩후룩 먹기만)
윤희	(E) 아줌마, 여기 김치 좀 더 주세요!

S#6 ― 커피숍 (낮)

쓸쓸하고 차분한 동훈, 눈을 들어본다. 저 멀리 문제의 공중전화가 보인다. 발신자를 확인하려고 이 커피숍에 들어와 앉아 있는 것. 그때 윤희가 로펌 건물에서 나온다. 공중전화 쪽으로 간다. '제발. 제발.' 그러나 결국 공중전화로 들어가고. 통화하는 윤희의 뒷모습을 보고 있는 동훈.

S#7 ― 공중전화 (낮)

통화 중인 윤희.

윤희	동훈 씨… 그만둘 것 같애. 그러니까 자르지 말고 좀 기다려줘.

S#8 — 커피숍 (낮)

시선을 내린 채 가만히 있는 동훈.

S#9 — 공중전화 + 대표이사실 (낮)

그 공중전화 수화기를 드는 손. 동훈이다. 준영의 번호를 입력한다. 신호가 간 후… 딸깍, 돈 들어가는 소리.

준영 (낮게, 그러나 대뜸) 어, 왜?
동훈 …
준영 회의 들어가봐야 돼. 나중에 전화할게.

먼저 전화가 끊기고. 조용히 수화기를 내려놓는 동훈. '뭘 어떻게 해야 될지…' 그 자리에 가만.

S#10 — 요순 집 외경 (밤)

다마스가 한편에 주차돼 있고.

S#11 — 요순 집 거실, 주방 (밤)

상훈은 씻고 나온 듯 화장실에서 나와 올렸던 바짓단을 내리고, 요순은 분주히 상을 차리며 기훈에게

요순 동훈이 전화해봐.
기훈 안 받아요.
요순 한 번 더 해봐.
기훈 (다시 전화하고)
상훈 (식탁으로 오며) 현장에 있나 보지. 전화 안 받는다고 자꾸 전화하고 그러지 마요.

위험하게. 어디 높은 데 매달려 있으면 어쩌려고.

요순   책상에 가만히 앉아서 일하던 놈이, 왜 나이 들어 그런 일을…

기훈   (통화) 왜 전화 안 받어? 카톡도 씹고. 와, 밥 먹으래. 엄마 곰국 끓였어. 못 와?

요순   (손 내밀며) 줘봐.

기훈   잠깐만. (핸드폰 주고)

요순   (통화) 바쁘냐? 저녁은?

S#12 — 윤희 모처 건물 앞 (밤)

동훈   …먹었어요.

요순   (F) 목소리에 왜 이렇게 힘이 없니? 일이 힘드니?

동훈   …아녜요.

요순   (F) 바빠도 굶지 말고 일해라.

동훈   …네.

S#13 — 요순 집 거실, 주방 (밤)

요순   곰국 끓여놨으니까 들러서 갖구 가고. 그래. 바쁜데 끊어라.

       (통화 끝내고 기훈에게 핸드폰을 주는데)

기훈   (흘기는) 우리한테도 그렇게 곱게 말해보지?

요순   (뒤돌아 퉁명스럽게 움직이고)

S#14 — 윤희 모처 건물 앞 (밤)

동훈이 '서초 미네트'라는 건물 이름을 올려다보고 있다.

[INS] 회상: 동훈이 윤희 차를 운전하다가 신호 걸린 와중에 유리창 얼룩을 손톱으로 긁어보는데 굳었는지 잘 안 떨어지고. 도구를 찾아 여기저기 뒤지다 서랍 안쪽에서 '서초 미네트'라는 이름의 주차 카드를 발견하고. '뭔가' 싶은 표정 잠깐. 그걸로 긁어내는 동훈.

Episode 6

그 이름의 건물 앞에 와 있는 동훈. 잠시 후, 윤희의 차가 온다. 윤희는 문제의 그 주차 카드를 꺼내 들어서 차단기에 대고, 차단봉이 올라가자 그 카드를 서랍 안쪽에 다시 넣는다. 그렇게 윤희의 차가 들어가고. 동훈은 숨죽여 그런 윤희의 차를 보고 있는데 그때 울리는 핸드폰. 박 상무 전화다. '어떻게 할 것인가, 어떻게 할 것인가.' 그런데 이어서 오는 준영의 차! 회사 차가 아닌 자신의 차를 끌고 왔다. 주차장으로 들어가는 준영의 차. 계속 울리는 동훈의 핸드폰.

S#15 — 술집 바 자리 (밤)

가만히 바에 앉아 있는 동훈. 안에는 바텐더가 있고.

⟨ Cut to ⟩

티슈에 준영의 전화번호를 써놓고, 통화 중인 동훈.

동훈　뭐 해? (일하는데, 왜?) 오늘 늦나? (왜?) 엄마가 곰국 가져가라는데.

통화하며 다른 한 손으로는 빌린 핸드폰에 준영의 번호를 입력하고 통화 버튼을 누르며

동훈　내일은?

S#16 — 윤희 모처 + 술집 (밤)

윤희　(준영을 보고) 내일도 나와봐야 되는데….

그때 준영의 핸드폰이 울리고. 동훈은 수화기 너머에서 들리는 벨소리를 듣고. '맞구나… 같이 있는 게 맞구나….' 준영은 울리는 핸드폰 쪽으로 움직이고.

윤희　(F) 내가 그냥 택시로 움직일게, 당신이 차 써.

동훈은 준영이 받기 전에 전화(빌린 다른 핸드폰)를 끊고.

동훈 알았어, 끊어.

전화를 끊고 빌린 핸드폰을 바텐더에게 건넨다.

동훈 여기. 잘 썼습니다.

동훈은 그저 조용히 술만 들이켠다. 잠시 후, 바텐더의 핸드폰이 울린다.

바텐더 여보세요. (사이) 아, 예. 죄송해요. 잘못 걸었네요.

약속된 멘트. 슬쩍 동훈을 본다.

S#17 —— 식당 룸 (밤)

왕 전무와 이사 세 명이 함께하는 식사 자리. 왕 전무는 통화 중이고.

왕 전무 박동훈 부장은 왜?
정 상무 (그 말에 쳐다보는)
왕 전무 (정 상무 보며) 낮에 감사실에서 박동훈 부장 책상 뒤집어엎고 난리였다는데…
 (혹시) 자네랑 상관있는 거야?

S#18 —— 부산 지사 사무실 + 식당 룸 (밤)

박 상무 (낭패다 싶고) 얼마 전에… 도준영 통화목록 박 부장한테 넘겼었습니다.
 살펴보라고. 아무래도 그게 걸린 거 같은데…
왕 전무 (!) 자네 당분간 박 부장한테 전화하지 마. 자네가 준 거라는 건 아직 모를 수
 있어. 있어봐. 알아볼게. 감사실에서 어디까지 아는지. 그런 걸 왜 함부로…

Episode 6

박 상무 근데, 거기서 박 부장이 뭔가 잡아낸 거 같습니다.

정 상무 !

나머지 이사들은 '무슨 상황인가' 싶어 보는.

S#19 — 동훈 집 침실 (밤)

[INS] 5화 26신: 동훈에게 해맑게 웃어 보이며 지나가는 준영. 그런 준영을 보는 동훈.

동훈　　(E) 그때 감 왔어요. 저 새끼… 나한테 죄졌다….

침대에 앉아 있는 동훈의 모습 위로

동훈　　(E) 그게 작년 봄이었어요… 작년 봄….

'그때부터였구나….'

[INS] 침대에서 남녀가 뒹구는 컷, 5화에서 자신을 보며 웃는 준영의 컷.

낮에 둘이 그런 짓을 하고 들어와 자신에게 친한 척했을 거란 생각.

⟨ Cut to ⟩

어둠 속에 동훈이 모로 누워 있는데. 도어락 소리. 문이 열리고 닫히는 소리.

⟨ Cut to ⟩

동훈 뒤로 옷을 갈아입고 욕실로 들어가는 윤희가 보이고. 이내 샤워하는 소리.

S#20 — 동네 일각 (다음 날, 아침)

무미건조한 동훈 얼굴. 조기축구회 복장으로 가방을 메고 꾸역꾸역 걸어간다.

S#21 — 학교 운동장 (낮)

운동장에는 어른들과 축구부 중학생들이 공을 주거니 받거니 하며 몸 풀고 있고. 한쪽엔 들통(어묵탕) 주변으로 모여서 술 한잔하고 있는 무리들. 그 틈에 주동자처럼 앉아 있는 상훈, 기훈, 진범이 동훈을 보고는

모두   왔냐? / 왔어?
동훈   (눈 내리깔고 가방을 툭 던져두고 화장실로)
진범   오자마자 화장실. 어제도 또 들이부었구만. 마후라 터졌냐?
동훈   (그냥 화장실 쪽으로)

S#22 — 학교 화장실 (낮)

괜히 두루마리 휴지를 푸는 동훈의 모습 위로

윤희   (E) 밖에서 마시고 들어와서 또 술.

S#23 — 동훈 집 거실 (낮) – 회상

삼 년 전쯤. 소파에 앉아 있는 동훈에게

윤희   곯아떨어질 때까지 술술. 아침이면 도살장 끌려가는 것처럼 죽지 못해 일어나 나가고. 당신 보면 짠하다가도 울화통 터져. 밖에 나가서 좀 봐! 딴 남자들 당신 나이에 어떻게 하고 사나 좀 보라고!
동훈   (정말 억울) 다 이래. 나처럼.

Episode 6

윤희   (돌아버리겠고, 울겠다)

S#24 ── 학교 운동장 (밤) – 회상

십 년 전쯤. 야밤에 싸우러 나온 상황.

윤희   오빠 인생에 일 순위가 누구야? / (분노) 가족이라고 뭉뚱그려 말하지 말고! /
        (설움) 당신 가족은 나, 당신, 우리 지석이. 이렇게 셋이야! 셋!
동훈   어떻게 셋이야….
윤희   (OL로 서럽게 울음이 터지며 자리를 떠버리고)

S#25 ── 동훈 집 거실 (밤) – 회상

일 년 전쯤. 식탁에 앉아서

윤희   (냉담, 여유) 당신은 몸만 여기 와 있는 거 같애. 마음은 아직 당신 집에서
        안 나왔어. 조선 시대가 딱이었는데. 여자 데리고 들어가 같이 살고. 그지?

동훈을 보는 윤희의 눈빛. '문제는 너야' 하는 것 같은.

S#26 ── 학교 운동장 (낮)

선글라스에 장갑까지 감독처럼 폼 나게 차려입은 제철이 들통 주변에 앉아 먹고 마시는 상
훈과 기훈에게

제철   어머니가 아시냐? 니들 아침부터 이렇게 처먹는 거? 이게 조기 음주회지,
        조기축구회야?
모두   (끽소리 안 하고 먹기만)
제철   아 안 찰 거야?

상훈	중학교 축구부래매? 재들이랑 찼다가 졌단 소리 듣느니 안 차는 게 나아.
제철	야, 박기훈.
기훈	저 오늘은 진짜 죽어도 못 차요. 진짜 죽을 거 같애.
진범	미안하다. 내가 허리만 좀 괜찮으면 차는데. 대신 축구부 애들 섭외해서 쪽수 채워놨잖냐.

그때 제철이 다가오는 동훈을 보고.

| 제철 | 동훈이 너 들어가. |
| 상훈 | 똥구녕도 아직 안 마른 놈한테. |

동훈은 점퍼를 벗고 맥없이 운동장으로 들어간다.

| 상훈 | 몸 풀고 들어가. 다쳐. |

⟨Cut to⟩

게임이 시작되고. 그저 공을 따라 이리저리 뛰는 동훈의 모습에…

S#27 — 요순 집 안방 (낮) – 회상

십 년 전쯤. 좋아라 하는 기훈, 뿌듯해하는 동훈. 요순은 표정 없이 품 안에서 자고 있는 손주만 토닥이고.

기훈	우리 집에도 이제 사짜 있는 거야? 햐. 똑똑하던 여자들도 애 낳으면 깜빡깜빡한다는데 형수 대단해. 한 방에 붙고. 멋진 여자야. (갓난 지석에게) 넌 좋겠다. 엄마가 변호사라.
요순	(뚱하게) 미안하다. 니 에미 무직이라.
기훈	뭐 얘만 좋아요? 우리도 좋지.
요순	뭐가 좋아? 변호사 덕 보면 사고 쳤다는 거지.
기훈	이래서 시짜야. 이래서 여자들이 불쌍하다는 거야. (일어나는)

요순   뭐가 불쌍해?

기훈   형이 사시 패스했어봐요. 형수 친정에서 잔치 벌였지. (나가고)

분위기 어색해져 말이 없는 요순과 동훈.

동훈   고생하셨어요. 지석이 키우시느라….

요순   (진지하고 서늘한 얼굴) 애비 너, 부지런히 올라가. 여자, 아무리 잘나봤자
          남자 평판 밑이라고, 여잔 남자가 제 밑에 있는 꼴은 못 보고 산다.

동훈   !

요순   그러니까 부지런히 올라가. 내 말 허투루 듣지 말고.

S#28 ─ 학교 운동장 (낮)

공을 쫓아 맥없이 움직이는 동훈. 모두 격렬하게 뛰고 차고 움직이는데, 공이 동훈에게 한
번도 안 온다. 그냥 맥없이 공이 가는 대로 이리저리 움직이다가 조용히 운동장을 나가버린
다. 뒤늦게 그런 동훈을 발견한 제철(감독인데 오늘의 심판). 휘슬을 분다.

제철   야! 박동훈!

동훈   (그래도 뚜벅뚜벅)

제철   공 차다 말고 어디 가?

동훈   (그냥 간다)

제철   야!

동훈   (뒤돌아서, 버럭) 공을 줘야 차지! 공을!

울분에 차 뚜벅뚜벅 가는 동훈. 들통 주변에서 술 마시던 상훈과 기훈, 뭔가 이상한 기운
에 일어나서 본다. 동훈은 점퍼와 가방을 휙 집어 들고 그냥 뚜벅뚜벅. 온몸이 서러우나 그
냥 뚜벅뚜벅.

S#29 —— 도심 (낮)

인파가 붐비는 거리를 걷는 동훈의 뒷모습. 아무 생각 없이 그냥 걷는다.

S#30 —— 학교 운동장 일각 (낮)

#상훈이 동훈에게 전화하는데 신호음만 가고. 기훈은 또래 남자와 붙어 싸우고. 주변에선
말리고.

기훈　　인정머리 없는 새끼들, 그래 너 잘 차 새꺄. 잘 차는 거 아는데 임마.
　　　　　직장인들이 일요일 아침에 일찍 나오기가 쉽냐? 뽈 한번 갖고 놀고 싶어서
　　　　　나오는데, 그걸 한 번을 안 주냐?

남자　　그래. 니네 형 대기업 다녀. 난 백수고 씨. 대기업 다니면 공 못 차도
　　　　　공 갖고 놀아야 돼?

기훈　　누가 공을 못 차, 우리 형이 이천수보다 잘 찼어 새꺄.

상훈　　(전화를 끊고 기훈을 말리며) 뺑치지 말고. 이천수 쫓아와.

#저쪽에선 중학교 축구부 학생들이 일렬로 뒷짐 지고 서서, 축구부 감독으로 보이는 남자
에게 혼나고 있다.

감독　　누가 허락 없이 동네 조기축구회에서 공 차래? 국가대표 선수들도 국제무대에선
　　　　　안 다쳐도, 조기축구회에서 뛰면 다친다고 했지. 저 인간들이 룰을 알고
　　　　　차는 줄 알아? 아침부터 술 처먹는 인간들하고 겁도 없이… 니들 누가 불렀어?
　　　　　누가 불렀어-?

학생　　(손 반쯤 들고) 저희 아빠가….

#소란스럽게 싸우는 무리 뒤로 경찰차가 들어오는 게 보이고. 진범이 건물 뒤편(교문 반대
편)으로 기훈을 잡아끌고. 상훈도 가방을 챙겨 든 채 기훈을 잡아끌고. 기훈과 시비 붙었던
놈이 들통을 발로 차버리자

Episode 6

기훈　(끌려가며) 저 개새. 너, 그거 씻어 와.

일렬로 서 있는 무리 속에서 학생이 이쪽을 향해 크게

학생　아빠! 아빠!

상훈　부르잖아.

진범　그냥 가아. (허둥지둥 기훈을 끌고 가는)

경찰이 차에서 내려서 무리에게 다가오자 제철이 마중 나가며

제철　저희 이제 다 끝났어요.

경찰　학교에서 술 먹고 그러면 안 돼요.

제철　저희 안 마셨는데.

S#31 — 학교 뒤편 (낮)

기훈이 개구멍을 통해 힘들게 먼저 빠져나오고. 안쪽에는 상훈과 진범이 있는데, 진범의 핸드폰이 울린다.

진범　아씨, 애 엄마 벌써 전화 와. 죽었다 씨이.

상훈　(나가며 기훈에게) 동훈이 전화해봐.

기훈이 전화하고, 개구멍을 통해 나오던 상훈의 모습에서 부욱 찢어지는 소리.

상훈　(엎드린 채로 가만) 아…씨….

S#32 ── 거리 일각 (낮)

같은 점퍼(조기축구회에서 맞춘)를 입고 거리에 서 있는 상훈과 기훈. 전화하고 있는 기훈 모습 위로 신호음만 계속. 민들레 꽃씨 날리는 듯 분위기 좋은데, 알고 보면 찢어진 상훈의 등짝에서 오리털이 날리고 있다. 동훈을 찾아 두리번거리며 정처 없이 걷는 두 사람.

Episode 6

S#33 ── 몽타주 (낮)

#이어폰을 끼고 빠르게 걷는 지안. 이어폰 속에선 동훈의 전화벨 소리, 차들이 달리는 소리가 들린다. 버스에 올라, 핸드폰을 본다. 위치 추적 프로그램에 동훈의 위치가 떠 있고.
#차들이 쌩쌩 달리는 다리 위에 멈춰 서서 강을 내려다보는 동훈.
#다리 위에 멈춰져 있는 점이 불안한 지안. 버스에서 내려 달리는데.
#동훈은 강을 보다가 다시 걷기 시작.

S#34 ── 거리 일각 (낮)

빠르게 걷는 지안. 점의 위치로 보아 동훈 가까이에 있는 듯. 속도를 내서 코너를 돌고. 코너를 한 번 더 돌면 바로 동훈이다. 그렇게 코너를 돌아가면 보이는 동훈의 뒷모습. 안심. 천천히 동훈에게 다가가려는데!

상훈 (E) 어디 갔다 이제 와?

상훈과 기훈이 동훈의 저 앞에 서 있다.

상훈 전화는 왜 안 받어?

동훈은 눈만 내리깔고 가는데, 열 받은 상훈이 발로 동훈의 엉덩이를 차버리고.

상훈 애냐? 공 안 준다고 삐져서 나가게?

멀리서 그런 모습을 보는 지안. 안심이 되기도 하고 서운하기도 하고 자꾸 돌아보며 간다.

S#35 ── 어느 산자락 캠핑장 (낮)

마음이 시원해지는 듯 겨울 산을 훑는 윤희의 얼굴. 돌아서서 준영에게 가며(윤희는 색깔 있

윤희   캠핑 좋아하는지 몰랐네?

다른 텐트는 없고 준영의 텐트만 있는 상황. 텐트며 식탁이며 장비가 수준급. 준영이 장작
불을 피우고 있다.

준영   내가 이런 거 좋아할 거 같애? 노인네 때문에 하는 거지.

윤희   회장님 캠핑 좋아하셔?

준영   (커피를 만들며) 캠핑은 아니고, 불 때우는 걸 좋아하셔. 한겨울에 이런 데
           장박 잡아놓으면 시간 날 때마다 와서 불 때우셔. (이해할 수 없다는 듯)
           하루 종일 불만 피워. 불 앞에서 꼼짝도 안 해. 말도 안 하고.

윤희   의외로… 침잠하는 스타일이신가 보네.

준영   침잠은. 자기 살던 바탕 못 버리는 거야. 시골틱한 바탕. (윤희에게 커피 주고)

윤희   매일 골방에만 갇혀 있다가 이렇게 나오니까 좋다….

그때 준영의 2G폰이 울리자 액정을 보고는 그냥 끊어버리고.

윤희   …누구야?

준영   스팸.

윤희   …저번에 그걸로 통화한 사람 누구야? 그 전화받고 바로 나가고.

준영   내가 너 말고 비밀리에 통화할 사람이 누굴 거 같애? (모르겠어? 감 안 와?)

윤희   ?

준영   동훈 선배 자르는 일 하던 애야.

윤희   …애? …그 애 아냐? 나한테 알아봐달라고 했던 여자애. 살인 전과 있던.

준영   맞아.

윤희   (조용히 철렁하고) 아예 살인 청부를 하지 그랬어?

준영   !

윤희   그렇게 위험한 애한테 어떻게 그런 일을 시켜? 무슨 짓을 할 줄 알고.
           정상적이지 않은 애잖아.

Episode 6

준영   정상적인 일이 아닌데 어떻게 정상적인 사람이 해?

윤희   !

준영   …

윤희   박 상무도… 개가 한 짓이겠네?

준영   …

윤희   … (오 마이 갓)

준영   다 끝났어. 그만둘 거래매, 동훈 선배?

윤희   …

준영   개만 조용히 정리하면 돼.

가만히 있는 윤희… 타들어가는 장작….

S#36 —— 형제 청소방 앞 (밤)

닫힌 청소 사무실을 기웃대며 전화하는 유라. 손에는 음식점 봉지가 들렸고.

유라   (살짝 취해서 상냥하게) 어디 계세요? 맛있는 거 사왔는데. 명란계란말이.

       이거 뜨거울 때 먹어야 되는데. 어디 계세요?

고급 외제차에 타고 있는 무리들. 5화에 나왔던 조감독이 운전석에 앉아 있고.

조감독   우리가 그리 간다 그래.

여자애   대박. 세상 잘난 척하던 인간의 끝이, 여기야? 할리우드도 껌으로 알던 인간이.

유라   (기죽어 무리를 보며) 같이 술 먹다가, 감독님 보고 싶대서. 감독님도 다 아는

       애들인데… (가만히 듣고 있다가, 끊긴 듯 핸드폰을 내리고) 그렇게 크게 말하면

       어뜩하니? 다 들리게? 예의가 없어. (아쉬운 듯 핸드폰을 만지작)

S#37 — 포장마차 (밤)

똑같은 점퍼를 입고 있는 삼 형제. 셋 다 어느 정도 취했고. 기훈이 열 받아 핸드폰 내려놓으며

기훈   이 미친 그랜드 캐년은! …다음 생에 두고 봐.

동훈   넌 또 태어나고 싶냐?

기훈   당연하지. 이번 생은 망했고, 다음 생에 내가 끝내주게 잘 풀려서 제대루
         밟아줄 테니까, 기다리라 그래.

동훈   너 전생에 그렇게 이 악물고 다음 생에 꼭 보자 해서 만난 인간들이,
         지금 그 인간들이야.

기훈   …그럴 리 없어.

상훈   (갸웃) 맞는 거 같은데.

기훈   절대 그럴 리 없어. 내가 이렇게 허술하게 준비도 없이 그 인간들을
         맞이했을 리가 없어. 이번 생에 튀어나온 인간들이야. 백 프로.

동훈   이번 생에 만난 인간들은 이번 생에 까부수고… 제발 그만 좀 태어나자.

상훈   그만 태어나긴… 또 아쉽지.

동훈   뭐가 아쉬워?

상훈   안 태어나면… (생각해보는데 아득해지는) 뭐 해? 심심하게?

동훈   형은 재밌어, 인생이?

상훈   (자기 인생에 쭈뼛쭈뼛하게 되고) …재미는 있어. 돈이 없어서 그렇지.

동훈   (그냥 술을 마시고)

찢어진 상훈의 등짝이 보이고. 허름하고 쓸쓸한 삼 형제의 모습.

S#38 — 정희네 앞 (밤)

'기훈이 있나 없나….' 가게 안을 기웃거리는 유라. 안에는 제철과 조기축구회 무리들. 옷차림이 아침 그대로다. 안에서 정희가 그런 유라를 보고 나오고.

정희   기훈이 안 왔는데.

유라	어디 있는지 모르세요? (시종일관 상냥)
정희	몰라. 전화해봐. 어디 삼 형제랑 같이 있겠지.
유라	아… 감독님 삼 형제구나. 형젠 줄 알았는데.

제철이 나와서 유라를 힐끗거리며 담배를 입에 물고 한쪽으로 가다가 휘둥그레

제철	어어, 맞죠. 그 연예인. 최유라.
유라	네. 안녕하세요.
제철	(악수 청하며) 아, 반가워요. **빌라 401호라면서요?
유라	그걸 어떻게 아세요?
제철	(아쉬운) 아… 우리 만날 뻔했는데. 내가 거기 계단 청소하다가 기훈이한테 넘겨준 거예요.
유라	아… 그랬구나. (꾸벅) 고맙습니다.
제철	사람인가 아닌가 했네, 너무 이뻐서.
유라	(수줍은 웃음)
제철	요즘에도 그렇게 술 마셔요?
유라	이젠 그렇게 안 마셔요.
정희	왜? 끊었어?
유라	아뇨. (수줍은) 안 먹어도 기분 좋아요.
정희	왜?
유라	그냥… 모르겠어요. 기분이 좋아요.
정희	기훈이가 망해서?
유라	풉… 잘 모르겠어요.
제철	(뭔 소린가 싶어서 보는)
정희	이해해. 나도 어떤 놈 하나 있거든. 완전 쫄딱 망해서 나 찾아와서 엉엉 울었으면 하는 인간. 병이라도 확 걸려라 씨이.
유라	(정희에게 하이파이브하며) 동지!

S#39 ── 동네 일각 (밤)

삼 형제가 터덜터덜 걷는데

상훈   배 터지게 먹었으면 배가 아파야 되잖아. 왜 허리가 아플까?

기훈   늙어서 그래.

상훈   이 자식은 기승전 늙어서야. 백 세 인생에 반 토막도 안 왔다 임마.

기훈   먼저 가. 담배 사갖고 갈게.

기훈이 편의점으로 들어가고… 천천히 걸어가는 상훈과 동훈. 상훈은 덤덤한 동훈의 얼굴을 한 번 힐끗 보곤…

상훈   (낮의 일이 신경 쓰여) 왜? 기력이 딸리냐?

동훈   …

상훈   남자 사춘기 두 번 온다. 기운이 올라올 때 한 번, 기운이 줄 때 한 번.
          기운 안 줄라고 용쓰면 흉하다. 짜증만 나고. 그냥 조용히 까라져야지.

동훈   …

상훈   옛날처럼 공 찰 생각 마. 그냥 슬슬 움직여. 다 그래.

동훈   …

S#40 ── 아파트 단지 내 (밤)

술 취해 숨소리만 거친 동훈의 뒷모습. 그러다가 뭘 봤는지 멈춰 서면. 핸드폰을 하며 아파트로 가는 윤희가 보이고. 공동 현관 키를 대고 들어가는 윤희를 보자, 동훈이 그쪽으로 뛴다.

S#41 ── 아파트 로비 (밤)

동훈이 문 닫히기 직전에 뛰어 들어와 유리문이 타당 흔들리고. 윤희는 기겁하며 돌아보고.

Episode 6

동훈은 문에 걸려 비틀했으나 똑바로 윤희를 보고.

윤희   깜짝이야. (앙칼진) 놀랬잖아!

동훈   (숨소리는 거칠지만, 뭔가 결연한 얼굴로 윤희를 보는데)

윤희   (동훈의 행색을 보고는) 아침에 공 차러 나가서 지금 들어오는 거야?

동훈   …

윤희   대단하다.

동훈   (억울한데 할 말 없고)

S#42 — 아파트 엘리베이터 안 (밤)

윤희는 톡을 하고, 동훈은 가만있는데. 잠시 후,

동훈   왜 불 냄새가 나?

윤희   (자기 옷 냄새를 맡아보고는 톡을 하며) 장작 구이 먹어서 그런가 보지.

동훈   … (무표정하지만 터질 듯 위태로운 얼굴, 거친 숨소리)

S#43 — 동훈 집 침실 (밤)

동훈은 옷도 갈아입지 않고 가만히 앉아서 거친 숨만 내쉬고. 열린 문틈으로는 왔다 갔다 하는 윤희가 보인다. 가만히 있다가 점퍼 지퍼를 열고 벗다가 팔을 다 빼지 못하고 또 가만.

S#44 — 지안 집 (밤)

이어폰에서 들리는 동훈의 숨소리 위로 쾅쾅쾅 문 두드리는 소리. 지안 집 문을 두드리는 소리이나, 지안은 이어폰을 꽂고 있어서 못 듣고. 봉애는 원래 귀가 안 들려 평온한 얼굴로 화면만 나오는 TV를 보고 있고.

S#45 — 지안 집 앞 (밤)

검정 양복을 차려 입은 광일의 손에 봉지가 들려 있고, 술이 좀 돼 보인다. '불이 켜진 창문을 봐서는 안에 사람이 있다는 건데.' 보다가 광일은 나쁜 손버릇으로 문을 따기 시작. 그러고는 문을 확 열고 들어가는데.

S#46 — 지안 집 (밤)

쾅! 문이 닫히는 소리와 함께, 찬 공기가 훅 들어오며 바람이 일자 순간 철렁해서 돌아보는 지안. 광일을 보고는 "아악-" 비명. 봉애도 광일을 보고 놀라고. 광일도 봉애를 보고.

광일	뭘 놀래 씨이. 한참 두들겼어 년아. 지가 못 들어놓고.
	안녕하세요 할머니, 오랜만이에요. 어떻게 사시나, 살아는 계시나 궁금했었는데.
	(지안에게) 이래서 집에 못 들어오게 한 거냐?
지안	나가-!
광일	시끄러 씨! 야. 내가 노인넬 패겠냐 뭘 하겠냐. 가만 냅둬도 좀 있으면 죽을 노인네.

광일이 장 봉지를 내려놓는데 과일이며 포 같은 제사 음식이 흘러나오고.

광일	(봉애 앞에 앉으며) 어떻게 딱 오늘 같은 날 만났대요.
	(산적이 든 비닐봉지를 풀며, 크게) 할머니! 오늘이! 우리 아부지 제사예요.
	할머니 손녀가! 우리 아부지 죽인 날!
지안	!
광일	제사 음식은 나눠 먹는 거라는데, 내가 나눠 먹을 사람이 있어야죠.
	(지안에게) 통역 안 하냐?
지안	…
광일	(봉애의 입에 고기를 대주며) 드세요.

봉애가 겁먹어 눈치 보고, 지안은 장바구니에서 삐죽 나온 (조금 비워진) 정종 병을 본다.

Episode 6

광일 고기 드시고, 오래오래 사셔서 손녀딸 오래오래 고생시켜야죠. 드세요.

봉애가 한입 무는 순간, 지안이 정종 병을 빼 들어 광일을 내려치려는데, 광일이 지안의 팔을 탁 잡고. 서로의 시선 왔다 갔다… 부들부들 떨리는 두 사람의 손…. 봉애는 다급한 마음에 "우에우에" 기괴한 소리를 내며 참으라고, 하지 말라고 수화. 그런 봉애의 시선에서 우당탕탕 아웃되는 광일과 지안. 그들을 시선으로 쫓아가며 계속해서 기괴한 소리를 내는 봉애.

광일 (E) 이 (쌍)년이 어디 아들하고 아비하고 제삿날을 똑같이 만들라고.
지가 사람 죽인 날도 기억 못 하는 년이!

S#47 — 지안 집 앞 (밤)

[INS] 5화: 동훈, 가만히 있다가 지안을 보며… "착하다…."

지안은 얻어터진 얼굴로 앉아서 핸드폰으로 도청 녹음 파일을 반복 재생한다.

동훈 (E) 착하다….

가만히 있다가 또 리플레이… "착하다…."

S#48 — 회사 외경 (낮)

S#49 — 감사실 취조 방 (낮)

이 부장과 동훈의 독대.

이 부장 저번주 목요일에 회사에 남아서 뭐 하셨어요? 밤새 전화통 붙들고 계셨던 거 같은데. 어디에 전화를 그렇게 하셨어요?
동훈 …

이 부장	박동훈 부장님.
동훈	회사에서 전화 쓰는 게 감삿거리가 돼요?
이 부장	제보가 있었어요. 부장님이 도준영 대표님 뒤를 캐신다는.
동훈	!
이 부장	대표님 통화목록 가지고 밤새 확인 전화 돌린 거 아녜요?
동훈	…
이 부장	제보는 있는데 물증은 없고. 더 조사하기도 뭐하고, 안 하기도 뭐하고. 근데 이거 밖으로 새어 나가면 양쪽 다 기스예요. 도준영 대표는 뭐 구린 게 있나, 왜 부하 직원이 뒤를 캐고 다니나…. 박동훈 부장은 후배가 머리 위에 앉았다고 배알 꼴려서 그러나, 왜 끌어내리지 못해서 안달인가….
동훈	!
이 부장	이거 누구 하나 나갈 때까지 계속 이럴 거 같은데, 뭐 잡은 게 있으면 한 방을 내놓던가요.
동훈	…
이 부장	뭐 있긴 있는 거네요. 그죠? 주세요, 그럼.
동훈	… (가만히 보다) 대표이사 손아귀에 있는 감사실에다가, 대표이사 비리를 말하라고 하면… 누가 하겠어요?
이 부장	!

S#50 — 대표이사실 (낮)

준영과 윤 상무 있고,

윤 상무	제보가 있었답니다. 박동훈 부장이 대표님 뒷조사하고 다닌다는. 이 인간이 잘리려고 작정을 했어요. 어디 감히 대표님 뒤를 캐요? 회식 때 그 일 이후로 이 인간 완전 돌아서 독기 품고 움직이는 거 같은데, (본론) 대표님이 강하게 어필하셔서, 이번엔 반드시 박동훈 잘라내야 합니다.
준영	그냥 감사실에서 알아서 처리하게 두죠.
윤 상무	감사실에서도 물증을 못 찾은 거 같은데, 이러면 이 인간 또 빠져나가요. 이건 그냥 대표님이 "잘라라…" 지시만 내리시면 바로 잘릴 건수예요.

준영   그렇게 자꾸 몰아붙이면 그 제보 꼭 우리가 한 거 같잖아요.

윤 상무   ……그건 아니죠.

준영   괜한 오해 살 짓하지 말고, 그냥 감사실에서 알아서 처리하게 돼요.

            자를 사안이다 싶으면, 회장님께 보고하고 자르겠죠. 어련히 알아서 할까.

윤 상무   …

S#51 —— 감사실 앞 (낮)

동훈이 감사실에서 나오고, 이 부장은 안에서 동훈을 의미 있게 본다.

S#52 —— 복도 (낮)

정 상무는 괜히 기웃대다가, 동훈이 오는 걸 보자 우연히 만난 척.

정 상무   뭔데 그래? 왜 불렀대?

동훈   별거 아닙니다.

정 상무   말해봐. 괜찮아. 우리 한편인 거 몰라? (슬쩍) 박 상무님한테 대충 얘기 들었는데….

그때 도준영과 윤 상무가 오자, 정 상무는 가볍게 인사하고.

준영   (정 상무 듣게) 불만 있으면 저한테 직접 말씀하세요. 괜히 제 뒷조사하지 말고요.

            기분 그러네요. 꼭 저한테 무슨 구린 거 있는 것처럼.

정 상무는 듣고 있기 계면쩍어 먼저 자리를 뜨고. 준영과 윤 상무가 가고, 가만히 제자리
에 있는 동훈.

S#53 —— 사무실 (낮)

지안이 자판을 치고 있는데, 김 대리가 다가와

김 대리   에이포 용지 좀.

지안이 자판을 치면서 발로 서랍을 잡아 빼주는데, 보고 있던 김 대리가 발로 서랍을 쾅 밀어 닫고.

지안   !
김 대리   다시 해봐.

모두들 긴장해 이쪽을 보는데

김 대리   다시 해봐!
형규   (다가와 말리며) 대리님.
김 대리   어디 발로 열어 씨? 너 뭐 믿구 배짱이야. 뭐 믿구 파견직이 정규직한테 갑질이야?
형규   그만하세요.

들어와서 보는 동훈. 무슨 상황인가 싶고. 동훈이 다가오자 김 대리는 자기 자리로 가고. 그렇게 마무리되는 분위기. 철렁한 형규가 서랍에서 에이포 용지를 꺼내 가고. 동훈은 지안을 보는데….

S#54 — 복도 (낮)

동훈, 형규, 채령 셋이 서 있는데

채령   솔직히 이지안 씨 문제 많아요. (의미 있게) 부장님도… 아시잖아요….
동훈   (애가 무슨 말을 하는 건가, 조용히 철렁)
채령   사무실 분위기 더 안 좋아지기 전에 정리하는 게 맞는 거 같아요. (형규 보며)
     난 그렇게 생각하는데….
형규   (고개 숙이고 외면)

그때 채령 핸드폰이 울리자 받으며 자리를 이탈하고

동훈	무슨 상황인지 자초지종 말해봐. 걔가 발로 서랍 여는 거 한두 번이야?
형규	그때… 부장님 이지안 씨한테 왜 그만두라고 하셨어요?
동훈	(그건 왜 묻나 싶은)
형규	그냥… 같은 맥락일 수 있겠다 싶어서요.
동훈	무슨 말이야. 알아듣게 말해.
형규	대리님은 회식 자리에서 자기가 침 뱉었다고 맞은 줄 아는데….
동훈	누구한테 침 뱉었는데?
형규	누구한테 뱉은 게 아니고요, 그냥 그릇에 뱉었는데.
동훈	근데 누구한테 맞아?
형규	…이지안 씨요.
동훈	!
형규	이지안 씨가 대리님… 뺨 때렸어요. 아주 세게.
동훈	!
형규	다들 취해서 자리도 많이 비었고, 몇 명 못 봤는데. 그때… 대리님이 했던 말이… 거슬렸던 것 같아요.
동훈	뭐라고 그랬는데?
형규	(무마하자 싶어) 그냥… 취해서 한 말이에요.
동훈	뭐라고 그랬는데?

S#55 — 지하철 플랫폼 (밤)

동훈이 계단을 내려와 전철을 기다리며 서 있는 지안에게 다가가고

동훈	(조금 화가 난 상황) 김 대리 왜 때렸어? 뭐라고 했길래 때렸어?
지안	…
동훈	어디 겁 없이 사람 뺨을 때려? 뺨 때리고 뺨 맞고. 그런 거 드라마에서나 흔한 일이지, 일반 사람들이 평생 살면서 한 번이나 있는 일인 줄 알아?
지안	…
동훈	왜 때렸어?
지안	…

동훈	김 대리가 너한테 뭐라고 욕했어?
지안	…
동훈	아니면, 추근댔어?
지안	…
동훈	왜 때렸냐고?
지안	아저씨 욕해서요.
동훈	!

서로의 시선 왔다 갔다….

지안	자기 같았으면 벌써 그만뒀다고. 구박받는 상사 옆에서 보고 있기 고역이라고.
	이 모든 사태는 잘난 도준영 잘못이 아니고, 못난 부장님 잘못이라고.
동훈	!

지하철이 빠르게 들어오고. 황망하고 쓸쓸하게 시선을 외면하는 동훈.

S#56 ── 지하철 안 (밤)

동훈은… 불쾌하고 서럽다. 버림받은 패잔병 느낌. 아내의 불륜을 알고도 참아왔던 마음이 엄한 데서 무너진다. 지안은… 골난 사람처럼 동훈을 쳐다보지만, 괜한 얘기를 했나 싶고.

S#57 ── 동네 일각 (밤)

서러움을 꾹 눌러가며 떨리는 음성으로 통화하는 동훈.

동훈	다 들었어. 너 왜 뺨 맞았는지. 모른다고 말하지 말고 새꺄! (우렁차게)
	"잘못했습니다! 잘못했습니다!" 열 번 말해. 얼른!

S#58 — 선술집 + 동네 일각 (밤)

김 대리 (일어나 차렷 자세로 덩달아 울컥해서, 우렁차게) 잘못했습니다! 잘못했습니다!
　　　　잘못했습니다! 잘못했습니다!

같은 테이블에 있는 송 과장과 형규는 가만히 있고. 서글픈 동훈 얼굴 위로 반복해서 들리
는 김 대리의 "잘못했습니다!" 그렇게 열 번이 끝나고. 말이 없는 양쪽.

동훈　우리… 이러지 말자. 내가… 너한테까지 마음 아프고 싶지 않다.
김 대리　부장님 사랑합니다!
동훈　미친놈.
김 대리　진짜 사랑합니다!

동훈이 전화를 확 끊어버리고. 김 대리는 털썩 자리에 앉고. 미안하고 마음이 안 좋다.

송 과장　(잔을 들고) 됐어. 마셔.
김 대리　…

S#59 — 동네 일각 (밤)

전화를 끊고 가만히 있는 동훈. 지안은 좀 떨어져서 그런 동훈을 보고 있고.

동훈　(흥분했던 감정이 남은 채로) 인간 다 뒤에서 욕해. 친하다고 욕 안하는 줄 알아?
　　　　인간이 그렇게 한 겹이야? 나도 뒤에서 남 욕해. 욕하면 욕하는 거지.
　　　　뭐 어쩌라고. 뭐 어쩌라고 일러. …쪽팔리게. (말끝에 서러움이 터질 뻔하고)
지안　…
동훈　…미안해. 내가 다그쳐놓고.
지안　…
동훈　… (가려다가) 고마워. …때려줘서.

그러고 가는 동훈. 그런 동훈을 보는 지안.

S#60 ── 동훈과 지안의 단골 술집 (밤)

(＊ 동훈과 지안이 가는 술집은 6화부터 고정 장소) 동훈과 지안이 바 쪽에 나란히 앉아 술 마시는
데. 동훈은 괜히 이리저리 둘러보고, 집중하지 못하고 마음이 흩어진다. 그렇게 딴짓하다가

동훈 누가 욕하는 거 들으면 그 사람한테 전달하지 마. 그냥 모른 척해.
니들 사이에선 다 말해주는 게 우정인지 몰라도, 어른들 사이에선 안 그래.
모른 척해주는 게 의리고, 예의야. 괜히 말해주고 그러면… 그 사람이 널 피해.
내가 상처받은 거 아는 사람. 불편해. 보기 싫어.

슬로우로 술잔이 채워지고, 상처를 누르는 동훈의 표정 등이 흐르며

동훈 (E, 아내 생각에 잠잠해지는) 아무도 모르면 돼…. 그럼 아무 일도 아냐…
아무도 모르면… 아무 일도 아냐….

역시 슬로우. 지안이 말하는 동안 광일의 아버지를 찔렀던 장면, 그리고 지안의 얘기가 와
닿는 듯한 동훈의 얼굴이 중간중간 들어가며

지안 (E) 그러면… 누가 알 때까지 무서울 텐데. 누가 알까… 누가 알까….
만나는 사람마다, 이 사람은 언제쯤 알게 될까. 혹시… 벌써 알고 있나….
어쩔 땐… 이렇게 평생 불안하게 사느니… 그냥 세상 사람들 다 알게 광화문
전광판에 떴으면 좋겠던데….

[INS] '이지안 살인자' '칼로 사람 찔러'라는 글귀가 전광판에 뜬다.

다시 술잔이 채워지고, 천천히 잔을 비우는 그림 위로

동훈 (E) 모른 척해줄게. 너에 대해서 무슨 얘기를 들어도, 모른 척해줄게.

…약속해주라. 너도 모른 척해준다고. …겁나. 너는 말 안 해도 다 알 것 같아서.

S#61 — 형제 청소방 외경 (낮)

S#62 — 형제 청소방 (낮)

상훈과 기훈이 말없이 도시락 먹는 와중에 천천히 또각거리는 구둣발 소리. 상훈은 기훈의 눈치를 보며 한쪽을 힐끗 보는데, 유라가 들뜬 얼굴로 천천히 사무실을 둘러보다가 벽에 붙은 월간 계획표 앞에 멈추고. 매주 가는 곳이 일정하기에 빨간 줄로 요일을 분리하여, 그 요일 아래 건물 이름을 쭉 적어놓았다. 그중 목요일 칸에서 한 이름을 발견하고는,

유라   요기 있다. 우리 빌라.

사랑스럽게 빌라 이름을 보다가, 다시 천천히 둘러보며

유라   제가 원래 이 시간엔 잘 안 돌아다니거든요. 한겨울엔 해 뜨고 한참 지나야
        눈이 떠지는데, 요즘엔 여덟 시만 돼도 빨딱빨딱 일어나요. 겨울만 되면 진짜
        땅 파고 들어가고 싶을 정도로 절망적이었는데, 신기해요. 마음이 꼭…
        봄 같아요.

⟨ Cut to ⟩

상훈과 기훈이 도시락을 다 먹고 정리하는 분위기. 유라는 두 사람 앞에 앉아 눈으로 둘러보며

유라   (잠잠해지는) 여기 이러고 있으니까… 내가 뭔가 특별해지는 느낌이에요.
        뭐랄까. 빛나던 천재의 몰락의 순간을 함께하는 느낌이랄까. 빛나던 한때가
        있는 사람은… 몰락한 순간도 왠지… 있어 보여요.
기훈   (상훈에게) 얘 얻다 신고해야 돼? 112야, 119야?
상훈   (커피를 뽑으려는 듯 동전을 챙겨서 일어나고)
유라   (상훈에게 테이블에 놓인 커피를 밀며) 이거 드세요. (다른 봉지 열며) 파이도 있는데.

상훈이 나가면, 기훈은 유라를 가만히 보다가

기훈   너 남자한테 안 맞아봤지?

유라   (주눅 들지만 배시시) 한 번도요.

기훈   너 나 되게 젠틀하게 보나 보다? 알 텐데 나 어떤 인간인지?

유라   …

기훈   니가 배우로 잘 풀려서 여기 와서 이러면, 내가 이해해. 니 욕 다 받아줘.
          욕먹어도 싸지. 실력 있는 배우, 연기 못 끌어내고 지랄만 떤 내 잘못인데.
          근데, 너 안 풀렸잖아.

유라   …

기훈   니가 연길 잘했으면 딴 감독 손에서라도 풀렸어야지.

유라   … (기죽었으면서도 여전히 입가에 미소. 정색할 줄 모르는 캐릭터)

기훈   연기 드럽게 못하면서 어디서 지 안 풀린 게 내 탓이래. 너 자꾸 내 손에
          병신 됐다고 그러는데, 나 너 때문에 망했어. 찍다 엎은 감독이라고,
          제작사 손해 입힌 감독이라고 소문 다 나고. 내가 그거 땜에 몇 년을 죽 쒔는데.

유라   (무마해보려고 갑자기 활짝) 죄송해요.

기훈   (OL로 벌떡 일어나며, 책 쳐들고) 웃지 마, 이 씨이!

유라   (눈을 질끈 감고)

S#63 — 형제 청소방 앞 (낮)

쫓겨나듯 확 사무실을 나오는 유라. 자판기 커피를 마시고 있는 상훈을 보고는

유라   (그 와중에도 상냥하게) 아직도 자판기 커피 마시는 사람이 있나 봐요. 이거 장사 돼요?

그때 기훈이 장비를 들고 나와

기훈   안 가나−?

그 말에 유라는 바로 또각또각 뒤돌아 가는데… 표정이 별로다.

기훈   또 오기만 해봐 씨이.

상훈   왜 그르냐 여자한테. 나쁜 애 같진 않은데.

기훈   (차로 가며) 세상에서 젤 나쁜 년이 눈치 없는 년이야. 몰라?

굳은 얼굴로 뚜벅뚜벅 가는 유라. 기훈을 돌아보곤 간다.

S#64 —— 감사실 (낮)

회장과 이 부장의 독대. 얘기를 다 들은 회장은 가만히 있다가…

회장   박동훈은 도 대표 뒤를 왜 캤대?

이 부장   아마 그때 오천만 원이 누군가 자길 물 먹이려는 수작이었다고 생각하고
그 증거를 찾으려고 했던 것 같습니다.

회장   그 누군가가 도 대표라고 본 거고.

이 부장   네.

회장   굳이… 도 대표가 박동훈을 잘라낼 이유가 있나?

이 부장   얘기는 안 하는데, 뭔가 잡긴 잡은 눈친데, 저희는 회장님 직보 라인이라고
해도… 믿지 못하는 눈치입니다.

회장   …

S#65 —— 대표이사실 앞 (낮)

대표이사실 문 앞에 서 있는 동훈의 뒷모습. 무슨 생각인지 그렇게 가만히 서 있는데, 비서
가 데스크에서 그런 동훈을 보다가

비서   대표님 언제 들어오시는지 전화드려볼까요?

비서가 보다가 전화를 드는데, 조용히 돌아서는 동훈. 비서는 도로 전화를 내려놓고.

S#66 — 감사실 앞 (낮)

감사실에서 회장이 나오고, 이 부장이 나와 목례로 배웅하고. 기다리던 왕 전무가 따라 걸으며

왕 전무 무슨 일이래요?
회장 별일 아냐.

S#67 — 사무실 복도 (낮)

회장과 왕 전무가 대표이사실 쪽으로 가다가, 동훈과 마주치고. 동훈이 정중히 인사하는데

회장 어, 그래. 오랜만이야. 자네 혹시 골프 치나?
동훈 죄송합니다. 전혀 못 칩니다.
회장 그래? 그럼 운동 뭐 좋아해?
동훈 …축구는 좀 합니다.

그때 준영과 윤 상무가 잰걸음으로 오고.

준/윤 오셨어요. / 오셨습니까.
회장 어. (다시 동훈에게) 축구는 내가…
왕 전무 큰일 나요. 그런 거 하시면.
회장 그지? 그럼 뭘 같이 해야 되나.
준/윤 (표정)
회장 (왕 전무에게) 족구 정도는 내가 하지 않을까?
왕 전무 살살 하시면요.
회장 (동훈에게) 내가 몸 좀 풀어보고 자네한테 연락할게. (가고)

동훈이 고개 숙여 인사. 회장을 따라서 가는 무리들.

회장 어디 갔다 와?

Episode 6

준영	식사하고 왔습니다. 유명산에 장박으로 캠핑장 세팅해놨습니다. 화목 난로도.
회장	(멈춰 보는. 마음이 화해지는 듯) 화목 난로… 장작 잘 타겠다. 언제 가? 오늘 갈까?
준영	(다시 가며) 오늘은 그렇고, 내일 가시죠. 제가 모시러 갈게요.

그들의 대화에 뭔가 생각났는지 가만히 있는 동훈.

S#68 —— 윤 상무 방 (낮)

윤 상무가 자리에 앉아 건들거리며 동훈을 본다.

윤 상무	노인네가, 이상한 로망이 있어. 약자 응원하는.
동훈	!
윤 상무	밑에서 꿈틀대면서 올라오는 걸 좋아해. 자기가 그렇게 컸다 이거지. 밑바닥부터. 괜히 쓸잘데기 없이 청소부한테 말 걸고….

[INS] 회장이 청소하는 춘대에게 상냥하게 말을 걸고. 춘대는 공손하게 응대.

| 윤 상무 | 직원 식당 가서 말단 직원들 이름 불러주고. 회장님이 내 이름 불러주고, 내 어깨 한번 지그시 눌러줘봐. 걔 회사 위해서 목숨 바친다. 그걸 알아, 그 노인네가. 일 못하잖아? 바로 눈빛 변해. 내가 봤잖아 그거. (결론) 괜히 들뜨지 말라고. 알아들어? |
| 동훈 | ! |

S#69 —— 약국 앞 (밤)

밖에서 보이는 약국 안의 풍경을 보면, 동훈이 약국 의자에 혼자 앉아 있다가 약사가 조제실에서 나오면 일어나 다가서고. 약사의 설명을 들은 동훈이 돈을 내고 약 봉투를 챙겨 개수대 쪽으로. 한 봉지를 까먹고는 밖을 보는 동훈.

S#70 — 약국 (밤)

통화 중인 동훈.

동훈   언제 와? …늦나?

S#71 — 윤희 모처 + 약국 (밤)

슬립 차림으로 옷을 입다 말고,

윤희   금방 끝나. 왜?

준영은 양주를 따라서 한편으로 가며 윤희를 보고

동훈   저녁 같이 먹을까 하고.
윤희   난 먹었는데.
동훈   …알았어.

전화를 끊고 가만히 있는 동훈.

S#72 — 윤희 모처 (밤)

준영   동훈 선배 그만두는 거 확실해?
윤희   왜?
준영   그냥. 그만둘 사람 같아 보이지 않아서.
윤희   그럼 당장 사표 쓸 줄 알았어? 나랑 일주일도 안 된 얘기야.
          나와서 사업체 차리려면 준비해야 될 게 한두 가지야? (다시 옷 입으며)
          오래 안 걸려. 괜히 이상한 짓하지 마.
준영   동훈 선배, 아직 많이 사랑하나 봐?

윤희	(휘릭)
준영	말투가 그래. 기분 나쁘게.
윤희	동훈 씨 억울하게 잘려서 나쁜 마음먹으면 어쩌려고? 우릴 위한 최선이야.
	(다시 입으며) 걱정 마. 금방 나올 거야.
준영	(표정)

S#73 — 술집 (밤)

조감독과 여자애, 그 외 두어 명이 신나라 떠들고, 유라는 심드렁한 얼굴로 술잔만 들이켠다.

남1	인간이 웬만큼 나쁘지 않고서는 선배들이 그렇게 나 몰라라 하지 않아.
	오죽 싸가지면 하나같이 다 등 돌리냐? 최 감독님이랑도 아작 났대매?
조감독	최 감독님한테 어퍼컷 날리고 나왔단다.
남1	미친….
조감독	그 인간 이 바닥 발 못 붙여. 그래서 청소하는 거잖아. 지는 한 편도 못 만들면서
	남의 영화 깔 때 보면… 완전 천재야. 세상 제일 잘났어. 내가 그런 쓰레기한테
	한 번도 들이받지 못하고 나온 게 천추의 한이다.
여자애	풀어, 그 한. 너 이번에 영화사 차리면 그 인간하고 계약해. 버리는 셈 치고
	삼천만 원에 계약해서 일 년 내내 들들 볶아서 죽고 싶게끔 만들어줘.
	(낄낄) 삼천만 원어치 값어치 있지 않냐?
남1	야, 천만 원만 줘도 와 그 인간은.
유라	(확) 그만해!
모두	!
유라	(일어나) 내가 당했지, 니들이 당했어?
조감독	야… 우리도 당했어.
유라	그 인간 손에 제일 망가진 게 나니까 나를 중심으로 모였던 거잖아. 나 보면서
	위로 삼으려고!
모두	!
유라	만나면 매일 그 새끼 욕으로 삼십 분. 그래도 그 인간은 한때 진─짜로
	잘난 적이나 있었지. 니들은 뭔데? 쓰레기들….

유라가 그렇게 치를 떨며 나가고. 나머지는 '쟤가 미쳤나' 하는 시선.

S#74 —— 거리 일각 (밤)

팔짱 끼고 씩씩대며 걷는 유라.

S#75 —— 형제 청소방 앞 (밤)

쪼그려 앉은 유라. 치마에 얇은 스타킹과 하이힐 차림. 추워 보인다. 안엔 불이 켜져 있고.

S#76 —— 형제 청소방 (밤)

기훈은 통화 중이고, 상훈은 세금계산서를 작성하다 말고 일어나 물을 따라 마시며 밖을 힐끗.

기훈 여기 계단 청손데요, 십이월하고 일월 청소비가 입금이 안 돼서요.
　　　　예, 부탁드립니다.
상훈 나가봐라. 쟤 종아리 얼겠다.
기훈 신경 쓰지 마. 쟤 환자야. 관심병 환자. 반응 보이면 계속 와. (다시 전화 돌리다가)

S#77 —— 형제 청소방 앞 (밤)

유라는 여전히 쪼그려 앉아 있는데, 기훈이 갑자기 훅 나와서

기훈 가라. 어? 신고하기 전에 얼른 가라고!
유라 빨리 AI 시대가 왔으면 좋겠어요. 연기도 AI가 제일 잘하고…
　　　　공부도 AI가 제일 잘하고… 변호사, 판사, 의사도 다 AI가 잘하고….
　　　　인간이 잘난 척할 수 있는 게 하나도 없는 세상이 오면… 잘난 척할 필요도
　　　　없는 세상이 오면… 얼마나 자유로울까. 인간은 그냥… 그냥… 사랑만 하면

되고. 잘난 척하는 인간들로 바글대는 세상…. 너무 지겨워. 난 잘난 게
하나도 없어서… 더 죽을 거 같아요.

기훈   …

유라   …나 여기 오고 싶어요.

말이 없는 두 사람… 바들바들 떠는 유라…. 기훈이 사무실로 들어가버리고. 유라는 눈물이
날 것 같은데. 잠시 후 기훈이 동전을 들고 나와 자판기에 동전을 넣고

기훈   …블랙이야, 믹스야?

유라   …

기훈은 아무 버튼이나 눌러버리고. 자판기에서 종이컵이 떨어지고. 그렇게 있는 두 사람.

S#78 — 동훈 집 거실 (밤)

동훈이 소파에 앉아 TV를 보는데, 시선은 TV에 있지만 마음은 딴 데 가 있는 듯. 윤희는 이
제 들어온 듯 빨랫거리를 방에서 들고 나오며

윤희   웬일로 술도 안 마시고 일찍 들어왔대? (식탁 위에 약봉지를 보고) 그지.
아파야 안 먹지.

동훈   …

윤희   (세탁실로 가며) 왜? 술병 났어? … (세탁실에서 나와) 저녁은?

동훈   먹었어.

윤희   (재활용 쓰레기를 정리하며) 당신 메일로 은행 이자 알아본 거 보냈는데 봤어?

동훈   …

윤희   안 봤어?

동훈   못 봤어.

윤희   (정리하며) 고정 금리로 하면 거의 사 프로대고, 변동 금리는 삼 점 오 프로대야.
시간 날 때 같이 은행 가봐야 되니까 봐둬.

동훈   …

S#79 ─ 동훈 집 뒷 베란다 (밤)

윤희는 재활용 쓰레기를 분리해서 쓰레기통에 넣고. 창문을 조금 열어 세차게 들어오는 바람을 맞는다. 눈을 감고 심호흡. 어디로 가고 있는 건지 알 수 없는 불안함. 무표정한 얼굴로 바람을 맞는 윤희. 그 뒤로 보이는 동훈.

S#80 ─ 동훈 집 거실 (밤)

TV를 보는 것도 아니고, 안 보는 것도 아니고. 그저 그렇게 앉아 있는 동훈.

S#81 ─ 어느 산자락 버스 정류장 (낮)

고요한 시골 마을 분위기. 버스가 섰다 떠나면, 그 자리에 서 있는 동훈. 두리번거리다가 어떤 표지판이 눈에 들어온 듯… 그쪽으로 건넌다.

S#82 ─ 어느 산자락 한적한 숲길 (낮)

사람 하나 없는 한적한 숲길을 걷는 동훈의 뒷모습. 마치 산행을 나온 사람처럼 그렇게 덤덤하게 걸어가는데. 한참을 걸어가다가 보면… 멀리서 사람 소리가 들린다. 저 멀리… 문제의 캠핑장에 회장과 준영이 있다. 장작불을 피우며 웃으며 얘기를 나누는 두 사람. 그쪽으로 묵묵히 걸어가는 동훈. 뒤늦게 동훈을 보는 회장.

회장   저거… 박동훈 부장 아냐?

그 소리에 그쪽을 보는 준영.

준영   !

그들을 향해 묵묵히 걸어가는 동훈의 모습에서 엔딩.

Episode 6

Episode

7

S#1 ─ 캠핑장 (밤)

타오르는 화로의 장작불. 동훈, 준영, 회장 셋이 둘러앉아 말없이 타오르는 불만 보고 있다.

회장 네덜란든가 노르웨인가, TV 프로그램 중에 하루 종일 모닥불 타는 것만
보여주는 게 있는데, 근데 그게 시청률이 나온대. 나 같아도 볼 것 같애. /
마음이 쉬고 싶은 거지. 눈을 감고 누워 있어도 이 생각 저 생각…
계속 생각이 떠오르는데, 희한하게 불을 보고 있으면 생각이 없어져.

그렇게 타는 모닥불을 보고 있는 세 사람. 회장이 주로 불을 만지고.

회장 왜 왔어?

준영은 긴장하는데 반해, 동훈은 최면에 걸린 사람처럼 타는 불만 보고 있고.

회장 왜 왔어?
동훈 (어렵고 힘들게 정신을 차리는 느낌. 심호흡하는데)
준영 (더욱 긴장)
동훈 …까먹었어요.
회장 불이 다 태웠나 보네.

장작이 타오르고… 동훈은 불빛에 빨려 들어가는데, 준영은 긴장의 촉을 늦추지 않는 느낌.

S#2 ─ 캠핑장 (낮) – 회상

회장이 화목 난로 위에 고기를 굽고, 동훈과 준영은 이것저것 거들고. 동훈은 덤덤하게 움직이는데, 준영은 긴장한 티 내지 않으려고 일부러 떠 있는 상황.

회장 둘이 학교에서 좀 보긴 했나? 같은 과래도 세 살 차이면 서로 군대 갔다 오고
그러느라 엇갈리기 십상인데.

준영	박 부장님이 군대 갔다 오고 나서 제가 입학해서요. 한 이 년은 같이 다녔습니다.
회장	하늘 같은 예비역 선배, 어려웠겠네.
준영	동아리 활동도 같이 했어서, 그렇게 어렵진 않았어요.
회장	무슨 동아리였는데?
준영	야학이요.
회장	(의외다 싶은 시선으로 준영을 보며) 자네가 그런 동아리를?
준영	(미소)
회장	(허허) 맘에 드는 여학생이 있었구먼.

그 말에 살짝 어색해지는 동훈과 준영.

⟨ Cut to ⟩

동훈이 이불 깔린 텐트 안에서 무릎으로 기어 소금 통을 꺼내 오다가 한편에 있는 윤희의 장갑 한 짝을 발견! 조용히 자신의 주머니에 장갑을 챙겨 넣고…. 준영은 좀 멀찍이 주차된 자신의 차에서 뭔가 찾는 척하며, 무음으로 해놓은 2G폰을 꺼내 문자를 한다.
[동훈 선배 여기 캠핑장 찾아왔어. 무슨 일이야?]
그때 들리는 소리.

| 동훈 | (E) 내려놔. |

돌아보면, 동훈이 서 있다.

| 동훈 | 전화하면 넌 죽어. |
| 준영 | ! |

준영이 핸드폰을 그냥 덮고. 각기 차에서 뭔가 찾아오는 척 하나씩 들고, 고기를 굽고 있는 회장 쪽으로.

S#3 —— 캠핑장 (밤)

맥없이 불만 보고 있는 동훈의 얼굴 위로

[INS] 준영과 윤희가 텐트에서 뒹구는 장면, 장갑 낀 윤희가 준영을 안는 장면.

이런 장면이 계속 컷컷 상상되고. 마주 앉아 있는 준영을 보는데도 계속 컷컷. 생각하지 않으려고 해도 계속. 조용히 미치겠다 싶은 동훈. 준영은 외면하지 않고 동훈의 시선을 받다가 동훈이 흔들리기 시작한 걸 느끼고는 벌떡 일어나 치우기 시작. 동훈도 마지못해 일어나 따라 치우기 시작.

S#4 —— 캠핑장 숲길 (밤)

수돗가로 가는 길목. 가로등 아래. 동훈은 설거짓거리가 든 통을 들고 어둠 속에서 나와 가로등 아래를 지나쳐 다시 어둠 속으로 사라지는데. 뒤이어 어둠 속에서 쓰레기를 들고나오는 준영.

준영　겁주러 왔어요? 회장님도 있는 데서 어디 한번 쫄아봐라 이건가?

느닷없이 어둠 속에서 설거지 통이 날아오고. 그릇들이 와장창 흩어지고. 서로의 짱짱한 기운. 가로등 불빛에 도드라지는 준영의 얼굴.

동훈　사람, 얼굴 안 벗어나. 대학 때 처음 보자마자… 단정하게 살 얼굴 아니다,
지 혼자 더럽기 싫어서 여럿 더럽게 망칠 얼굴이다, 멀리하자 싶었는데.
선배 선배 하면서 웃으면서 들러붙는 것도 끔찍하게 싫다 싶었는데.
이럴 줄 알았던 거지.

준영　(모욕적이지만 참아야 하고)

동훈　둘이 결혼이라도 할 생각이었냐? 나 자르고, 이혼시키고, 둘이 결혼할
생각이었어? 절대! 너같이 욕심 많은 새끼가 평범한 집안 여자랑? 그것도
애 딸린 유부녀랑? 아무리 변호사래도 너 윤희랑 결혼할 생각 없었어.

니 계획대로 내가 회사 잘리고 이혼당하고. 그래도 너 절대 윤희랑 결혼 안 했어.

준영 …

동훈 작년 봄부터였지? 둘이 그런 거.

준영 ! (그건 어떻게 알았지?)

동훈 (맞구나… 맞구나…)

준영 …

동훈 너, 내가 묻는 말에 잘 대답해. 머리 굴리지 말고 있는 그대로 대답해. / 니가
      나 자르려고 오천만 원 먹인 거, 윤희가 알았어 몰랐어?

준영 처음부터 선배 자르려고 한 건 아니었어요.

동훈 알아! 박 상무 자르려고 했는데 돈이 나한테 들어오는 바람에 꼬인 거.
      이때다 싶어서 나한테 덤탱이 씌운 거. 박 상무도 알고 나도 알아.

준영 !

동훈 그걸로 몰아서 나 자르려고 한 거, 윤희가 알았어 몰랐어?

준영 방법이 없잖아요! 돈은 선배한테 이미 들어갔고!

동훈 (확) 알았어, 몰랐어?

준영 …

동훈 …

준영은 대답 없이 외면. 그런 시간이 길어지자 동훈은 감이 오고 조용히 무너진다. 그때 차가 천천히 다가오고…. 동훈은 그 와중에도 차가 지나갈 수 있도록 떨어진 그릇을 발로 차서 길 밖으로 밀어내고. 지나가던 차가 준영 옆에 멈춰 서고. 운전석 차창이 내려가며

기사 아직 안 끝났어요?

준영 끝났어요. 가보세요.

차가 지나가고… 그렇게 서 있는 두 사람….

S#5 —— 캠핑장 수돗가 (밤)

찬물에 맨손으로 설거지하는 동훈. 손이 너무 시렵다. 얼 듯하고. 서럽다.

동훈   (E) 못 자르겠으니까, 나 회사 그만두게 하라고, 니가 시켰냐?

준영   (E) 윤흰… 선배가 좋게 나갔으면 했어요.

아내에 대한 설움. '준영이 혼자 벌인 일이길 바랐는데.'

S#6 ── 캠핑장 (밤)

준영이 장갑을 끼고 분주하게 주방 기구들을 정리하고 기사도 옆에서 거드는데

준영   (기사에게) 제가 할게요. 모시고 들어가세요. (회장에게) 들어가세요. 늦었는데.

회장   (모닥불에서 포일에 싼 고구마 꺼내며) 이건 먹고 가야지.

준영   (살짝 짜증 나는 눈빛. 뭔가 들고 텐트 뒤쪽으로)

회장   (고구마를 까보는데) 에이, 다 탔네.

그때 텐트 뒤 어둠 속에서 자빠지는 소리와 함께 빡! 회장과 기사가 철렁해 그쪽을 보고. 어둠 속에서 쌍, 하는 준영의 낮은 욕이 들리고. 회장의 표정.

기사   괜찮으세요? (그쪽으로 가고. 뭘 봤는지, E) 어?

기사가 후다닥 나와서 눈으로 뭔가 찾으며 우왕좌왕하다가 수건을 들고 다시 어둠 속으로 뛰어 들어가고. 회장 표정.

S#7 ── 한적한 도로, 준영의 차 안 (밤)

동훈이 급히 운전 중이고 옆에 앉아 있는 준영. 얼굴엔 피가 흐른 자국이 보이고, 준영은 수건으로 눈썹 위를 틀어막고 있다.

동훈   내가 니 통화목록 뒤지는 거 뻔히 알았으면서, 겁도 안 났냐? 그 공중전화
        누가 쓰는 건지. 그 앞에 가서 하루만 앉아 있으면 바로 나오는 거.

내가 못 알아낼 줄 알았어?

준영　(그렇게 알았구나…)

동훈　허술한 새끼. 자빠져서 당황한 티나 내고.

준영　…

S#8 ── 동훈 집 윤희 서재 (밤)

윤희가 상냥하고 부드러운 얼굴로 아들과 통화 중.

윤희　아빠? (시계를 보고) 아직 안 들어오셨는데. (사이) 그래? 일하시느라고 전화
　　　못 받았나 보지. (사이) 아빠 특기? 갑자기 그건 왜?

S#9 ── 동훈 집 거실, 주방 (밤)

윤희는 통화하며 커피 내리는 중.

윤희　(같이 고민) 아빠 특기… 아빠 특기 뭐가 있을까…. (피식) 잠 오래 자기?

S#10 ── 캠핑장 (밤)

기사가 의자며 주방 기구며 모든 장비를 텐트 안으로 넣은 후, 동훈이 깨끗이 설거지한 그
릇도 넣고, 길고양이가 들어가지 않도록 텐트 자락 끝에 돌을 놓아 꼭꼭 여미고. 회장은 화
로에 물을 뿌리고, 재를 땅에 쏟고, 거기에 또 물을 뿌리고. 그러는 회장의 얼굴에 '뭔가 있
군…' 싶은.

⟨Cut to⟩

뒷자리에 앉아 있는 회장의 표정에서, 차가 캠핑장을 빠져나가면, 움막처럼 텐트 하나만 덩
그러니 남겨진 채 어둠뿐인 캠핑장.

S#11 — 병원 (밤)

간호사가 준영의 꿰맨 상처 위에 밴드를 붙여주고 나가면, 준영과 동훈 둘만 남는다. 참담한 두 사람. 말이 없다가…

동훈   조용히 헤어져.

준영   …

동훈   내가 안단 말은 말고, 그냥 조용히 헤어져.

준영   !

#지안 집: 싱크대 앞에서 숨죽여 듣고 있는 지안.

동훈   내가 안다는 거까지 윤희가 아는 순간, 넌 끝장이야.

준영   !

동훈   다 말해주고 나한텐 모른 척하라고 할 생각도 마. 십오 년을 한 공간에서
          산 사이야. 알면서 모른 척하는 건지, 진짜 모르는 건지, 다 알아.
          그냥 싫어진 것처럼 조용히 헤어져. 그것만 해. 그럼 나도 너 안 건드려.

#지안 집: 듣고 있는 지안.

동훈   너 같은 새끼 때문에 내 인생 무너지겐 안 둬.

준영   !

#지안 집: 지안은 주저앉듯 싱크대에 등을 기대고 앉는다.

S#12 — 도심 일각 (밤)

운전해서 가는 준영의 얼굴 위로

동훈   (E) 앞으로 회사에서 나 가지고 장난치다가 걸리면 죽을 줄 알아.

내가 일 못하면 짤러! 내가 회사에 쓸모없어지면 짤러!

딴 이유로 수작 부리다가 걸리면, 그땐, 넌 죽어. / 치사한 새끼….

준영은 낮게 욕이 나오고…

S#13 — 동훈 아파트 주차장 (밤)

동훈은 윤희 차 운전석 아래에 장갑 한 짝을 떨어뜨려 놓고 가만. 그러고는 아파트 쪽으로.

S#14 — 지안 집 (밤)

보일러가 고장 난 듯, 난로가 있는데도 방 안에서 입김이 나오고. 지안은 뜨거운 물을 채운 핫팩을 봉애의 이불 속에 넣어주고는, 핸드폰과 연결된 스피커에서 나오는 소리를 가만히 듣는다. 동훈의 동선에 따라 엘리베이터 도착음, 엘리베이터 문 열리는 소리, 복도를 걷는 소리, 현관 도어락 누르는 소리, 현관문 여는 소리, 닫히는 소리…. 지안은 스피커 쪽을 본다.

윤희   (E) 하루 종일 뭐 했어? 지석이 전화도 안 받고.
동훈   (E) 왜?

S#15 — 동훈 집 거실, 주방 (밤)

동훈이 핸드폰을 확인하고 지석에게 전화를 거는데, 윤희는 우편물을 뜯어보며

윤희   당신 특기 동영상으로 찍어서 보내달래. 무슨 수업 과제래.
        아빠들 특기 보여주는 게.
동훈   (통화) 어. 미안. 진동으로 해놓고 깜빡했어. 지금 엄마한테 들었어. 무슨 특기?
        (사이) 언제까지? 다음 주 월요일? 무슨 수업 과제가 그러냐…. 일 분 이내로
        뭘 하냐…. 멋져야 될 거 아냐?

그때 동훈의 시선에 한쪽에 놓인 문제의 장갑 한 짝이 눈에 들어오고. 거기에 잠시 마음을 빼긴 듯하다가, 일부러 시선을 돌리며 한숨….

동훈 (끊자고 한 듯) 알았어. 아빠가 고민해볼게. 얼른 수업 들어가. (끊고)

윤희 (우편물 보며 무심히) 뭐 할 거야? (문득 휘릭) 축구 말고!

동훈 …

윤희 (다시 우편물 보며) 간단한 마술이라도 배워보든가.

윤희가 우편물을 보며 서재 방으로 들어가고. 동훈은 조용히 핸드폰만 보는데, 한쪽에 보이는 장갑….

S#16 ── 정희네 (다른 날, 밤)

한 테이블 정도 손님이 있고, 삼 형제는 바 쪽에 앉아서 안주 만드는 정희와 함께 얘기. 동훈은 퇴근한 차림.

상훈 마술은 엠비. 난 그런 거 보고 감탄하는 사람들 이해 안 되더라.
  늙은 여자가 들어갔는데 젊은 여자가 나와. 진, 짜, 여야 그게 마술이지,
  뒤에서 바꿔치기하는 게, 그게 마술이야? 그게 놀라워?

기훈 드라마는 보고 왜 울어? 다 연긴데.

상훈 …잘하니깐. 깜빡 속은 거지. 진짠 줄 알고.

기훈 마술도 똑같애. 잘하는 놈이 하면 깜빡 속아.

상훈 한 번도 안 속아봤네 난. / (동훈에게) 어설프게 마술 같은 거 하지 말고,
  그냥 산낙지 먹어. 외국인들 기절초풍한다.

기훈 그게 특기냐? 엽기지?

상훈 그거나 그거나.

술 마시고 잠잠히 있다가

기훈 태권도는? 군대에서 배웠잖아.

동훈   격파가 되냐?

기훈   슬쩍 부러뜨려놓고 하면 되지.

정희   애 숙제에 사기 칠 생각이나 하고.

잠잠히 있다가…

상훈   (동훈에게) 제기차기는?

동훈   해본 지가 언젠데.

또 잠잠하게 있고

동훈   그냥 확 춤이나 춰버릴까 보다.

상훈   지석이 부끄럽다.

또 잠잠하게 있고

정희   한심하다. 어떻게 남자 셋이 앉았는데 특기 있는 인간이 하나도 없냐?

상훈   뭘… 배워봤어야지. 없이 살아서 그래. 취미, 특기 그런 건 어려서 학원에서
          배운 걸로 쭉 가는 건데, 학교만 다녔지 돈 내고 어딜 다녀봤나. / 축구야
          동네에 공 있는 놈 하나 있으면 열댓 명이 달겨들어 찼으니까, 볼 한 번 더
          만져볼라고 기를 쓰고 찬 거. / 나이 들어선 돈 안 되는 거엔 돈을 써본 적이
          없고… (결론) 할 줄 아는 게 없어. 술 말고. 대한민국 중년 남자들한테 특기는
          엠비… (마시고)

상훈이 말하는 동안 쓸쓸한 동훈의 얼굴이 보이고.

동훈   (피식) 있네, 술.

기훈   술을 특기로 쳐주면, 우린 국비 유학생감이지. 밤새 마시고 토하고,
          아침에 해장술로 또 마시고. 그렇게 열심일 수 없을 거다.

상훈   집사람이 애를 낳아도 마시고, 이혼하자고 해도 마시고. 여편네 막

대대대거리는데, 머릿속엔 빨리 나가서 마셔야 된다는 생각밖에 없어.
친구들이 기다리는데, 술이 기다리는데, 어떻게든 빨리 나가야 된다는
일념하에… 미안하다 사랑한다 무릎도 꿇었다가 (버럭) 때려쳐!
막 빨리빨리 다 하고, 막 달려 나가. 마셔. 행복해.

정희   미치겠다….

기훈   술로 전쟁 붙으면 대한민국 남자들이 세계 패권 잡는다. 절대 안 져.

상훈   나? 장군 돼.

정희   아… 이 진상들…. 웃긴데 왜 이렇게 슬프냐….

상훈   (훌쩍) 슬픈 얘기야….

S#17 — 정희네 앞 (밤)

동훈이 병뚜껑으로 제기차기해보는데 잘 안되고. 기훈은 올리는 핸드폰을 보고는 구시렁
대며 무음으로 하고

동훈   걔? / 너 엔간히 좋아하나 보다?

기훈   그 좋아서가 그 좋아서가 아니라니깐….

동훈   좋아서야…. (제기차기하다가 뻥 헛발질해버리고)

기훈   끔찍한 소리 한다.

그때 상훈이 화장실 들른 듯 응승거리면서 나오더니

상훈   (따라 나오는 정희에게) 간다.

정희   같이 가. (가방 메고 문을 걸어 잠그고, 많이 취해서 휘청거리고)

상훈   어디 가는데?

정희   집에.

동훈   (의아) 집 얻었어?

정희   가자. (가며 옷을 입으려는데, 외투에 팔을 꿰지 못해 헛손질)

기훈   (외투를 잡아주며) 말도 없이 언제 집을 얻었대? 어딘데?

S#18 ― 동네 일각 (밤)

삼 형제과 정희가 걷고.

정희　이렇게 걸어서 집에 가니까 좋다. 맨날 일어나 앉은자리에서 손님 맞고,

　　　그 자리에 다시 눕고. 징역살이하는 거 같았는데….

기훈　어디 사는데 말을 안 해? 누구랑 살림 차렸어?

정희　(두 손을 가슴에 모으고 고개를 옆으로) 아… 그러고 싶다.

상훈　남자 잡기 전엔 안 들어온다더니. 태국에 괜찮은 남자 없었어?

정희　길거리에 스님만 천지더라.

상훈　전생에 스님이랑 뭔 원수졌나, 어떻게 넌 맨날 스님하고만….

동훈　(OL로 상훈을 눈으로 잡고)

상훈　(샐쭉한 얼굴)

⟨ *Cut to* ⟩

동훈과 정희만 걸어간다. 동훈이 갈림길에서 멈춰 서는데.

정희　가. (직진 방향으로 가고)

동훈　어디 사는데?

정희　비밀. (비틀거리며 가는)

동훈　데려다줘?

정희는 뒤도 안 돌아보고 손 흔들며 가고. 동훈도 그런 정희를 보다가 골목으로 꺾어서 들어가고.

#혼자 쓸쓸히 걸어가는 동훈.

S#19 ― 정희네 (밤)

(어딘지 모르게) 어둠 속에서 문 끄르는 소리. 문을 드르륵 열면서,

정희   다녀왔습니다!

어둠 속에서 종종거리며 쪽방 쪽으로 간다. 쪽방 문을 열고,

정희   다녀왔습니다. 날이 대따 추워요.

선 채로 잘 벗겨지지 않는 부츠를 벗느라 휘청. 결국 대충 신발을 털어 벗어 던지고 안으로.

S#20 ── 정희네 쪽방 (밤)

밖에서 들어오는 빛에 의지해 겉옷을 벗어 던지고, 힘들게 스타킹 벗으며

정희   오늘은 손님도 별로 없고. 오지 않는 손님 기다리다가 지쳐서 좀 마셨어요.

털썩 주저앉아 윗도리까지 벗고는 지친 듯 고개 떨어뜨리고 가만….

정희   아… 씻기 싫다.

그리고 가만히 있다가 한 손을 번쩍 들고

정희   (씻겠다는 의지를 담아) 씻겠습니다! 나는! 깨끗한 여잡니다!

불을 켜고 수건을 챙겨 드는데, 아무도 없고 정희 혼자 있는 방. 수건을 들고 휘청거리며 우당탕탕 나가고.

#쪽방에서 나와 화장실 쪽으로 가며 불을 켜는데, 정희네 가게다. 치우지 않은 술상이 그대로 있고… 불빛이 새어 나오는 화장실에선 물소리….

S#21 —— 사무실 (낮)

#가만히 보고서를 보고 있는 동훈의 덤덤한 얼굴.

#복도를 걸어오는 준영. 대표이사실로 가면서 힐끗 동훈을 보는데, 동훈이 준영과 시선이 닿자마자 확 외면하며

동훈 철근부식도 측정 결과는 어딨어?

김 대리 (프린터 앞에서) 인쇄 중이에요.

돌아버릴 것 같은 준영은 조용히 대표이사실 쪽으로.

#대표이사실 앞: 준영이 일어나 인사하는 비서들을 향해 나이스하게 웃어 보이며 들어가는데.

S#22 —— 대표이사실 (낮)

들어온 준영은 얼굴색이 확 변하고. 2G폰을 꺼내 문자.

S#23 —— 사무실 (낮)

문자를 확인하는 지안 얼굴 위로.

준영 (E) 박동훈 건드리지 마. 당분간 아무 짓도 하지 마.

S#24 —— 대표이사실 (낮)

준영은 2G폰을 서랍에 넣어두고, 어떻게 해야 될까 싶은데. 책상 위에서 울리는 준영의 핸드폰. 공중전화 번호다. 받지 않고 가만히 본다.

S#25 ─ 공중전화 앞 + 대표이사실 (낮)

재판 갔다 오는 듯, 가방 메고 있는 윤희. 수화기를 들고 한참 있다가 그냥 내려놓고 간다.
경쾌한 걸음으로 또각또각.

#끊어진 핸드폰을 보는 준영.

S#26 ─ 사무실 (낮)

프린터 앞에서 씨름하던 김 대리가 지나가던 지안에게 퉁명스럽게

김 대리 이거 어떻게 하는 거야?

지안은 절도 있는 동작으로 팍! 팍! 열었다 닫았다 하고는 휙 가고. 김 대리는 저걸 잡아야
되나 싶은데, 이내 슥슥 부드럽게 인쇄물이 나오는 프린터. '참자' 싶은 얼굴.

⟨ Cut to ⟩

지안은 우편물을 들고 사무실 밖으로 나가고, 김 대리가 동훈 자리에 인쇄물을 놓으며

김 대리 우리 쟤 자르고 좀 싹싹한 애 뽑으면 안 돼요? 상전 모시고 일하는 것도 아니고.
  뭣 좀 물어보면 찬바람 쌩쌩. 무서워서 말도 못 붙이겠으니….
동훈 상사 뒷담화 까는 너보단 나. 확 잘라버릴라.
김 대리 왜 그래요…. 그냥 쫌만 착한 애로 바꿔달라는 거지….
동훈 (보고서만 보다가) 아무리 친절하고 상냥해도 지 식구 건사 안 하는 애 있고,
  아무리 싸가지 없고 무뚝뚝해도 지 식구 건사하는 애 있어. 누가 착한 거야?
김 대리 쟤 소녀 가장이에요?
동훈 …손녀 가장이야.
김 대리 부장님 쟤 잘 알아요?
동훈 …한동네 살아.
김 대리 근데 왜 말 안 했어요?

동훈	(가만히 보는) 내가 너한테 그런 거 일일이 보고해야 돼?
김 대리	…
동훈	내가 지금 초인적인 힘으로 버티고 있는데, 자꾸 건드려라. (다시 일에 집중)
김 대리	…사랑합니다, 부장님. (자리로)
동훈	(보고서를 보는)

S#27 ― 복도 일각 (낮)

준영과 윤 상무는 엘리베이터로 가는 복도를 걸으며

준영	(지나가듯이) 저번에 문제 있었던 그 인력 파견업체는 잘 정리된 거 맞죠?
윤 상무	네, 그럼요. 지들이 잘못해서 꼬인 건데, 아무 걱정 안 하셔도 됩니다.
준영	(멈춰서) 제가 왜 걱정을 해야 되죠?
윤 상무	네?
준영	제가 무슨 걱정을 해야 되냐고요?
윤 상무	(애써 웃으며) 무슨… 말씀이신지….
준영	어이없는 사고 친 빙신 같은 업체에서 계속 사람 받아야 되는 걱정?
	아니면, 그거 때문에 졸지에 회장님 눈에 든 박동훈 걱정?
윤 상무	…
준영	(빙긋이 웃으며) 그냥 제가 윤 상무님 걱정 안 하게 해주세요. (가며)
	혼자 일을 너무 크게 벌여서. 시키지도 않은 일을.
윤 상무	아, 네. (하면서도 아리송해하며 따라가는)

S#28 ― 사무실 복도 엘리베이터 앞 (낮)

동훈과 직원들이 엘리베이터가 도착하자 앞으로 다가서는데. 준영과 윤 상무가 다가오자
일제히 뒤로 물러서며 목례. 동훈은 조용히 외면.

| 윤 상무 | (타며) 저녁 식사하시고 들어가시죠. |

　준영　　(타며) 약속이 있어서요.

그 말에 가만히 있는 동훈.

S#29 ── 사무실 + 윤희 변호사 사무실 (낮) ─ 회상

통화 중인 동훈과 윤희.

동훈　　오늘 시간 되면 형 사무실 같이 가자고. 개업하고 한 번도 안 갔잖아.

윤희　　나 오늘 약속 있는데⋯.

동훈　　⋯

S#30 ── 지하철 플랫폼 (밤)

그 생각에 빠져 가만히 있는 동훈. '헤어지는 거겠지. 그래서 만나는 거겠지.' 그렇게 생각하기로 하고 심호흡하는데. 그때 지안이 계단을 내려와 플랫폼에 서고. 지안이 조용히 동훈을 본다. 동훈은 뒤늦게 지안을 발견하고. 거리를 두고 데면데면하게 서 있는 두 사람.

S#31 ── 지하철 안 (밤)

동훈과 지안, 말없이 어색하게 있다가

동훈　　부모님은 계시나?

지안　　(그런 건 왜 묻지? 하는 시선)

동훈　　할머니 때문에 물어보는 거야.

지안　　돌아가셨어요, 두 분 다.

동훈　　할머니한테 다른 자식은?

지안　　없어요.

동훈　　근데 왜 할머닐 니가 모셔? 요양원에 안 모시고.

지안	쫓겨났어요.
동훈	…?
지안	돈을 못 내서.
동훈	손녀는 부양의무자 아냐. 자식 없고, 장애 있으면 무료로 들어갈 수 있는데,
	왜 돈을 못 내서 쫓겨나?
지안	! (처음 듣는 얘기)
동훈	혹시… 할머니랑 주소지 같이 돼 있냐?
지안	…
동훈	(지안의 표정을 보니 그런 것 같고. 답답하다 싶고) 주소지 분리해. 같이 사는 데다가
	니가 소득이 잡히니까 혜택을 못 받는 거 아냐. 주소지 분리하고 장기요양등급
	신청해. …이런 거 가르쳐주는 사람도 없었냐?
지안	…
동훈	(뿔난 사람처럼 뚱하니)

S#32 — 동네 역사 앞 (밤)

동훈이 역사에서 앞서 나오고, 지안이 따라 나오는데

동훈	(보지도 않고 가며) 가라.
지안	밥 좀 사주죠.
동훈	!
지안	…
동훈	술도 사줄게, 와. (당당하게 앞서가고)

S#33 — 동훈과 지안의 술집 (밤)

간단한 안주가 몇 개 준비된 술상에, 먹음직스러운 스지찜이 가운데 놓이고. 지안이 술상
을 보다가 동훈을 보면,

| 동훈 | 사줄 만하니까 사주는 거야. 먹어. (주인에게) 여기 공깃밥도 하나 주세요. |

밥과 함께 열심히 먹는 지안. 스지찜이 점점 줄어들고. 얼추 배를 채웠는지 맥주를 마시는 지안.

지안	같이 밥 먹고 그러는 거 말 돌까 봐 겁난다더니, 내가 불쌍해서 마음이 편해지셨나? 막 사주네?
동훈	말 참… (싸가지 없게 한다)
지안	누가 뭐라고 그러면 내가 얼마나 불쌍한 앤지 말하면 되니까.
동훈	(전혀 틀린 말은 아니고)
지안	내 인생에 날 도와준 사람이 하나도 없었을 거라고 생각하진 마요. 많았어요. 도와준 사람들. 반찬도 갖다 주고, 쌀도 갖다 주고. 한 번, 두 번, 세 번, 네 번. 네 번까지 하고 나면, 다 도망가요. 나아질 기미가 보이지 않는 인생, 경멸하면서. (혼잣말처럼) 지들이 진짜 착한 인간인 줄 알았나 보지?
동훈	착한 거야. 네 번이 어디야? 한 번도 안 하는 인간들 쌔고 쌨는데.
지안	… (허!)
동훈	무슨 말인지 알겠는데. 내 인생이 니 인생보다 낮지 않고, 너 불쌍해서 사주는 거 아니고. 고맙다고 사주는 거야.
지안	!
동훈	도준영 맞아. 나 자르려고 오천만 원 먹인 놈. 그 오천 니가 버리지 않았으면, 난 아무것도 모르고 그냥 회사 잘렸을 거고… ('이혼당하고'는 차마 말할 수 없고) … 그래서 (밥) 사는 거야.
지안	왜 그랬대요, 도준영은?
동훈	싫었나 보지 내가.
지안	그렇다고 막 자르나?
동훈	회사는 그런 데야. 일 못하는 순으로 잘리지 않아. 거슬리면 잘리는 거야.
지안	이제 어떡할 거예요?
동훈	뭘 어떡해. 내가 알았으니 그만해라… 그럼 됐지. (부러 무덤덤한 얼굴)
지안	(헉!) 그럼 그만한대요?
동훈	그럼! (외면하고 마시다가) 아무한테도 말하지 마. 도준영이 나 자르려고

했다는 거. 내가 가서 뭐라고 했다는 거. 다. (괜히 말했나 싶은)

지안   나 같으면 위에 꼰질러서 도준영 그 인간 잘라버리겠네.

동훈   …

지안   그 정도 사안이면 바로 잘리지 않나?

동훈   나쁜 놈 잡아 족치면 속 시원할 거 같지? 살아봐라. 그런가. 어쩔 수 없이
그 오물… 나도 뒤집어써. 그놈만 뒤집어쓰지 않아.

지안   아니면 큰돈 받아내서 나가서 회사 차리던가. 자기한테 누명 씌워서 자르려고
했던 사람이랑 어떻게 한 회사에 있지? 얼굴 보는 것만도 지옥 같을 텐데.

동훈   현실이 지옥이야. 여기가 천국인 줄 아냐?

지안   (…)

동훈   (자기 생각에 빠져) 지옥에 온 이유가 있겠지. 벌 다 받고 나가면 되겠지.

지안   벌은 잘못한 사람이 받아야 되는 거 아닌가.

동훈   …

지안   내가 대신 죽여줄까요? (가만 보는)

동훈   … (멀멀하게 보다가) 마셔라.

S#34 — 술집 앞 (밤)

동훈이 포장된 음식을 지안에게 건네고.

동훈   할머니 갖다드려.

지안   (받고)

동훈   …나도 너 한 번 살려줬었다.

지안   ?

돌아가는 동훈 얼굴 위로

[INS] 3화: 관리소장이 동훈에게 한 말, "얘 부장님이 뽑으신 거예요."

지안을 등지고 가는 동훈. 그렇게 멀어지는 두 사람.

S#35 — 지안 집 (밤)

봉애가 접시에 옮겨진 스지찜을 먹고 있고. 지안은 설거지를 끝낸 듯 싱크대에 기대어 서서 봉애를 보는데, 공양 받는 스님처럼 정성스럽게 먹던 봉애.

봉애　(수화) 황송하다. 너무 맛있어서 황송해.

지안　… (괜히 행주만 만지작)

S#36 — 형제 청소방 (다음 날, 낮)

기훈이 더러운 파란 수건(걸레용)을 싱크대에 가득 넣고 애벌빨래해서 통돌이 세탁기에 건져 넣고. 상훈은 요순과 함께 세탁한 대걸레(대걸레에서 걸레 부분만)를 건조대에 널고 있다. 사무실엔 대걸레가 널린 건조대가 한가득.

요순　(일하며 상훈에게) 아침에 은진 에미 왔다 갔다. 김치 해가지고.

상훈　(일만 하는)

기훈　집에 김치가 없어서? 형 잡도리하려고 왔지.

요순　(기훈에게) 넌 에미 생일 코앞인 건 아냐?

기훈　…

요순　잔치 때 쓰라고 김치 해 왔드라. 전화 넣어줘.

기훈　이혼한다는 거 다 뻥이야.

요순　승질나는데 뭔 말은 못해. 돈 제일 많이 필요한 나이에 그지 됐는데.
　　　여자 나이 오십 넘으면 거울도 보기 싫어져. (거울 보며 하듯) 저 아줌만 누군가….
　　　돈이라도 있으면 이 옷 저 옷 사대면서 기분이라도 내볼 텐데, 빈털터리니….
　　　가끔 들러봐. 전화도 넣어주고.

상훈　네.

요순　팩팩거려도 달래줘. 달래주면 수그러들어.

기훈　상전이야….

요순　그래도 난… 지석이 에미보다 은진 에미가 좋드라. 툴툴거려도 인정 많고.

기훈　작은형수한테 일러요?

Episode 7

요순   일러!

기훈   돈은 작은형수한테 제일 많이 갖다 쓰고.

요순   느이 작은형이 준 거지, 작은형수가 준 거야?

기훈   (답답) 그 돈 누가 벌어요? 월급쟁이가 벌어, 변호사가 벌어?

요순   (퉁명스럽게 일만)

기훈   왜 이래요. 안 그러더니만 갈수록…. 며느리 잘난 게 그렇게 미워요?

요순   …내 새끼보다 잘난 것들은 다 미워.

기훈   와…. (박수 짝짝짝! 치고, 엄지 척) …우리 엄마 진짜 무서운 여자였네.

요순   내 새끼 기죽을 거 아냐-? (순간 울컥) 말도 없는 놈의 새끼.

어안이 벙벙해서 보는 기훈. 상훈은 마음이 안 좋고. 요순은 눈물이 터질 것 같아서 서둘러 훅 나가고.

S#37 — 형제 청소방 앞 (낮)

훌쩍이며 가는 요순. 나와서 보는 상훈.

상훈   …가요.

상훈은 쉽게 들어가질 못하고.

S#38 — 형제 청소방 (낮)

상훈이 들어오는데

기훈   와… 무섭다 모정…. 논리가 없어.

상훈   우리 앞에서만 그러지, 제수씨 앞에선 잘해, 엄마.

기훈   그럼, 잘해야지. 돈 주는데.

상훈   (확) 그만해라 새꺄 좀!

기훈   !

분위기 어색해진 상훈은 마른걸레를 마대에 담아 청소 나갈 준비를 하고. 기훈도 빨래를 세탁기에 다 넣은 후 세제 넣고 가동시키고. 그때 문 열리는 소리. 유라가 생글거리며 먹을 걸 사 들고 오고.

유라   안녕하세요. (널린 걸레를 보며) 우와, 바다 같아요. 걸레 바다. (바다 냄새 맡듯) 음…
     (그러나) 세제 냄새.

상훈과 기훈은 말없이 청소 물품을 밖으로 내어 가고.

유라   벌써 나가세요? (사 온 거 내려놓으며) 이것만 좀 드시고 나가시지.

S#39 ── 형제 청소방 앞 (낮)

상훈이 도시락까지 챙겨 들고 차에 오르고. 기훈은 장비를 다 싣고 문 앞에 서서,

기훈   나와!

유라가 사무실에서 나오면 기훈은 문을 잠그고

유라   (생글거리며 눈치 보다가) 두 분이… 싸우셨나 봐요?

기훈이 그냥 운전석에 오르자

유라   이따 정희네서 봐요.
기훈   (OL, 차 문 닫으려다가) 정희가 니 친구야?
유라   …가게 이름이 그렇던데.
기훈   그래도! 정희 언니네서 봐요지!
유라   정희 언니네서 봐요.

기훈　(OL) 됐어. (문 쾅)

그렇게 다마스가 떠나고. 뻘쭘하게 서 있던 유라는 다시 생글거리며 간다. 다마스가 떠난
쪽을 힐끗거리고, 거기에 작게 손을 흔들어주며

유라　(혼잣말처럼) 이따 봐요.

S#40 — 정희네 (낮)

요순이 훌쩍이며 술병들을 다 치우고. 쌓인 설거지하고. 야채들을 썰어서 락앤락에 채워 냉
장고에 넣고. 난장판이던 주방을 깔끔히 정리하는 요순. 그러고는 식탁에 간단한 밥상을 차
리는데, 정희가 쪽방에서 수건을 들고 나오며

정희　오셨어요?

요순　시끄러워서 깼냐?

정희　일어날 때 됐어요. (냉장고에서 물 꺼내다가, 콧물을 훌쩍이는 요순을 보고) 왜요?
　　　무슨 일 있어요?

요순　(움직이며) 동훈이만 생각하면… 마음이 안 좋아. 셋이 똑같이 먹이고 똑같이
　　　입혀 키웠는데, 왜 동훈이 걔만 덜 먹이고 덜 입힌 거 같은지. 걔만 생각하면
　　　안쓰러. 생전 속 얘기하는 놈도 아니고. 어려서 걔한텐 생전 뭐 사달라는
　　　얘기를 들어본 적이 없어. 두 눔의 시키들은 맨날….

정희　어머니가 동훈일 너무 좋아해서 그래요. 안쓰러운 거야 상훈이 오빠가
　　　제일 안쓰럽죠. 늙어서 와이프한테 쫓겨나고.

요순　그놈은… 지 처한테 쫓겨나서 신난 놈인데 뭐…. (돈 봉투를 내놓고)
　　　돈은 뭐 하러 부쳤어? 너 나가 있는 동안 일도 안 했는데. 가져가.

정희　(봉투 홱 밀며) 넣어두세요. 매일 들러서 치우고 그러셨으면서.

요순　(정희의 품에 꽂으며) 됐다. 넣어둬라.

정희　(요순의 품에 꽂으며) 됐어요. (확) 딸한테 용돈도 못 받으세요?

요순　!

정희　맨날 아들 셋하고 똑같이 반찬 해다가 이렇게 멕이고. 곰국 끓였다고

(냉장고 가리키며) 냉동실에 쟁이고. 나 딸 아녜요? (쿵쾅거리며 화장실 쪽으로)

요순   (어쩔 수 없이 봉투를 챙기고)

S#41 — 건설 현장 (낮)

골조가 올라가고 있는 상황. 인부들이 들락날락하고. 그 건물에서 나오는 회장과 준영, 차 쪽으로 가며

준영   다행히 지하 십일 미터 지점에서 암벽이 나왔답니다. 암벽 위에 서게 됐으니까, 지반 문제는 걱정 없을 겁니다.

회장   천만다행이네. 한시름 놨어. 그래도 지하수 계속 빼내다 보면 싱크홀 생기고 문제 생길 수 있으니까, 잘 살펴보라 그래.

준영   네. 식사하러 가셔야죠.

회장   아냐. 들어가 봐야 돼. 자꾸 들락날락한다고 병원에서 눈치 줘.
(가다가 담배를 꺼내어 돌아가며) 들어가면 못 피는데… 한 대 피고 가야지.

Cut to

담배 피는 회장과 준영.

회장   박 부장한테 뭐 책잡힌 거 있어?

준영   !

회장   내가 알아둬야 될 거 있으면 말해. 나중에 딴 데서 듣게 하지 말고.

준영   박 부장이 제 통화목록 뒤지다가 거기서 자기 와이프 번호 발견하고. (살짝 미소) 좀… 막 생각한 거 같아요.

회장   (보며, 왜 통화했는데?)

준영   가끔씩 통화는 하던 사이예요. 같은 동아리 친구였어서. 오천만 원 사건으로 박 부장이 몰리면서 그때 좀 자주 통화했었어요. 어떻게 된 거냐고. 자기 남편 절대 뇌물 같은 거 받을 사람 아니라고. 그때 통화하고 좀 만나고 그랬는데, 그 친구나 저나 박 부장 건으로 서로 만났다는 말을 안 했으니까 뭘 숨겼다고 생각했나 봐요. 말하기도 뭐했어요. 박 부장이 워낙 절 싫어하는 걸

그 친구도 아니까.

회장 박 부장은 자넬 왜 그렇게 싫어한대?

준영 (미소) 저도 그게 궁금해요.

회장 사개가 안 맞는 인간이 있어.

준영 제가 대표 되면서… 더 안 좋아진 거 같애요.

회장 그건… 이해해야지. 누구라도… 그건 그래….

준영 저보단 박 부장 상처가 더 크겠다 싶어서 내 쪽에서 먼저 잘해보려고 해도…
자꾸 골만 깊어지고…. 이젠 저도 좀 지치네요.

S#42 — 사무실 (낮)

조용한 사무실. 동훈은 자리에 앉아 있고. 사무실 전화가 울리고.

채령 (받고) 네. 삼안이앤씨입니다. 잠시만요. / 부장님 전화요. (돌려주고)

동훈 (받고) 네. 전화 바꿨습니다. (굳어지는 표정)

S#43 — 술집 혹은 커피숍 (낮)

박 상무와 마주 앉아 있는 동훈.

박 상무 자칫하다간 줄줄이 엮인다고, 너랑 통화도 하지 말라고 그러고. 어떻게 됐어?
누구야? 공중전화. 서초동이라매? 누구야?

동훈 모르겠어요. 하루 종일 가 있어봤는데 쓰는 사람도 없고.
회사에선 서초동하고 관련된 인물도 없고. 관련된 업체 다 뒤졌는데,
서초동에 있을 만한 사람이 없어요.

박 상무 그 공중전화로 이틀에 한 번씩 통화했다면서? 정체 숨겨가면서 그렇게 자주
통화하는데 뭐 있는 거잖아 백 프로.

동훈 그렇다고 해도 차 타고 이동 중에 잠깐 내려서 쓴 거면 어떻게 잡을 방법도 없고.

박 상무 그거 도로 줘봐. 통화목록.

동훈	…버렸어요. 감사실에서 수사 들어오면서.
박 상무	!
동훈	…걸릴 것 같아서.
박 상무	그 공중전화 번호 뭐야?
동훈	(마지못해 적어주고) 정확하진 않아요.
박 상무	(메모를 보다가 휘릭)
동훈	(회피) 오래돼서….
박 상무	!

S#44 ── 거리 일각 (밤)

핸드폰에서 흘러나오는 음성을 가만히 듣고 있는 동훈.

소리	(E) 공중전화 고객센터입니다. 고장 신고는 1번, 설치 안내는 2번, 상담원 연결은…
동훈	(버튼 누르고) 수고하십니다. 공중전화 철거 좀 부탁드리려고 하는데요. (사이) 자꾸 거기다 누가 오줌 누고, 냄새 나서요.

#윤희 모처: (뒤 47신의 윤희 모습이 잠깐) 눈 감고 음악에 맞춰 몸을 가볍게 움직이는, 행복감에 빠져 있는 윤희.

S#45 ── 동훈 집 (밤)

#웃방: 조기축구회 가방을 열면, 아대 등 축구 관련 용품이 가득 들었고, 동훈이 그 맨 아래에서 누런 봉투(통화목록이 든)를 꺼내고.
#주방 일각: 통화목록을 갈기갈기 찢어 검은 비닐봉지에 담고.
#다용도실: 반쯤 찬 쓰레기봉투에 꼭꼭 여민 검은 비닐봉지를 넣는데, 그것도 뒤적여 아래로 깔리게 넣는다. 행여 삐져나올까, 쓰레기를 채우다가 누가 볼까 싶어서. 그렇게 놓고 갔다가, 돌아와 쓰레기봉투를 아예 가져가는 동훈.

S#46 ── 동훈 아파트 쓰레기 분리수거장 (밤)

통에 쓰레기봉투를 던져 넣고 가는 동훈.

S#47 ── 윤희 모처 (밤)

준영은 오디오(혹은 컴퓨터) 앞에 있고. 윤희는 음악에 푹 빠져 행복한 얼굴로 이리저리 서성이는데, 준영은 그런 윤희를 불안한 얼굴로 보고 있고. 노래가 끝나자…

윤희　한 번 더 듣자.
준영　(끝 곡을 틀려고) 니가 좋아하는 건 맨 끝 곡이잖아. 이건 내가 좋아하는 거고.
윤희　나도 이젠 이게 더 좋아.
준영　!
윤희　니가 왜 좋아하나… 듣다 보니까 알겠어. 좋아. / 한 번 더 듣자.

준영이 다시 그 곡을 틀고. 윤희는 빠져드는데. 준영은 그런 윤희를 보다가 일어나 현관문 쪽으로.

윤희　어디 가?
준영　가봐야 될 거 같애.
윤희　어딜?
준영　캠핑장.
윤희　거길 또? 거기 가서 다쳤는데 또 오래? 좀 쉬게 못 둬?
준영　(싸늘) 오라면 가야지. 내 인생이 달렸는데. (나가는)
윤희　(표정)

S#48 ── 한적한 도심 일각 (밤)

지안의 핸드폰에서 흘러나오는 녹음 파일. 그걸 듣고 있는 준영.

박 상무   (E) 너 도준영 그 새끼한테 매수당했냐? 근데 어떻게 일주일도 안 된
전화번호가 생각이 안 나?

동훈   (E) 생각이 안 나는 게 아니고, 확실치 않으니까….

박 상무   (E, OL) 야이씨! (뭔가 내던지는 소리)

준영은 동훈이 이렇게까지 마크하고 다닌다는 사실에 조용히 서늘한 얼굴인데. 지안이 녹음 파일을 뒤로 돌리고. 이어서 들리는 소리.

동훈   (E) 공중전화 철거 좀 부탁드리려고 하는데요.

여자   (E) 이거 철거 비용 부담하셔야 될 수도 있는데.

동훈   (E) …얼만데요?

지안이 핸드폰을 끄고 주머니에 넣으며

지안   (약간 비아냥) 운도 좋으셔. 용케 살아남으셨네.

준영   (가만히 제 생각에 빠져 있고)

지안   박동훈 자르는 것도 물 건너갔고… 이제 작전 끝인가?

준영   계속 들어봐. 술 먹고 꽐라 돼서 혹 터질 수 있으니까. 이상한 낌새 보이면
바로 전화하고.

지안   내가 한가하게 이딴 아저씨 일상이나 듣고 앉아 있어야 되나?

준영   (돈 봉투를 주고) 일주일에 백. 돈 필요하잖아.

준영이 차에 타려다가 순간 멈칫. 뭔가 이상하다.

준영   너, 이 인간 계속 도청하고 있었으면. 그것도 알고 있었겠네?
나랑 이 인간이랑 한판 붙은 거. 캠핑장에서.

지안   한판 붙긴. 일방적으로 당했으면서.

준영   근데 왜 모른 척하고 있었어?

지안   그쪽 쪽팔린 거 내가 안다고 얘기해야 되나?

준영   박동훈 공중전화 캐고 다닌 것도 알고 있었지?

Episode 7

지안	거기 가서 하루 종일 죽치고 앉아 있을 줄은 몰랐지. 그렇게 알아낸 거 같던데.
준영	……너, 좀 조심해야겠다?
지안	너나 조심하세요.
준영	!
지안	(가고)
준영	(보는)

S#49 — 정희네 (밤)

남자 손님들이 한쪽을 힐끗거리며 술잔을 기울이는데, 그쪽을 보면 유라가 앉아 있다. 기훈, 상훈, 제철, 진범, 권식과 한 테이블에 같이. 제철은 유라를 뿌듯하게 보다가

제철 오늘부터 난, 널(기훈) 존경하기로 했다. 이렇게 아리따운 아가씨가 좋다고 그러고.

유라가 배시시 웃으며 기훈을 보는데, 기훈은 갈갖게 보다가 외면하고. 그때 정희가 테이블에 안주를 내놓는데 아침과는 달리 활기찬 얼굴에 과한 옷차림. 깊게 파인 브이넥인데, 옷 한쪽을 어깨 쪽으로 좀 내렸고.

상훈	…왜 이래?
정희	(유라 보며) 밀리지 않을라구 좀 꾸며봤어.
상훈	안 밀려. (어깨를 올려주고)
정희	(어깨를 도로 내리며 가고)
제철	우리 기훈이 어디가 좋아요?
유라	(부끄러운 듯) 전… 망가진 게 좋아요. 사랑해요.

제철, 권식, 진범 살짝 정지. '뭐지?' 싶은 얼굴. 기훈과 상훈은 '올 것이 왔구나' 싶고.

기훈 여기 다 망가진 인간들이야. 니가 좋아하는. (권식 가리키며) 은행 부행장이셨다가
지금은 모텔에 수건 대고 계시고. (진범 가리키며) 자동차 연구소 소장이었다가
지금은 미꾸라지 수입하고 계시고. (제철 가리키며) 제약회사 이사셨다가 지금은

백수. 알지? 형이랑 나는 청소. 좋겠다야.

여기 다 니가 좋아하는 망가진 인간들이라.

숙연해지며 눈 내리깔게 되는 제철, 권식, 진범.

기훈   넌, 언젠가 한번 남자한테 다구리로 처맞어. 그중엔 나도 있을 거다.

조심해라 진짜.

유라   좋아한다는데 왜 맞아요?

기훈   망가진 게 왜 좋아? 너보다 못난 인간들 보면서 그래도 나는 저 인간들보단

낫다… 그러는 거 아냐? 그걸 지금 이렇게 사람 앞에 앉혀놓고 대놓고 말하냐?

숙연한 남자들.

유라   그게 아니고요.

기훈   뭐가 아냐 씨이!

유라   전 여기 있는 분들 다 존경해요. 진짜로요.

기훈   (돌아버리겠고) 너 급하게 존경으로 막 이어서 마무리 지으려고 하나 본데.

너 머리 나쁘다. 안 이어진다.

유라   들어봐요 좀. 이어지나, 안 이어지나.

모두   (잠잠)

유라   인간은요, 평생을 망가질까 봐 두려워하면서 살아요. 저는 그랬던 거 같애요.

처음엔 감독님이 망해서 정—말 좋았는데. (잠잠해지며) 망한 감독님이 아무렇지

않아 보여서… 더 좋았어요. 망해도 괜찮은 거였구나, 아무것도 아니었구나,

망가져도 행복할 수 있구나… 안심이 됐어요. (둘러보며) 이 동네도 망가진 거

같고… 사람들도 다 망가진 거 같은데… 전혀 불행해 보이지가 않아요…

절대로. 그래서 좋아요…. 날 안심시켜줘서….

뭔가 마음이 풀어지는 듯한 남자들.

Episode 7

S#50 — 정희네 앞 (밤)

안은 와자하게 술판이 벌어졌고, 제철은 조용히 담배를 피고, 상훈은 가볍게 허리 스트레칭.

제철   쟤… 꼭 천사 같다…. (하늘 보며) 하늘에서 내려준 천사….

상훈   그러게… (우리) 잘 살고 있는 거야….

S#51 — 뷔페 (밤)

#주방: 거칠게 물질하는 지안.

#홀: 일이 끝난 듯 주방에서 앞치마를 풀며 나오다가 멈칫. 테이블에 앉아서 음식 먹던 광일이 미소 지으며 지안을 본다. 광일 앞엔 종수도 앉아 있고. 종수가 웃으며 지안에게 손을 흔들어 보이고.

광일   심심해서 뒤 좀 밟아봤다.

S#52 — 뷔페 건물 근처 (밤)

지안은 준영에게 받은 돈 봉투를 광일에게 주고.

광일   (봉투 안을 보고는) 얘 봐라? 자꾸 크게 노네. 너… 뭐 있지?

지안   …

광일   어디서 돈 많은 놈팽이라도 잡았냐?

지안   어.

광일   !

지안   잡았어. 너보다 훨씬 돈도 많고 센 놈으로.

광일   근데 접시는 왜 닦어? (지안의 어깨를 툭 밀치며 위아래로 훑는) 옷도 그지같이 입고.

         남자가 돈을 주는데, 곱게 치장하고, 가만히 앉아 있어야지.

지안   (여유롭게 보는) 심심해서.

광일 (가만히 보는)

지안 …

광일 뭘까…. 와… 진-짜 궁금하다. 궁금해 미치겠다.

S#53 ── 거리 일각 (밤)

유라는 많이 취해서 쪼그려 앉아 있고, 기훈은 좀 떨어져서 주머니에 손 넣고 보기만. 유라 머리가 땅에 닿을 듯, 앞으로 고꾸라질 듯.

기훈 일어나. 나 여자 안 업어.

유라 진짜… 못 걷겠어요.

유라는 조는 듯 가만히 앉아 있고, 기훈은 그런 유라를 보다가

기훈 (스토리를 짜듯 차분히) 여기서 내가 너를 업고 니네 집까지 가. 니가 들어오라 그래. 내가 들어가. …둘이 …자. 다음 날 또… 자. 당분간… 자. (말이 없다가) 너 나랑 결혼할 거야?

유라 !

유라는 가만. 앞뒤로 휘청거리던 동작도 없어지고 가만히. 기훈은 '그럴 줄 알았다' 싶고.

기훈 그러니까 일어나. 일어나!

비틀거리며 일어나는 유라, 황당하고 부끄럽다는 듯 어깨를 움츠리고 웃으며

유라 어머, 어떻게 거기까지 생각할 수 있지? 안 부끄러워요, 그런 말하기?

기훈 (턱짓) 가!

유라 (기훈 포스에 주눅 들어 걸어가다가, 생글거리며 뒤따라오는 기훈을 돌아보며) 감독님은 여태 업어준 여자랑은 다 잤나 봐요?

기훈 빨리 가 이씨!

유라는 움찔해서 삐진 듯이 빠른 걸음으로 휘청휘청 가고, 기훈은 그런 유라를 흘기며 따라간다.

S#54 ── 의료 보험 공단 (낮)

직원이 창구 안에서 서류를 살펴보고, 지안은 그 앞에 서 있는데

직원   이미 청각장애 판정받으셨다고 하셨죠?

지안   네. 거동도 거의 못 하세요. 돌볼 가족도 없고요.

직원   많이 힘드셨을 텐데 진작 신청하지 그러셨어요? 노인장기요양보험제도 생긴 지 오래됐는데.

지안   …

직원   신청하시면 그 후 일정에 관련해서는 담당자가 전화드릴 거예요.

지안   장기요양 등급 받으면… 무룐가요?

직원   기초수급자는 지자체에서 전액 보조해주니까 무료예요.

지안   …

S#55 ── 윤 상무 방 (낮)

윤 상무는 자리에 앉아 건들거리며 동훈을 흘겨보다가

윤 상무   회장님 캠핑하는 데 갔었대매?

동훈   …

윤 상무   회장님이 불렀어?

동훈   아뇨.

윤 상무   근데? 거길 왜 기웃대? 니가 뭐라고?

동훈   …

윤 상무   별짓 다 해.

동훈   …

윤 상무 회장님이 다정하게 이름 불러주고 그러니까, 가서 막 엉기면 뭐라도 될 거 같애?

동훈 …

윤 상무 너 나 개똥으로 알지?

동훈 그런 거 아닙니다.

윤 상무 (일어나 확) 근데 니가 거길 왜 찾아가? 나도 가만히 앉아서 불러줄 때까지 기다리고 있는데, 니깟 게 뭐라고 날 제끼고 움직여? 싸가지 없는 새끼… 끄나풀은 떨어졌고, 내가 너 밀어줄 리는 없고, 어떻게든 혼자 살아봐야겠다 싶냐? 상무 자리 하나는 공석이고, 회장님이 이뻐라 하는 거 같으니까, 이때다 싶지? 상무 될 수 있겠다 싶지?

동훈 저 자리 욕심 없고요.

윤 상무 (OL) 욕심 없는 새끼가 거기 가서 장작 패고 고기 굽고 있냐 새꺄! 나한텐 말도 없이!

S#56 — 사무실 (낮)

사무실에서 보이는 윤 상무 방. 웅웅 새어 나오는 윤 상무의 지랄거림. 이어폰을 낀 채 숨 죽이고 듣는 지안. 조용히 이는 분노. 송 과장과 김 대리도 잠자코 안의 분위기를 감지하고. 동훈은 터지기 일보 직전인 얼굴로 윤 상무 방에서 나와 자리로. 미동도 않는 동훈의 등짝. 조용하고 서늘한 분노로 가만히 있는 지안.

S#57 — 회사 옥상 (낮)

(위에서 바라본) 차들이 쌩쌩 달리는 도로. 동훈이 아래를 내려다보고 있다.

⟨Cut to⟩

아래를 내려다보며 핸드폰을 들고 있는 동훈.

윤희 (F, 부드러운) 아주버님 사무실엔 토요일에 가자. 주중엔 안 될 것 같애. 당신… 회사 나오면 따라 나올 만한 부하 몇 명 정도 돼? 안 따라 나온다고 너무

서운해하진 말고. 사람 다 그래.

가만히 듣고 있는 동훈의 표정.

S#58 — 엘리베이터 앞 (낮)

동훈이 퇴근 차림으로 엘리베이터 앞에 서 있는데, 엘리베이터 문이 열리면 안에 준영이 서
있고. 서로의 시선이 왔다 갔다…. 준영이 그냥 지나쳐 가려는데,

동훈 왜 아직이야?

준영 !

동훈 (보는)

준영 수순이 있지, 그냥 막 헤어져요?

동훈 !

준영 걱정 마요. 선배랑 그러고 나서 걔한테 정 뚝 떨어졌으니까.

준영이 그러고 가려는데, 가만히 있던 동훈은 순간 준영의 뒷덜미를 잡아채 엘리베이터 안
으로 확 밀쳐 넣어버리고.

S#59 — 회사 옥상 (해 질 녘)

(준영이 동훈에게 잡혀 끌려오던 중이었던 듯) 동훈을 확 뿌리치며 폭발하는 준영.

준영 그냥 다 까발려 씨이!

동훈 !

준영 누굴 봐주는 척, 드럽고 치사해서…. 예감 적중해서 아주 신났지?
         나쁜 놈이다 싶었는데 딱 나쁜 놈 돼주니까 아주 신났지? 선배만 나 알아봤는지
         알아요? 나도 이십 년 전에 선배 얼굴 보고 딱 알아봤어요. 착한 척하면서
         평–생 억울해하며 살 인간!

325

동훈   !

준영   남자들 사이에서 파이 뻔한데, 욕심내면 내쳐지니까, 덤벼들어 올라갈 용기는
      없고, 정년만 채우자, 오십까지만 버티자, 자기 주제 파악이 빨랐지. 그러면서도
      욕심내서 올라가는 인간들 경멸하고! 질투 났어요? 자긴 갖고 싶은 거 꾹꾹
      참는데, 다 뺏기고 다 퍼주는데, 내가 욕심내면서 쭉쭉 올라가니까 꼴 보기
      싫어 죽겠었어요? (비아냥거리며) 내가 선배 선배 그러면서 아양 떨 때
      좀 이쁘게 봐주지 그랬어요. 그럼 미안해서라도 이 지경까진 안 만들었을 텐데!
      조용히 헤어지라고? 됐고! 아니꼬와서 못 해먹겠고! 다 까발려 씨.
      다 까발렸을 때 내가 잃는 게 많아, 선배가 잃는 게 많아?
      난 또 딴 데 대표이사로 가요. 지가 잃는 게 많아서 나보고 까발리지 말라고
      하는 거면서, 누굴 생각해주는 척!

Episode 7

#사무실: 복사기 앞에 서서 숨이 멎을 것 같은 지안.

동훈 그래 가보자. 그래 가보자! 끝까지 가보자!
       내가 어디까지 갈 수 있나, 가보자.
       나도 궁금하다. 내가 완전히 무너지면 무슨 짓을 할지.
       어떤 인간이 될지. 가보자!

준영 가봐요!

#사무실: 복사기 앞에 가만히 서 있던 지안이 홱 돌아서고.

Episode 7

S#60 —— 공중전화 앞 (밤)

퇴근 차림인 윤희. 공중전화를 붙들고 있다. 신호음만 가고 있고.

S#61 —— 대표이사실 (밤)

열 받은 준영은 울리는 핸드폰을 보다가 거의 내던져버리고.

S#62 —— 공중전화 앞 (밤)

소리   (E) 음성 녹음은 1번…

윤희   (버튼 누르고, 부드럽게) 계속 전화가 안 되네. 바쁜가 봐? 맛있는 거 먹고 싶은데…
전화 줘. 안 먹고 기다리고 있을게.

S#63 —— 윤희 모처 (밤)

문자 착신음에 윤희가 핸드폰을 보면,
[캠핑장이야. 기다리지 마.]
문자를 가만히 보고 있는 윤희.

S#64 —— 몽타주 (밤)

#거리 일각: 전투적으로 어딘가 빠르게 걸어가는 지안. 쌕쌕 숨소리만 나고.
#윤희 모처: 책상에 가만히 앉아 있던 윤희가 순간 자리에서 훅 일어나고.
#거리 일각: 지안이 내달리기 시작하고.
#윤희 모처 지하 주차장: 윤희는 지하 주차장에서 차를 몰아 출구 쪽으로.
#거리 일각: 지안은 특기가 달리기인 아이답게 빠르게 달리는데.

S#65 — 윤희 모처 앞 (밤)

윤희의 차가 지하 주차장에서 빠져나와 도로로 접어들며 홱 코너를 돌다가 '끼익' '퍽' 하면서 급정거. 철렁한 눈으로 홱 뒤를 돌아보는 윤희. 오는 길에 뭔가 친 것 같다. 눈도 깜빡이지 못하고 그대로 가만. 주변 사람들도 다 놀라서 멈춘 채 보고. 그런데 길 건너에서 이쪽을 보고 있는 광일! 윤희가 차에서 천천히 내리고, 치여 쓰러져 있던 사람도 천천히 일어나는데, 지안이다! 아는 애다! 이력서에 있었던 애! 서로의 시선이 왔다 갔다…. 지안은 핸드폰에서 녹음 파일을 재생해 윤희 앞으로 핸드폰을 쑥 내밀고.

지안	(E) 근데요. 이렇게 중요한 타이밍에 왜 유부녀를 사겨요? 헤어지면 그만인데. 그러기 싫을 정도로 매력적인 여잔가?
준영	(E) 모르나 본데. 남자들 세계에서 제일 안전한 여자가 유부녀야.
윤희	!
준영	(E) 자기 입으로 떠벌리고 다닐 리 없는 여자.
윤희	! (끔찍한 걸 본 사람마냥 입을 틀어막고)

S#66 — 한적한 도로 (밤)

떨리는 분노를 누르며 운전해서 가는 윤희.

준영	(E) 그리고 지금 상황에선 헤어지는 것보다 계속 만나는 게 안전해. 아직 열기가 떨어지지 않은 여자 함부로 내쳤다간 더 골치 아파.

윤희는 수치스럽고 분에 겹고.

S#67 — 캠핑장 (밤)

아무도 없고 텐트는 움막처럼 꽁꽁 동여매져 있다. (차에서 내려) 황망한 얼굴로 보는 윤희.

S#68 ── 윤희 모처 앞 (밤) - 회상

녹음 파일을 다 들려주고, 마주 서 있는 지안과 윤희.

지안　바람 피는 여자는 어떻게 생겼나 궁금했는데. 이렇게 생겼구나.

윤희　!

지안　아줌마, 정신 차리세요. 다 망가지기 전에.

S#69 ── 캠핑장 (밤)

윤희는 수치심과 분노에 허리가 숙여진다. 무너질 것 같다. 얼굴이 일그러지며 눈물이 뚝 떨어진다.

S#70 ── 도로 일각 (밤)

지안은 이어폰을 꽂은 채 걷고 있고, 맞은편 도로에서 광일은 지안을 보며 걷는다. 손목치기인 줄 알았는데 다쳤는데도 돈을 받지 않고 그냥 가고. 뭔가 이상하다. 그런 표정으로 가만히 따라 걷는다. 이어폰을 꽂고 걸어가는 지안 위로

#가게 문이 드르륵 열리는 소리. 주인이 "어서 오세요" 하면 동훈이 "맥주 하나요." "안주는 없어도 되고?"라는 주인의 말에 동훈 "알아서 주세요."

S#71 ── 동훈과 지안의 단골 술집 (밤)

동훈이 맥주잔을 놓고 앉아 있다. 엄청난 쓸쓸함과 분노. 그렇게 있다가 주인을 돌아보며

동훈　걔 안 왔어요?

S#72 ── 도로 일각 + 동훈과 지안의 단골 술집 (밤)

#도로 일각: 멈춰 서는 지안. 이어서 들리는 소리.

동훈   (E) 춥게 입고 다니는 애. 이쁘게 생겨서.

지안   !

지안은 가만히 있다가, 잰걸음으로 빠르게 걷기 시작. 이내 달리고.

#술집: 엄마를 기다리는 아이처럼 쓸쓸하게 앉아 있는 동훈의 뒷모습.
#도로 일각: 달리는 지안의 모습.

S#73 ── 동훈과 지안의 단골 술집 (밤)

동훈이 다 마시고 일어나 목도리를 하는데, 문이 드르륵 열리는 소리. 보면, 지안이 서 있다.
가슴팍만 들썩이며 숨을 몰아 내쉬고.

주인   (E) 왔네. 이쁘게 생긴 애.

서로의 시선 왔다 갔다… 동훈은 괜히 어색해지고.

동훈   왔냐? 난 다 마셨는데. (주섬주섬 소지품을 챙기며)

지안   (자리에 앉아버리고) 한잔만 더 하죠.

동훈   !

지안   더 해요.

마지못해 앉는 동훈. 지안의 술잔이 채워지고 비워지는 모습이 흐르고.

지안   나 왜 뽑았어요?

동훈   !

S#74 — 파견직 관리 사무실 (낮) – 회상

지안(오늘 옷차림)이 장부에 도장 찍고 월급 명세서를 받는데, 관리소장이

관리　오래간다? 박동훈 부장이 장난으로 뽑은 건 줄 알았는데.
지안　!

S#75 — 동훈과 지안의 단골 술집 (밤)

동훈의 얼굴에서

[INS] 3화: 지안의 이력서를 보는 동훈. 특기란에 '달리기'라고 쓰여 있다.

동훈　…달리기.
지안　!
동훈　내력이 세 보여서.
지안　!
동훈　(마시다가 무심히) 백 미터 몇 촌데?
지안　몰라요. 기억 안 나요.
동훈　근데 무슨 특기가 달리기래?
지안　…
동훈　… (다시 마시려는데)
지안　(생각에 빠지는 듯) 달릴 때는… 내가 없어져요. (가만) 내가 없어지는데…
　　　　그게 진짜 나 같애요….
동훈　!

잊고 싶은 현실. 그것을 잊었을 때의 순간적 평온함. 동훈이 어렴풋이 그 뜻을 파악하고 안쓰럽다 싶다. 동훈이 건배하자는 듯 잔을 들면, 지안도 들고.

동훈　(잔 부딪히며) 행복하자.

7화

마시고 내려놓고. 서로 처음으로 보며 미소. 실없는 미소. 그러다가 조금 더 큰 미소.

S#76 — 동훈과 지안의 단골 술집 맞은편 (밤)

길 건너에서 가게를 보고 있는 광일.

S#77 — 동훈과 지안의 단골 술집 (밤)

동훈과 지안, 어색하게 웃는 모습에서 엔딩.

Episode

8

S#1 ── 동훈과 지안의 단골 술집 앞 (밤)

광일이 술집이 보이는 건너편에서 술집을 보고 있다. 전회와 달리 바람이 세차게 불고… 한참을 서 있었던 듯한 광일.

[INS] 7화 엔딩: 도심을 달리던 지안. 반대편 도로에서 그런 지안을 쫓아 달렸던 광일.

[INS] 지안이 달려와 술집 문을 열었을 때, 광일의 시선에서 보였던 동훈. 서서 목도리를 하다가 지안을 돌아보던 동훈의 눈빛. 그리고 들어가는 지안. 닫힌 문.

그런 생각으로 서 있는 광일.

S#2 ── 동훈과 지안의 단골 술집 (밤)

횡횡 바람소리가 무섭다. 동훈, 지안, 주인 모두 바람 소리에 서늘하게 둘러본다. 문이 요란하게 흔들리는데

주인　　…이 건물 괜찮겠어?

S#3 ── 동훈과 지안의 단골 술집 앞 (밤)

#술집 건너편: 광일의 시선. 동훈과 주인이 술집에서 나오고 이어서 지안도 나오자, 광일은 살짝 어둠 속으로 들어가고… 동훈과 주인이 건물을 전체적으로 올려다보면서 한 귀퉁이로 향하고, 지안은 그런 둘을 지켜본다.

#건물 귀퉁이: 벽의 균열에 붙여놓은 '크랙게이지'를 플래시로 비춰 자세히 보는 동훈.

동훈　　…그대로예요.

이번엔 허리 숙여 '다림추' 끝을 보고. (바람에 흔들리면 가운데 지점을 가늠할 수 있을 정도로, 좀 오래 보는 걸로) 주인은 옆에서 보고 있고.

동훈　　…이것도 그대로고. 더 진행된 건 없어요.

⟨ *Cut to* ⟩

셋이서 술집 건물을 올려다보고 있다.

주인　　아무리 봐도 내 눈엔 더 기운 거 같은데.

동훈　　골조에 문제없는 걸로 봐선 지반 문제 같은데, 안정화됐을 수도 있으니까,
　　　　　지켜보죠.

주인　　…지하철 공사하면서 문제없는 집이 없어.

중무장하고 바람을 맞으며 서서 건물을 올려다보는 세 사람.

S#4 — 동네 일각 (밤)

동훈과 지안이 찬바람을 피해 고개 숙이며 조금 빠르게 걷는다.

지안　　공짜로 안전진단도 해줘요?

동훈　　그럼 한동네 살면서 돈 받냐.

지안　　건축산 거 소문나면 여기저기서 다 봐달라고 할 텐데.

동훈　　(힐끗. 서운) 건축사 아니고, 구조기술사. 여태 무슨 회산지도 모르고….

지안　　비슷한 거 아닌가.

동훈　　달라. 건축사는 디자인하는 사람이고, 구조기술사는 그 디자인대로 건물이
　　　　　나오려면 어떤 재료로 어떻게 만들어야 안전한가, 계산하고 또 계산하는
　　　　　사람이고. 말 그대로 구조를 짜는 사람.

S#5 — 동네 일각 (밤)

바람이 세차게 불고… 아파트 등 건물들이 빼곡히 보이는 언덕길….

동훈 모든 건물은 외력과 내력의 싸움이야. 바람, 하중, 진동… 있을 수 있는
모든 외력을 계산하고 따져서, 그보다 세게 내력을 설계하는 거야. / 아파트는
평당 삼백 킬로 하중을 견디게 설계하고, 사람이 많이 모이는 학교나
강당은 하중을 훨씬 높게 설계하고. 한 층이라도 푸드코트는 사람들 앉는 데랑,
무거운 주방 기구 놓는 데랑 하중을 다르게 설계해야 되고. / 항상… 외력보다
내력이 세게…. / 인생도… 어떻게 보면 외력과 내력의 싸움이고. 무슨 일이
있어도 내력이 세면 버티는 거야.

지안 인생에 내력이 뭔데요?

동훈 …

지안 …

동훈 몰라.

지안 나보고 내력이 세 보인대매요.

동훈 …

지안 …

동훈 친구 중에 정말 똑똑한 놈 하나 있었는데. 이 동네에서 큰 인물 하나
나오겠다 싶었는데. 그놈이 대학 졸업하고 얼마 안 있다가 뜬금없이 머리 깎고
절로 들어가버렸어. 그때 걔네 부모님도 앓아누우시고. 정말 동네 전체가
충격이었는데. 걔가 떠나면서 한 말이 있어. …아무것도 갖지 않은 인간이
돼보겠다고.

동훈은 말하면서 그 말이 새삼 마음에 들어오는 듯….
풍경이 바뀌고… 여전히 바람은 불지만 잠잠한 느낌….

동훈 다들 평생을 뭘 가져보겠다고 고생고생하면서… '나는 어떤 인간이다'라는
걸 보여주기 위해서 아등바등 사는데… 뭘 갖는 건지도 모르겠고….
어떻게 원하는 걸 갖는다고 해도… (#윤희와 지석과의 행복한 한때) 나를 안전하게
만들어준다고 생각했던 것들에… 나라고 생각했던 것들에 금이 가기

시작하면… (#냉랭한 윤희) 못 견디고… (#준영과의 한판) 무너지고. / 나라고
생각했던 것들… 나를 지탱하는 기둥인 줄 알았던 것들이 사실은
내 진정한 내력이 아닌 것 같고…. 그냥… 다… 아닌 것 같다고….

또다시 풍경이 바뀌었고… 풍경을 보며 조금 멈춰 있는 느낌….

동훈   무의식중에 그놈 말에 동의하고 있었나 보지. 그래서 이런저런 스펙 줄줄이
나열돼 있는 이력서보단, 달리기 하나 써 있는 이력서가 훨씬 세 보였나 보지.

다시 말없이 빠르게 걷는 동훈. 그런 동훈을 열심히 따라 걷는 지안. 동훈의 말에 잠잠해
진 마음.

S#6 — 동네 일각 (밤)

여전히 바람이 세차고. 여전히 빠르게 걷는 두 사람.

지안   (혼잣말처럼) 겨울이 싫어.
동훈   좀 있으면 봄이야.
지안   봄도 싫고.
동훈   …
지안   봄 여름 가을 겨울 다 싫어요. 지겨워. 똑같은 계절 반복해가면서.
동훈   스물한 살짜리가 할 말은 아닌 거 같은데.
지안   내가 스물한 살이기만 할까.
동훈   ?
지안   한 번만 태어났을라고.
동훈   …
지안   매 생애 육십까지 살았다 치고, 오백 번쯤 환생했다 치면…
한… 삼천 살쯤 되지 않았을까?
동훈   …삼만.
지안   웩, 삼만. 왜 자꾸 태어나는 걸까?

동훈   …

열심히 걸어가는 두 사람.

S#7 ── 지안 집 앞 동네 일각 (밤)

멀리 지안의 집이 보이고.

동훈   가라.
지안   내일 봐요.

어떤 느낌 없이 홱 돌아서는 두 사람. 왠지 집 앞까지 가는 건 연인 사이 같고, 집이 보이는 곳에서 대충 돌아서는 게 맞는 것 같다는 느낌. 지안이 몇 발자국 가다가 뒤돌아보며

지안   파이팅!
동훈   ! (돌아본다)

지안이 먼저 홱 돌아서 가고, 동훈도 돌아서 가고. 각자의 길로 뚜벅뚜벅…. 동훈은 가면서 '파이팅'이라는 말이 마음에 들어온 듯… 무표정이지만 뭔가 화해지는 느낌으로 뚜벅뚜벅….

S#8 — 동훈 집 아파트 입구 (밤)

아파트 입구로 걸어가는 동훈의 뒷모습. 동훈이 아파트로 완전히 들어가고. 멀리서 그런 동훈을 보는 광일. 뒤를 밟아 따라온 듯 가만히….

S#9 — 동훈 집 현관 (밤)

동훈이 현관에 들어와서 보면, 윤희 신발이 있고. 서재 문은 조금 열려 있다. 문틈으로 보이는 윤희.

S#10 — 동훈 집 서재 (밤)

동훈이 서재 문을 열어서 보면, 윤희는 이제 막 들어온 차림으로 한 손을 책상에 짚고 가만히 서 있다.

동훈   뭐 해?

윤희   (천천히 동훈을 돌아보는데 넋 나간 얼굴)

동훈   !

윤희   (다시 시선 돌리며) …재판 때문에.

동훈   (느낌이 오고, 나가려다가) …졌어?

윤희   …이길 거야.

동훈   …자.

동훈이 나가면, 가만히 있는 윤희의 얼굴 위로

준영   (E) 모르나 본데, 남자들 세계에서 제일 안전한 여자가 유부녀야. 자기 입으로 떠벌리고 다닐 리 없는 여자.

일그러지는 표정. 이 모멸감, 수치심, 분노를 어떻게 할까….

Episode 8

S#11 — 동훈 집 옷방 (밤)

동훈은 조용히 옷을 갈아입는다. '뭔가 터졌구나… 헤어졌구나…' 싶은 느낌. 옷을 걸다
가 가만….

S#12 — 공원 일각 공사하는 곳 (다음 날, 낮)

왕 전무와 박 상무가 드럼통 불을 쬐며 서 있다.

왕 전무 박동훈 부장은 뭐래?

박 상무 … (뭔가 망설이는)

왕 전무 왜?

박 상무 뭔가 잡긴 잡은 것 같은데. 말을 안 해요.

왕 전무 워낙 분란 일으키는 거 싫어하는 사람이잖아. 눈에 띄는 것도 싫어하고.
뭘 잡았다고 해도 그걸로 공격하고 그럴 사람도 아니고. (그러니)
저쪽으로 넘어갔다고 할 순 없잖아?

박 상무 …

왕 전무 박 부장 말곤, 우리가 밀 사람 없어. / 유언장 써놨다고 해도, 노인네
돌아가시고 나면 노인네 형제들이며 여기저기서 달려들어 소송 걸어서
몇 년은 회사 뒤숭숭할 거, 노인네도 알아. 그렇게는 안 하실 거야.
살아생전에 정리할 건데, 재신임에만 물먹으면, 노인네도 도준영한텐
한 푼도 안 줘.

박 상무 …

S#13 — 중식당 룸 (낮)

동훈은 묵묵히 밥만 먹고 있는데, 정 상무는 열심히 펌프질.

정 상무 대표이사 재신임 투표하려면 이사가 십 인 이상이어야 돼. 근데 지금

아홉이잖아. 박 상무 물먹는 바람에. 박 상무 물먹은 거, 이거 백 프로 도준영 수작질이다. 자기편 사람 앉혀서 육 대 사 만들어서 재신임되려고. 그거 모르는 사람 아무도 없어. 물증이 없어서 그렇지. / 회장님은 얼른 상무 공석 채워서 대표이사 재신임 투표 기일 맞추라는데, 도준영 애 머리 굴리는 대로 흘러가게 두면 안 된다. (결론) 자네… 이번에 올라가자. 상무로.

동훈 !

정 상무 오 대 오 만들어서, 도준영 (야구 심판처럼) 아웃!

동훈 …

정 상무 지금 내가 너무 푸시해? 아냐, 원래 다음 순번 자네였어. 다 알아, 자네가 상무 후보 일 순위인 거. 그놈도 알아. 그래서 자네 안전진단으로 밀어버린 거잖아. 설계팀 에이스를. 개자식…. / 올라가자.

동훈 제가 임원직에 어울려요?

정 상무 어울리고 말고가 어딨어? 능력 있고 때 되면 올라가는 거지.

동훈 전 위로 올라가면 등신 돼요. 제가 알아요. 영업을 할 줄 아는 것도 아니고, 정치를 할 줄 아는 것도 아니고. 그나마 기술 붙들고 있을 때나 사람 구실하고, 일하는 거 같지. 전 현장이 맞아요.

정 상무 그럼 계속 부장으로 눌러앉아 있을 거야? 조직 내에서 때 되면 위로 올라가주고 그러는 것도 예의지. 너무 빼는 것도 밉상이야.

동훈 선임이 밀려 나간 자리예요. 앉고 싶지 않아요.

정 상무 …자네 또 이 년간 도준영 그 자식 얼굴을 보고 싶어? 어? 이 년을 더 볼 거야? 그놈 얼굴을?

동훈 …

S#14 — 공원 일각 (낮)

왕 전무와 박 상무가 도착하는 정 상무의 차를 본다. 정 상무가 차에서 내려 종종종 달려 온다.

정 상무 도준영 편에 선 것 같진 않아요. 선임이 나간 자리에 앉는 것도 부담스럽고.

박 상무 (표정)

정 상무   자긴 임원직에 어울리지도 않고, 현장이 맞다고. 도준영 편에 선 건 아녜요.

왕 전무   그럼 밀지. 우리가 밀어야 되는 인간, 일단 흠 없는 인간.

정 상무   (OL) 박동훈 흠 없습니다. 밀고, 저쪽에서 미는 인간들은 흠집 만들어내고!

왕 전무   그렇게 하자고. (먼저 돌아서고)

모두 각기의 차로 흩어진다.

#박 상무 차: 차에 올라탄 박 상무는 뭔가 생각이 복잡한 얼굴. 그러다 이내 차를 몰고 가고.

S#15 ─── 사무실 복도 (낮)

동훈이 엘리베이터에서 내려 사무실 쪽으로 가다가 설계팀을 본다. 첨단 컴퓨터 앞에 둘러 서서 초고층 건물의 입체 설계도를 보고 있는 설계팀원들. 그중 설계팀장과 동훈의 눈이 마주치고. 동훈은 외면하고 간다.

S#16 ─── 윤 상무 방 (낮)

윤 상무가 통화하며 컴퓨터 화면을 보고 있다. 임원진만 볼 수 있는 사내 홈페이지의 '상무 후보 추천 현황' 페이지. 세 명이 추천된 듯 삼 번까지 이름과 소속이 있고.

윤 상무   세 명 다 우리 쪽 사람들이니까, 괜히 우리끼리 싸우지 말자고요.
　　　　　누가 되도 상관없으니까….

그때 컴퓨터에서 띵! 알림 소리가 나서 힐끗 보면, '4. 박동훈'이 떠 있다!

윤 상무   이런 씨, 어떤 쉐끼가 직속 상사 허락도 없이 함부로 추천을 하고 지랄야!

신경질적으로 추천인을 클릭하면 왕영근 전무. '이런 씨이.'

S#17 ── 왕 전무 방 (낮)

왕 전무는 앉아 있고, 윤 상무는 공손하게 서 있으나 눈빛이 불량하고.

왕 전무   전무가 추천 못 할 사람이 어딨어? 설계팀, 안전진단팀, 관리팀 다 내 관할이지.
윤 상무   그래도 직속 상사가 추천하는 게 여태까지 관행이었고.
왕 전무   (OL) 그럼 회장님도 추천 못 한다는 거야? (건방진 새끼. 어디 와서.)
윤 상무   …

S#18 ── 대표이사실 (낮)

준영은 생각에 빠진 듯 가만히 있고, 윤 상무는 애닳았지만

윤 상무   걱정 마십쇼. 자격 심사 위원회 들어가서 제가 아주 탈탈 털어서
           작살내놓을 테니까. 절대, 최종 후보 명단엔 오르지 못하게 하겠습니다.

⟨ Cut to ⟩

준영 혼자 곰곰이 생각에 빠져 있는.

[INS] 7화: 동훈, "조용히 헤어져. 그것만 해. 그럼 나도 너 안 건드려."

준영은 서랍에서 2G폰을 꺼내 본다. 부재중 통화도 없고, 문자도 없고. 뭔가 이상하다 싶다.

S#19 ── 공중전화 근처 (낮)

재판 자료 등을 들고 동료들과 걸어오는 윤희. 동료들끼리의 대화를 의미 없는 미소로 들으며 오다가 뭔가 보고 멈춰 선다. 그곳을 보면 인부들이 공중전화를 철거 중이다. 그리고 잠시 후 울리는 핸드폰. 준영의 전화. 윤희는 이를 받지 않고 가만히 본다.

S#20 —— 대표이사실 (낮)

신호음은 계속되나 저쪽에선 전화를 받지 않고. 준영은 전화를 끊고. 뭔가 이상하다 싶다.
빠르게 밖으로 나가는 준영.

S#21 —— 사무실 복도 (낮)

#사무실 복도: 준영은 아무렇지 않게 사무실을 나가는 척하면서, 슬쩍 동훈을 살핀다. 무심
히 퇴근 준비하는 동훈. 아직 무슨 일이 터진 것 같진 않고.
#엘리베이터 앞: 준영이 엘리베이터 버튼을 누르고, 목을 돌린다.

S#22 —— 몽타주 (밤)

#달리는 윤희 차 안: 윤희는 굳은 얼굴로 운전 중. 옆자리에서 계속 울려대는 핸드폰. 그러
나 눈길 한 번 안 주고 운전만.
#윤희 모처: 준영은 신호음이 가는 2G폰을 귀에 댄 채 옷장을 열어본다. 윤희 옷이 그대로.
화장실을 열어 칫솔 컵을 본다. 칫솔 두 개도 그대로. 거실에 서서 보는데 모든 게 평상시
그대로. 그런데 계속 신호음만 가고 있고.
#동네 일각: 동훈 역시 전화하고 있는데

소리　　(E) 고객이 통화 중이라…

동훈은 조용히 전화를 끊고.

S#23 —— 윤희 모처 + 달리는 윤희 차 안 (밤)

신호에 걸려 핸드폰을 내려다보는 윤희의 얼굴 위로.

준영　　(E) 바쁜가. 하루 종일 연락이 안 되네.

가만히 보다가 뭐라고 문자를 찍고, 옆자리에 핸드폰을 휙 던져놓고 다시 운전하는 모습 위로

윤희　　(E) 어제 캠핑장 갔었어.

그 문자를 본 준영은 '낭패다' 싶고. 이왕 이렇게 된 거 어쩔 수 없다.

준영　　(E) 미안해.
윤희　　…
준영　　(E) 만나자. 만나서 얘기하자.
윤희　　(E) 생각 중이야. 어떻게 해야 통쾌할지. 어떻게 해야 내가 이긴 거 같을지.

준영, 미치겠다. 문자를 보내고.

준영　　(E) 만나. 어디야?

분노를 누르는 얼굴로 차분히 운전만 하는 윤희. 답을 기다리던 준영은 전화를 걸 수밖에 없고.

S#24 — 요순 집 앞 (밤)

핸드폰 벨소리가 요란한데 윤희는 받지 않고 그저 운전만. 윤희 차의 헤드라이트가 비추는 곳을 보면, 삼 형제가 서 있다. 동훈은 조용히 윤희의 안색을 살피고. 기훈은 얼른 주차 칸에 있던 물통을 치워주고. 상훈과 함께 주차 요원처럼 성심성의껏 주차를 돕고. 윤희는 뒤 돌아보며 주차하는 와중에 계속 울리는 전화벨에 화가 치밀기 시작하고, 신경질적으로 기어를 파킹으로 놓자마자 핸드폰을 받으려고 하는데 끊긴다. 동훈 눈엔 그런 윤희의 동작 하나하나가 조마조마하게 들어오고. 윤희는 아무렇지 않은 얼굴로 내리며

윤희　　안녕하세요.
기훈　　(하이파이브하자는 식으로 손을 들고) 오랜만이에요, 형수.

윤희	(손을 잡아주고) 오랜만이에요. (뒷좌석에서 보자기에 싼 떡 상자를 내리며, 상훈에게)
	왜 나와 계세요. 추운데.
기훈	(윤희에게서 떡 상자를 받아 들고 먼저 들어가며)
상훈	차 누가 댈까 봐. 안 막혔어요?
윤희	별로 안 막혔어요.
상훈	들어갑시다. (종종종 앞장서 들어가고)
동훈	…형수 왔대.

윤희는 동훈을 따르다가 멈춰서 핸드폰 전원을 끈다. 동훈은 기다리며 윤희의 그런 동작을 보고.

| 윤희 | 오실 줄 알았어. |

같이 들어가는 두 사람.

S#25 — 요순 집 거실, 주방 (밤)

주방이 잔치 음식 준비로 난리고. 애련은 뚱한 얼굴로 가스 불 앞에서 일하고, 요순은 개수대에서 일하는데, 기훈이 떡 상자 들고 들어오며

| 기훈 | 작은형수 왔어요. |
| 요순 | 왔어? (부랴부랴 젖은 손 닦으며) 에고에고. |

요순이 접시 두 개를 들고 작은 방으로 뛴다.

S#26 — 요순 집 작은 방 + 거실 (밤)

이런저런 잡동사니가 가득 쌓여 있는 방에 요순이 급히 들어와, 베 보자기로 덮어놓은 채반에서 전을 접시에 옮겨 담으며

요순 얼른 상 펴!

거실에 상훈, 윤희, 동훈 순으로 들어오고.

윤희 (현관에서) 어머니 저희 왔어요. (애련에게) 안녕하세요, 형님.

요순 (윤희에게) 그래. 얼른 와라! / (아들들에게) 얼른 상 펴!

윤희 (벗은 외투와 가방을 작은방 한쪽 구석에 넣으며) 안녕하세요 어머니.

요순 그래. 배고프지? 얼른 앉아라.

동훈 (작은방에 들어와 한쪽에 세워둔 사 인용 상 두 개를 빼 나가고)

S#27 ─ 요순 집 주방, 거실 (밤)

동훈이 거실에 상을 편 뒤 주방에서 행주를 가져와 상을 닦고, 상훈과 기훈은 담아놓은 음식 접시를 거실 상으로 옮기는 동선. 윤희가 국을 뜨려는데, 애련이 말리며 뚱하게

애련 됐어, 가 앉아 있어.

윤희 괜찮아요.

애련 (국자 뺏으며) 앉아 있어. (국 뜨며) 어머니 발바닥에 불 나게 움직이셔. 동서 오기 전에 빨리빨리 차려야 된다고. 일하고 들어오는 여자, 밥상 차리게 하면 열 뻗친다고.

요순 (어느새 와서) 그런 말한 적 없다 나. 넌…

애련 어머니 저 눈치 빨해요. 아들 셋 오는 시간은 안 물어봐도, 맨날 동서 오는 시간은 물어보시고. 동서 올 때 되면 허둥지둥 이리 뛰었다 저리 뛰었다….

요순 에우에우….

기훈 그래도 엄만 큰형수 더 좋아해요.

요순 (휙 도끼눈) 저 (쌍…)

윤희 저도 알아요. 형님 더 좋아하시는 거.

요순 왜 그러니들.

상훈 아들 셋 중엔 동훈이 젤 좋아하고.

요순 (휘릭)

상훈	(눈치 없이 계속) 그니까 쌤쌤이야. 한 집에 하나(애련 가리키며),
	하나(동훈 가리키며)씩. 너(기훈)만 따야.
기훈	땡큐야.
애련	(윤희에게) 가 앉아 있어. 운전하고 와서 음식 차리면 멀미해.
기훈	앉아 있어요. 장정이 몇인데.
윤희	(정수기에서 컵에 물을 받으며) 도련님 청소 일은 할 만해요?
기훈	체질이에요. 밥도 맛있고, 잠도 달게 자고. (음식 접시 들고 거실로 가며)
	몰랐는데, 나 육체파야. 저 인간(상훈)은… 진짜 일머리 없다 없다….
	제가 형이랑 일하면서 큰형수 존경하게 됐잖아요.
애련	감사합니다!
요순	(기훈을 흘겨보면)
기훈	그만 좀 흘겨봐요.
요순	니 입이나 닫아.

그런 대화가 오가는 동안 윤희는 조용히 물을 꿀꺽꿀꺽 마시고, 동훈은 그런 윤희를 의식하고. 기훈이 핸드폰 울리는 걸 보고는 급히 요순에게 와서 얼굴 보이게 각 잡아주며

기훈	지석이.
요순	(영상 보며) 아이고, 우리 강아지.
지석	할머니. 해피 벌쓰데이 투 유.
요순	땡큐 베리 마치!

지석이란 말에 윤희도 요순 뒤로 가 서고. 상훈과 기훈도 요순 뒤로 가서 얼굴을 보이며 손을 흔든다.

모두	안녕, 하이.
지석	(반가운) 엄마!
윤희	(반가운) 어, 아들!
지석	(상훈과 기훈에게) 안녕하세요.
상훈	어이, 잘 있냐? 햐… 남자다 이제.

지석	아빠 아직 안 오셨어요?
요순	아빠 왔지. (동훈이 보이게 돌면, 식구들도 다 같이 따라 돌고)

동훈이 일어나 요순 뒤로 가 손을 흔들고.

지석	아빠 숙제 언제 보낼 거야? 특기 동영상.
동훈	내일까지 보낼게.
상훈	니네 아빠가 공부만 해서 특기 같은 게 없어. 그니까 너두 공부 적당히 해. 공부 그거 별거 아냐. 여기 산증인 둘(기훈과 함께). 고학력 빙신.
요순	(주먹이 올라가고) 에으!
지석	큰아빠!
상훈	어이!
지석	너무 외로워하지 마세요. 좋은 여자 있을 거예요.
애련	(OL, 쳐다보지도 않고) 나 여기 있다!
모두	!
요순	(애련이 보이게 돌면, 식구들 또 다 같이 따라 돌고) …큰엄마 있어 있어.
	(애련이 잘 보이게 다 같이 뒷걸음질로 접근)
지석	오 마이 갓. 안녕하세요, 큰엄마.
애련	안녕 못 하다!
지석	죄송해요.

S#28 — 뷔페 주방 (밤)

이어폰 끼고 접시를 닦는 지안. 한쪽 구석 접시에 있는 음식을 고무장갑 낀 손으로 집어 먹고. 한입 가득 천천히 우걱우걱 먹으며, 행복하고 왁자한 저쪽 얘기를 듣는다.

동훈	(E) 너 여자 친구 있대매? 너 걔 진짜 좋아해?
지석	(E) 진짜 좋아하죠 그럼.
동훈	(E) 엄마보다 더?
지석	(E) 아… 아빠!

동훈	(E) 그 여자애 이뻐, 착해? 하나만 말해봐. 이뻐, 착해?
지석	(E) 착해요.
동훈	(E) …이 자식 이거, 진짜 좋아하네.
지석	(E) 그럼 엄만 착해, 이뻐? 하나만 말해봐요.
상훈	(E) 여기선 대답 잘 해야 된다. 부부일 땐 얘기가 또 다른 거다.
지석	(E) 빨리! 착해, 이뻐?
동훈	(E) 엄만, 훌륭해!
모두	(E, 야유)

행복하고 시끌벅적한 저쪽, 우울하고 고단한 이쪽.

S#29 ── 요순 집 거실 (밤)

식사가 거의 끝났고, 상 가운데 접시 몇 개를 들어내어 후식들을 놓고 있는 상황. 요순이 떡 상자에서 흑임자와 인절미를 꺼내 담아 상에 올려놓고, 상훈은 케이크를 세팅 중.

애련	내가 저 인간만 생각하면 여기 안 와요. 어머니 때문에 왔지.
요순	고맙다….
애련	다시 합칠 때는 저 인간만 데꾸 저– 어디 멀리 산속에 들어가 살든가 하지, 한동네서 셋이 몰려 돌아다니는 꼴은 더 이상 못 봐요. 나 세 자매였어도 니들처럼 징글징글하게 안 붙어 다녔어.
동/기	… (우물우물 먹기만)
애련	어머닌 좋으시죠? 형제들 우애 좋아서.
요순	말 마라. 애들 중고등학교 땐 내가 맨날 걸레로 방바닥에 코피 닦는 게 일이었다. 진짜 무섭게들 싸워댔어. 애들 술 마시기 시작하면서부터 안 싸운 거야.
애련	(셋을 노려보며) 그눔의 술.
셋	… (우물우물 먹기만)
애련	동서는 왜 서방님 안 잡아?
윤희	잡아져야 잡죠. 전 포기했어요.

동훈	…

애련 (동훈에게) 서방님, 잘 들어요. 내가, 인생의 일 순위가 와이프가 아닌 놈치고, 말년에 괜찮은 인간 못 봤어요. 어머니 죄송해요. 이건 맞는 말이에요.

요순 나도 맞는 말이라고 생각한다. 내 소원이 뭐겠니. 죽기 전에 니들 다 짝 맞춰 우애 좋게 사는 꼴 보고 죽는 거지. 부부간에 의리만 좋으면, 그지여도 상관없고 전쟁 나도 무서울 거 없다….

기훈 나도 전쟁 나도 안 무서.

초에 불을 다 붙인 상훈이 일어나 전등을 끄고, 박수 치며 '생일 축하합니다' 노래를 빠르게 선창하면 다 같이 빠르게 따라 하고.

상훈 빨리 소원 빌어요.

애련 빨리빨리하고 또 나가야 되지? 술 마시러.

상훈 빨리 소원 빌어요. 촛농 떨어져.

요순이 정성스레 두 손을 모으고 기도하듯 초를 본다. 모두 잠잠. 윤희는 상 아래에서 핸드폰 전원을 켜고. 그리고 가만히 보는 눈길. 대놓고 보진 않지만 그걸 느끼고 있는 동훈.

기훈 (E, 작게 구시렁대며) 소원도 기네….

가만히 있는 동훈의 표정에서.

S#30 — 요순 집 (밤)

#안방: 윤희가 굳은 얼굴로 다다다 문자를 전송하고, 가만히 답을 기다리는 표정.
#거실: 상 접는 동훈의 시선에 열린 문틈으로 윤희의 뒷모습이 보이고. 그저 묵묵히 상을 정리하는 동훈.
#주방: 애련은 뒷정리 중이고, 상훈이 다가와 쭈뼛쭈뼛 봉투를 내민다.

상훈 이거.

애련	(뭔가 싶어 어정쩡하게 받고)
상훈	오늘 월 정산했어. 다달이 줄게. (거실로)
애련	등신… 오자마자 줬어야지! 그럼 내가 구박 덜 했지!

#작은방: 요순이 들려 보낼 음식을 통에 담는데, 상훈과 기훈이 봉투를 두 개씩 들고 들어와

상훈	(요순의 바지 주머니에 봉투를 넣으며) 이거 이번 달 생활비하고 용돈이요.
기훈	(역시 봉투에 찔러 넣고) 나두. 두 개.
요순	생활비까지?
상훈	이제 우리 둘이 다달이 생활비 드릴 거예요.
요순	수지맞았다!
상훈	(봉투를 하나 더 주며) 이건 정희가 주래요. (넣어주는)
요순	(황송) 걔는 맨날. 미안하게.
동훈	(들어와 상을 있던 자리에 세워 넣으며) 전 엄마 통장으로 부쳤어요.
상훈	용돈은 찔러주는 맛이지. / 근데 정희 집 얻다 얻었어요?
요순	걔가 집을 얻긴 얻다 얻어?
상훈	집 얻었다는데? 매일 가게 문 닫고 퇴근하던데.
요순	(안쓰러워 마음이 불편한) 매일 아침 그 방에서 나오는데 뭔 소리야.
	어디 한 바퀴 돌고 들어오나 보지.
상훈	…걘 짠하게 왜 그런대.
동훈	… (거실에서 나머지 상 하나를 정리하며 그 말을 들은 표정)

#안방: 동훈이 외투 입고 음식 보따리 들고 와 문 앞에 서서, 안방에서 여전히 핸드폰 하고
있는 윤희에게

동훈	가자.

S#31 ― 동훈 아파트 앞 (밤)

윤희 차가 아파트 입구에 와 서고, 동훈은 '왜 주차를 안 하나' 싶은데.

윤희	나 사무실 다시 들어가봐야 될 거 같애. 먼저 들어가.
동훈	(무슨 일인지 알지만) 자고 내일 해.
윤희	내려.
동훈	…
윤희	(살짝 짜증) 내려 좀, 나도 힘들다고. (순간 울컥)
동훈	!

윤희는 얼른 시선을 돌리고. 떨린다. '내가 지금 무슨 짓을 하고 있는 건가.'

윤희	미안해. 힘들어서 그래.
동훈	…

⟨ Cut to ⟩

동훈은 내려 서 있고. 윤희의 차가 떠난다. 숨도 쉬지 않는 듯, 암담한 얼굴로 서 있는 동훈. '쉽지 않겠구나. 살아지려나.'

S#32 — 윤희 모처 (밤)

준영이 앉아 있고, 도어락 풀리는 소리. 보면, 윤희가 들어와 서고. 서로의 시선 왔다 갔다…. 윤희도 자리를 잡고. 한동안 말이 없다가…

준영	미안해. …걸렸어. 공중전화.
윤희	!
준영	누군지 캐고 다니고 있어.
윤희	…
준영	이러다간 너도 위험해져. 그만하자.
윤희	…
준영	미안해.
윤희	어쩐지, 너랑 결혼 생활이 그려지지 않기는 했어. 이상하게 상상이 안 됐어. 이러려고 그랬던 거지.

준영	…
윤희	좀 고민했어. 나도 너를 좀 아프게 하고 헤어질까. 그냥 조용히 헤어질까.
	조금만 아프게 할게. 백 프로 내가 구질구질해질 거 아는데. 후회할 거 아는데.
	그래도 조금은 아프게 하고 싶네. / 너, 불쌍해. 많이 불쌍해.
	대학 때부터 불쌍했어. 가진 거 없는 거 티 날까 봐 여유 있는 척,
	다 가진 척 연기하는 거… 우리 다 알았어.

준영은 일어나 창가로. 터질 것 같지만 꾹 참아야 하고.

윤희	니가 어쩌다 결혼 잘해서, 진짜로 잘 풀리기 시작하면서 좀 기뻤어.
	'다행이다… 도준영… 결국 욕심대로 사는구나….' / 그런데 여전히 짠하더라.
	여전히 긴장하고. 그래도 나랑 있을 땐 니가 긴장하지 않는 거 같아서…
	(자조적으로 피식) 내가 뭐라도 된 줄 알았나 보지….
준영	…
윤희	난 내가 똑똑한 여잔 줄 알았지. 난 이런 일 안 당할 줄 알았지.
준영	사랑하다가 그냥 상황이 여의치 않게 된 거야. 당하고 말고 할 게 어딨어?
윤희	…사랑 같은 소리 하네.
준영	세상에 어떤 미친놈이 좋아하지도 않는 여자랑 일 년을 사겨?
	다 잃을 뻔한 위험 감수하면서!
윤희	니가 뭘 잃을 뻔했는데? 무슨 위험을 감수했는데?
준영	몰라서 물어?
윤희	(비웃음이 나고) 나… 이혼하려고 했어…. 너 같은 개자식 때문에….
준영	니가 이혼할 수 있었을 거 같애?
윤희	!
준영	십몇 년 가족으로 지내오던 사람들 뒤통수치고 나랑 살 수 있었을 거 같애?
윤희	!
준영	너 그거 못 해. 죽었다 깨어나도 못 해. / 너랑 사귀는 내내, 입으론 이혼한다
	이혼한다 하면서 절대 안 할 거라는 거, 점점 감 왔어.
윤희	…
준영	…이렇게 헤어지는 게 맞아. 널 위해서라도 돌아갈 수 있을 때

돌아가는 게 맞아.

윤희   너… 나한테 한순간이라도 진심이었던 적 있었니?

준영   제발… 나도 힘들어….

윤희   … (억울해 눈물이 날 것 같다) 너 같은 놈을 좋아했다는 게, 너무 쪽팔려….

죽고 싶게 너무 쪽팔려….

준영   …

S#33 ── 윤희 모처 엘리베이터 (밤)

쿵쾅거리며 엘리베이터에 오르는 윤희. 떨어지는 눈물을 참으려고 애쓰고.

S#34 ── 동훈 집 옷방 (밤)

윤희는 벗은 옷을 걸다가… 옷장 안으로 쓰러져 들어가듯이 무너져 내려 엉엉 소리 내어 운다.

윤희   나 어떻게 살아… 나 창피해서 어떻게 살아…. 어….

얼굴을 옷 속에 파묻고 우는 듯, 우는 소리가 웅웅 울리게 들리고.

S#35 ── 준영 집 계단 (밤)

짐짓 무심하게 계단을 올라가는 준영.

S#36 ── 준영 집 (밤)

윤희   (E) 너. 불쌍해. 많이 불쌍해.

침대에 모로 누워 있는 준영. 그 말에 칼을 맞은 것 같은 느낌. 무너지지 않으려고 안간힘을 쓰는 표정.

S#37 — 정희네 (밤)

"에헤이!" 안타까운 탄성을 내지르는 남자들. 상훈, 제철 외 남자들이 둘러서서, 동훈이 하는 폭탄주 제조 쇼를 보고 있고, 기훈이 핸드폰 카메라로 촬영하는데 중간에 도미노가 뭉개지며 실패하는 바람에 나온 탄성이다. (긴 테이블 위에 일렬로 맥주잔을 세팅하고, 그 위에 소주잔을 세팅해서 맨 끝 소주잔을 치면, 도미노처럼 타다닥 소주잔이 맥주잔에 떨어지게 된다.)

제철   또 마셔야 되냐?

상훈   (잔 들어 마시고, 다른 사람들 잔도 주고) 빨리빨리 마셔.

제철   이번엔 진짜 한 방에 가자. 배 터지겠다 진짜. (마시고)

기훈   빨리 잔 비워요들.

진범   근데 이거 제수씨한테 안 혼나겠냐? 혼날 거 같은데.

기훈   칵테일 쑈인데 뭐? 폭탄주는 엄밀히 말해서 칵테일이야.

권식   (이제 막 들어와) 뭔데?

진범   지석이 숙제. 아빠 특기 동영상으로 찍어 보내랜대.

정희가 목에 깃털 종류의 목도리를 두르고 카메라에 보이게 자리 잡고.

제철   뭐야….

정희   쇼걸. 외국 애들은 이런 거 좋아해.

⟨ Cut to ⟩

동훈이 맥주잔을 채우고, 그 위에 소주잔을 채우는 그림들이 컷컷으로 빠르게 가고, 막판에 조심스럽게 맨 끝 소주잔을 치자… 타다닥 들어가면서 물결치며 성공. 모두 환호. 박수치며 "원더풀… 원더풀…." 외국인들을 위한 영상이니까 영어로 좀 오버해주고.

기훈   한 번 더!

다시 치면, 타다다닥! 물결치며 소주잔이 빠지고. "오-!" 환호성. 하지만 웃는 데도 뭔가 쓸쓸해 보이는 동훈.

⟨ *Cut to* ⟩

슬로우로, 모두가 취해 각기 자리에 앉아 행복하게 웃으며 술을 마시고 있고, 동훈은 바 쪽에 정희와 마주 앉아 있다. 둘의 표정 위로 대사가 이펙트로 흐른다.

동훈　　(E) 어떤 애가… 자기가 삼만 살이래….

#동네 일각: 지안이 오다가 그걸 듣고 멈춰 서고!

정희　　(E) 삼만사리가 뭐야?

동훈　　(E) 나이가 삼만 살이라고. 수없이 태어났을 테니까, 모든 생애를 합치면,
　　　　　삼만 살 정도는 되지 않을까… 왜 자꾸 태어나는지 모르겠다는데…
　　　　　난 알아. 왜 자꾸 태어나는지.

#동네 일각: 지안의 표정.

동훈　　(E) 여기가 집이 아닌데… 자꾸 여기가 집이라고 착각하는 거야….
　　　　　그래서 자꾸 여기로 오는 거야… 어떻게 하면 진짜 집으로 돌아갈 수 있을까….
　　　　　다시 태어나지 않고….

잠잠한 얼굴로 있는 동훈. 그때 슬로우가 풀리면서 ON으로.

정희　　이 바보야! 너 진짜 몰라? 어떻게 하면 다시 태어나지 않고,
　　　　　집으로 돌아갈 수 있는지 몰라?

동훈　　?

정희　　(웅변하듯이) 미워하는 미워하는 마음 없이! 아낌없이 아낌없이 사랑을
　　　　　주기만 할 때! (잠잠히 노래) 그립고 아름다운 내 별나라로 갈 수 있다네.

동훈　　(아… 맞는 말 같다…. 미소가 번지고)

Episode 8

기훈　(취해서) 별나라 안 가 씨이. 대따 재미없어 별나라.

이후 OST '백만 송이 장미'가 다음 신까지 흐르며

S#38 ── 몽타주 (밤)

#정희네 앞: 모두들 인사하며 파하고. 정희가 "집에 가자!" 하며 앞장서고, 삼 형제가 정희 뒤를 따른다.

#동네 일각: 갈림길에서 정희가 손을 흔들며 가고, 삼 형제는 집에 가는 게 아니라는 걸 알지만 우렁차게 인사한다. "잘 가." "내일 봐요." 상훈은 보다가 뜬금없이 "사랑한다, 정희야!" 정희는 "미 투!"

#지안 집: 지안이 화장실에서 할머니를 모시고 나와 제자리로 힘들게 옮기고.

#지안 집 앞: 광일이 불 켜진 지안의 방을 보고 있다.

#정희네: 정희가 다시 가게 문을 열고 들어와, 어둠 속에서 불을 켜고 "다녀왔습니다!" 쪽방에 허망하게 앉아 있다가… "아낌없이 주겠다는데, 받겠다는 놈이 없네…."

#동네 일각: 기분 좋게 취해서 노래를 흥얼거리며 가는 동훈의 뒷모습. 그렇게 걸어가는 뒷모습에서 점점 흥얼거리는 소리가 잠잠해지고, 잠시 후, 우는지 콧물을 훌쩍이는 소리.

#지안 집: 그걸 듣는 지안….

#동네 일각: 서럽게 가는 동훈의 등짝. 그러다가 순간 엎드리고….

#지안 집: 눈물이 날 것 같은 지안….

#동네 일각: 동훈은 엎드린 채로 가만있다가… "파이팅!" 마치 며칠 전 지안의 응원에 응하듯…. 다시 씩씩하게 걸어가는 동훈의 뒷모습.

S#39 ── 오디션 사무실 (다음 날, 낮)

오디션 중인 유라. 맞은편에는 감독과 피디로 보이는 제작진 몇 명이 앉아 있고. 유라는 살짝 틀어 앉아서, 책을 읽는 듯 시종일관 힘없고 무성의하게 연기.

유라　(시나리오 보며) 왜 꼭 재수 없는 놈들은 나보다 나이가 많을까.

제가 부장님보다 늦게 태어난 게 천추의 한인데. 팔다리 다 물어뜯어놓고,
쌍욕 퍼붓고 때려치우면 딱 좋겠는데. 제가 대출금이 남아서요. 그래서, 오늘부터
부장님 사랑하려고요. 밤이고 낮이고 시도 때도 없이 전화하고 카톡해대도,
사랑하는 사람이 그러면 행복하겠죠. 아침에 눈뜨면 콧노래 나오겠죠.
사랑하는 부장님 빨리 보고 싶어서 막 달려서 출근하겠죠.
부장님이 회식하자고 하면 (건성으로 콧노래) 흠흠흠… 설레겠죠.

여자   그만하죠.

무겁고 불편한 침묵.

여자   안 하기로 작정했네. 왜 그래요?
유라   …
여자   하기 싫으면 하기 싫다고 매니저한테 말을 하던가.
감독   (여자에게) 저기… 잠깐 둘이 얘기 좀 할게요.

여자 피디가 못마땅해하며 제작부와 나가고.

감독   저, 이거 유라 씨가 해줬으면 좋겠어요. 유라 씨도 시나리오 좋다고 했다면서요.
근데 왜 그래요? 오늘 뭐… 안 좋은 일 있었어요?

가만히 있는 유라의 얼굴에서 한 줄기 눈물이 뚝. 감독은 당황해서 조용….

S#40 ── 형제 청소방 앞 (낮)

무표정한 얼굴로 뚜벅뚜벅 걷는 유라.

⟨ Cut to ⟩

형제 청소방 앞 자판기에서 뽑은 커피를 들고 가만히 있는 유라. 그렇게 있다가 커피가 든
종이컵을 냅다 형제 청소방 문에 던져버리고. 뒤돌아 뚜벅뚜벅. 무표정한 얼굴로 가버리는
유라. 난장판이 된 형제 청소방 문.

S#41 ── 영광대부 사무실 (낮)

광일은 가만히 생각에 빠져 있고, 종수는 책상에 앉아 있다.

종수 걔가 또 꽃뱀은 안 했잖아. 확실히 그쪽 분야는 아닌데… 분위기가 어땠는데?

광일 …

[INS] 본인이 목도했던 동훈과 지안의 컷들이 무음으로. 아래 종수의 질문에 따라서도 잠깐씩 보이는 둘의 모습.

종수 뭐, 연애하는 거 같애?

광일 … (아무리 생각해도) 그건 아냐.

종수 그럼. 썸?

광일 …달라.

종수 뭐 어떻게? 야리꾸리?

광일 (가만있다가 휙 나가고)

종수 어디 가는데?

S#42 ── PC방 (낮)

광일이 들어와 휙휙 둘러보며 움직이다가, 한쪽에 핸드폰 끼고 열심히 게임에 집중하는 기범을 발견. 광일이 그 옆에 가서 앉아 기범을 보는데도, 기범은 게임에 정신 팔려 있고. 광일이 발로 의자를 툭툭 치자, 그제야 기범이 광일을 보고 화들짝.

기범 씨발. 깜딱이야.

광일 뭐? 씨발?

기범 …

S#43 — 사무실 일각 + 도심 일각 (낮)

가만히 전화기를 귀에 대고 있는 지안. 기범이 광일에게 맞아서 부어터진 얼굴로 전화하고 있다.

기범 봤대. 너랑 웬 아저씨랑 붙어 다니는 거.

지안 …

기범 박동훈 맞지?

지안 뭐라고 했어?

기범 뭘 뭐라고 해. 아무것도 모른다고 했지. 너 어디 다니는지. 뭐 하고 다니는지.

지안 …

기범 그 여자 뭐래? 박동훈 와이프. 돈 준대?

지안 무슨 돈?

기범 그 여자한테 돈 뜯어내는 거 아니었냐? 박동훈 자르는 건 물 건너갔고.
        남편한테 다 이른다고 협박해서 그 여자한테 돈 뜯어내는 거 아니었어?

지안 …

기범 그럼 뭐 하러 그 여자 정보는 달랬는데?

지안 …

기범 광일이 새끼도 알았고, 너 어차피 그 회사 오래 못 다녀. 늦기 전에 얼른
        그 여자한테 돈 받고 튀라고.

기범은 전화를 끊고 부은 얼굴로 가고. 지안은 가만히.

S#44 — 사무실 (낮)

조용히 통화하고 있는 동훈.

동훈 밥은?

S#45 ── 동훈 집 침실 + 사무실 (낮)

윤희는 기진맥진해서 누워 있다. 눈을 감고 간신히 핸드폰을 귀에 대고 있는 상황.

윤희 …됐어. 나중에.

동훈 병원에 가보지.

윤희 …그냥 쉬면 돼.

동훈 …일찍 들어갈게.

동훈은 전화를 끊고 가만히. 기진맥진해 누워 있는 윤희 눈에는 눈물이 고인다.

S#46 ── 정희네 (밤)

유라가 바 쪽에 앉아 취해서 생글거리며 정희에게 얘기하고, 정희는 안주 만들며 움직이고.

유라 제가요, 우리 엄마가요, 세 번째 와이프거든요. 전혀 안 그런 거 같죠?

한쪽 테이블에 앉아 있는 상훈, 기훈, 제철, 진범, 권식이 그 말에 유라를 힐끗 보고.

유라 (생글생글, 초롱초롱) 제가요, 어렸을 때, 둘째 큰엄마 무릎에 가서
막 앉고 그랬대요. 둘째 큰엄마, 제일 큰엄마 돌아가시고 결혼하신 거라,
아무 문제 없었거든요. 우리 엄마만 문제였지. 근데 제가 그냥 엉덩이
들이밀고 와 앉으니까 큰엄마도 어쩌지 못하셨대요. 맨날 "큰엄마─"
그러면서 막 달려가서 안기고 뽀뽀하고. 나 중학교 때 돌아가셨는데,
돌아가실 때까지 그랬어요. 강심장이라고 해야 되나…. 제가요, 어려서부터요,
어디 가서 눈치 보고 주눅 들고 그런 게 없었어요. 태생이 그랬던 거 같애요.
뭔가 싸한 분위기였는데 나만 갖다놓으면 다 풀어졌대요. 제가 가서 한 바퀴
돌아주면 다들 말랑말랑 편해졌대요. 다들 나한테 어쩜 그렇게 구김살이
없냐고… 제가 십 년 전까진요, 구김살이라는 게 뭔지 몰랐어요.

말끝에 잠잠해지는 유라. 정희가 기훈을 보고, 기훈도 '뭔가 화살이 날아오겠구나' 싶은데.

순간 유라가 벌떡 일어나 남자들 테이블에 와 털썩 앉고, 남자들은 흠칫하면서 조용.

유라	(기훈에게) 나, 다시 펼쳐놔요. 감독님이 구겨놨으니까, 다시 깨끗하게 펼쳐놔요.
	활짝 펴놔요. 원래대로.
기훈	…
유라	나. 오디션장에만 가면 죽을 거 같애요. 또 그 구박받을 생각하면,
	숨이 안 쉬어져요. 다시 연기하고 싶은데, 진짜 하고 싶은데, 근처만 가면
	죽을 것 같고.
기훈	…
유라	나… 밝았던 내가 그리워요. 그러니까, 나 원래대로 펴놔요.
기훈	…
유라	펴놔요!
상훈	(낮게, 부라리며) 펴줘라 좀.
기훈	(낮게, 부라리며) 뭘 어떻게 펴줘?
유라	(호통치듯) 성심성의껏! 최대한 잘!

시선 내리고 가만히 있는 남자들. 어떻게 해야 될지. 기훈은 안쪽에 있고, 유라는 끝자리에 앉아 있어서, 유라의 얘기를 가만히 듣고 있어야 하는 남자들.

유라	펴놔요!
모두	… (잠잠)

S#47 — 죽집 앞 (밤)

동훈이 주인에게서 죽 쇼핑백을 받아서 나오고.

S#48 — 아파트 입구 (밤)

동훈이 제 생각에 빠져 무뚝뚝한 얼굴로 걸어가는데 어떤 남자(광일)와 부딪히고

남자　　(E) 똑바로 보고 다닙시다.

남자는 그냥 지나쳐 갔고, 동훈은 한쪽 쇼핑백 끈이 끊어져 당황. 그걸 수습하려 들고.

S#49 — 동훈 집 거실, 주방 (밤)

주방에는 동훈이 사 온 죽이 펼쳐져 있고. 열린 침실 문으로 보이는 동훈과 윤희. 윤희는 누워 꼼짝도 않고, 동훈은 그 앞에 서 있다.

동훈　　(재촉한 지 좀 된 듯) 일어나. 좀 먹어.

잠시 후 윤희가 힘들게 일어나 앉고. 앉아서 축 늘어진 상태로 가만히.

S#50 — 지안 집 (밤)

이어폰을 꽂고 녹음 파일을 듣고 있는 지안의 얼굴 위로

남자　　(E) 똑바로 보고 다닙시다!
지안　　!

광일이다! 다시 들어본다. "똑바로 보고 다닙시다." 다시 재생.

[INS] 지안의 이미지 컷처럼, 부딪힐 때 광일인 게 보이고. "똑바로 보고 다닙시다."

광일이 맞다. 지안은 가만히 있다가… 동훈과 퍽 부딪히는 소리를 반복해서 들어본다. 또

이미지 컷이 떠오른다.

[INS] 부딪히면서 빠르게 동훈의 지갑을 빼는 광일!

지안의 표정.

S#51 ── 지하철 역사 펜스 앞 (다음 날, 낮)

동훈이 가방을 다 뒤지고, 막판에 옷을 다시 한 번 뒤져보고. 낭패다. 가만히 있다가 잰걸음으로 바깥쪽으로.

S#52 ── 회사 앞 (낮)

송 과장 앞으로 와서 서는 택시. 택시에서 동훈이 내리고. 송 과장이 지갑에서 돈을 꺼내기사에게 주고.

S#53 ── 회사 로비 (낮)

동훈은 지각이라 빠르게 걷고, 따라붙는 송 과장.

송 과장 얻다 잃어버리셨는데요?
동훈 몰라.

동훈은 출입 펜스 센서에 지갑을 대려고 습관적으로 주머니에 손을 넣었다가, '씨…' 발길을 돌려 안내 데스크 쪽으로.

동훈 출입증을 잃어버려서요.

S#54 — 영광대부 사무실 (낮)

출입증에 있는 동훈의 얼굴을 보는 광일. 이번엔 주민등록증에 있는 얼굴을 보고, 나이를 확인하고. 광일이 보기엔 뭔가 만만하고 고리타분해 보이는 동훈의 얼굴. 이번엔 명함을 본다. '삼안이앤씨'. 그 명함을 가만히 보다가… 02로 시작하는 회사 번호를 누른다. 신호음이 가고. 긴장하는 광일의 눈빛.

S#55 — 사무실 + 영광대부 사무실 (낮)

채령   (전화받고) 네. 삼안이앤씨입니다.
광일   …
채령   여보세요.
광일   …이지안 씨 좀 부탁합니다.
채령   (지안의 자리를 보고) 아직 안 나왔는데요.
광일   (!, 전화를 끊고) 허, 요년 봐라….

동훈은 지안의 빈자리를 돌아보고.

동훈   전화 한번 해보지?
채령   오겠죠.
김 대리   오늘 그 동네 사람들 다 지각이네. 거기 무슨 공사해요?
동훈   (채령에게) 전화해봐.

S#56 — 영광대부 사무실 건물 앞 (낮)

그 시각, 지안은 광일의 사무실 건물을 올려다보고 있다. 진동으로 울리는 핸드폰. 보면 회사에서 온 전화. 그냥 보고만 있는 지안.

S#57 — 사무실 (낮)

채령	(전화를 끊으며) 안 받아요.
동훈	(살짝 걱정되고)

S#58 — 영광대부 사무실 (낮)

광일이 동훈 지갑을 챙겨 주머니에 넣고 문을 여는데, 앞에 서 있는 지안. 광일은 흠칫 놀라고.

광일	오우 놀래라….
지안	(사무실 안으로 들어오고)
광일	웬일이냐? 아침부터?
지안	니가 회사로 올 것 같아서. 내가 먼저 왔어.
광일	오 신박한 년. 어떻게 알았냐?
지안	내가 돈을 안 갚는 것도 아니고, 나처럼 성실한 채무자도 없을 텐데. 뭐 하러 뒤는 밟을까?
광일	어떻게 쌩–고생고생하면서 돈을 벌고 계시나… 근데 그렇게 널널하게 회사 다니고 그러면 안 되지. 그것도 대기업을. 어떻게 그런 델 들어갔냐? 요즘에도 전화받고 커피 타고 그러는 여직원 있냐? 야… 살다 살다… 이지안 회사 다니는 걸 다 보네. / 센 놈 잡았다더니… 그놈이냐?
지안	!
광일	둘이 술 마시고 집까지 데려다주고. 별짓 다 하더라?
지안	!
광일	돈 있을 거 같지 않던데… 둘이 짜고 회삿돈 삥땅 치냐? / 그 사람이 너 거기 취직시킨 거지? 둘이 같이 작업하려고. 그지? / 그 사람은 아냐? 너 살인잔 거.
지안	너는 아냐? 나 살인잔 거.
광일	!
지안	넌 나 못 죽여. 난 너 죽여. / 거기서 받는 게 백십. 다달이 너한테 갖다 바쳐야 되는 돈이 백이십. 밤에 두세 시간씩 접시 닦아서 월세 내고 먹고 살아.

다 너 죽이지 않으려고 하는 짓이야. 회사 잘려서 그 돈도 벌지 못하게 만들면…

나도 방법은 하나밖에 없어.

광일   이년이 어디서…

지안이 창밖 아래를 힐끗 보면,

[INS] 건물 앞에 경찰차가 와서 서고. 경찰 두 명이 여유 있게 내린다.

지안   왔네, 경찰에 신고했어. 니가 소매치기하는 거 봤다고.

광일이 창가로 와서 보면,

[INS] 경찰이 건물로 천천히 들어오고!

지안   그 지갑, 갖고 나가달라고 하면 갖고 나가주고.

서로의 시선 왔다 갔다…. 광일은 웃고 있지만 졌다 싶고. 품에서 동훈의 지갑을 꺼내 들고는

광일   박동훈. 이름도 알았고. 회사도 알았고.

지안   !

광일   (지갑을 창밖으로 지갑을 휙 던진다)

지안   …그 사람 근처만 가. 죽어 너.

광일   !

지안   (돌아서는데)

광일   (애써 대수롭지 않게) 그 새끼 좋아하냐?

지안   !

지안은 돌아보며 무심한 얼굴로

지안   어.

370

　　　　광일　　!

지안이 나가고, 광일은 그대로 우두커니….

S#59 ── 영광대부 사무실 건물 계단 (낮)

지안이 계단을 내려가면, 경찰 두 명이 올라오고…

S#60 ── 영광대부 사무실 건물 앞 (낮)

지안은 바닥에 떨어진 동훈의 지갑을 주워들고 뚜벅뚜벅….

S#61 ── 영광대부 사무실 (낮)

경찰 두 명이 "실례합니다" 하며 들어오고, 광일은 창문 밖으로 멀어지는 지안만 보고 있다. 대단히 씁쓸한 얼굴.

경찰　　(광일에게 다가와) 신고가 들어와서 그러는데, 잠깐 신분증 좀 봅시다.
광일　　(창밖만)
경찰　　(광일의 팔을 잡으며) 저기요….
광일　　(뿌리치며, 잡아먹을 듯) 냅둬 씨발!

그리고 다시 창밖을 보는 광일.

S#62 ── 작은 커피숍 (낮)

주인으로 보이는 중년 여성이 동훈의 지갑과 명함을 보며 전화하고 있다.

여성   어떤 손님이 지갑을 주웠다고 두고 가서요. 지갑 주인 맞으세요?

S#63 —— 사무실 (낮)

점심시간. 직원들은 없고 동훈만 있는 상황.

동훈   (통화) 예, 맞아요. 감사합니다. 예, 거기 알아요. 퇴근하고 찾으러 가겠습니다.
        네, 감사합니다.

전화를 끊으면 그때 지안이 들어오고. 동훈이 지안을 보는데, 지안은 인사도 안 하고 자리에 가 앉고, 컴퓨터를 켜. 동훈이 짐짓 커피를 타러 가서는

동훈   할머니 어디 아프시냐?
지안   (시선도 안 주고) 아뇨.
동훈   (근데?)
지안   늦잠 잤어요.

괜히 걱정했나 싶기도 하고. 동훈은 쌀쌀맞은 지안의 태도에 살짝 뿔난 얼굴로 자리에 돌아와 앉고. 지안은 자리에 앉아 가만.

S#64 —— 빌라 계단 (낮)

기훈이 바닥에 눌어붙은 껌을 떼고, 문에 붙은 전단지도 떼어가며, 숙련공처럼 야무지고 가뿐하게 계단을 쓸며 내려가고. 상훈은 한 계단 위에서 대걸레질만 하면서 따라 내려가는데 허위허위. 기훈은 뿔난 사람처럼 손동작에 기운이 넘치고.

S#65 —— 빌라 앞 (낮)

기훈이 먼저 청소 도구를 챙겨 들고 옆 라인으로 가면, 상훈은 잠시 후 쫓아 나와 허리를 펴며

상훈　천천히 좀 하자….

상훈이 기훈을 따라 옆 라인으로 이동하는데, 도로 휙 나와 다마스 쪽으로 가는 기훈.

기훈　하고 있어, 금방 올게.
상훈　어디 가는데?

다마스를 몰고 가는 기훈.

S#66 ― 유라 집 (낮)

해가 중천에 떴는데도 이불을 뒤집어쓰고 폐인처럼 누워 있는 유라. 숙취도 있고. 우울하기도 하고. 그때 초인종 소리. 그래도 움직이지 않고 가만히 있는데, 잠시 후 쾅쾅쾅!

S#67 ― 유라 집 현관 앞 (낮)

유라가 문을 열면, 기훈이 서 있고. 열 받은 사람처럼

기훈　내가 펴줄게. 깨끗하게 펴줄게. 어떻게 펴줄까? 어떻게 하면 펴지는데? 말해봐!

유라는 힘없이 도로 문을 닫으려는데, 기훈이 문을 잡고.

기훈　펴준다고!
유라　(힘없이) 됐어요. (문을 닫으려 하자)
기훈　(확 잡고) 펴준다니까 씨!

유라가 살짝 움찔하고. 시선 내리고 맥없이 가만. 기훈은 그런 유라를 보다가 씁쓸한 얼굴로 잠잠히…

Episode 8

기훈	…미안해. 잘해줄게. 니가 괜찮아질 때까지.
유라	!
기훈	…이따 봐.

기훈이 유라를 보다 돌아서 가고. 유라는 왈칵 눈물이 날 것 같다.

유라　　한번 안아주고 가면 안 돼요?

계단을 통통통 내려가던 기훈이 멈춰 서고. 이내 다시 올라간다. 그러고는 유라를 안고, 살짝 욕 나올 것 같은 표정. 그렇게 서 있는 두 사람.

S#68 —— 임원 회의실 (다음 날, 낮)

'상무 후보 자격심사 위원회'. 준영과 왕 전무는 없고, 양쪽 진영으로 나뉘어 열여섯 명 정도 있는 위원회. 피 튀기는 설전. 언성 높여 제 할 말만 다다.

정 상무	근속연수도 박동훈 부장이 제일 오래됐고.
윤 상무	(OL) 지금이 어떤 시댄데 짬밥순으로 감투를 줍니까? 능력 제일주의 시대에!
정 상무	(서류 흔들며) 능력 봐봐요. 무조건 우기지 말고. 수치를 보고 얘기하라고요.
윤 상무	박동훈 부장 이번 달에 감사실에 불려간 것만 두 번이에요. 공식적으로 한 번, 비공식적으로 한 번. 공식적인 사건은 다 알아요. 오천만 원 뇌물 먹고.
정 상무	(OL) 안 먹었습니다. 버렸습니다, 쓰레기통에. 박 부장이 너무 독보적으로 성실하게 착착착 올라오니까, 위기감 느낀 인간들이 어떻게든 박 부장 잘라내려고 뇌물 먹은 것처럼 수작 부렸다가 실패한 거고!
윤 상무	(OL) 소설 쓰지 마요!
정 상무	(OL) 그 인간들이 야로 부려서 설계팀 에이스를 안전진단팀으로 밀어버린 겁니다.
윤 상무	(일어나) 막 갖다 붙이지 마요! 누가 야로를 부려요, 야로를 부리긴. 안전이 대센 거 몰라요? 국가적 차원에서 안전에 만전을 기하라고 하니까, 이왕이면 경험 많고 훌륭한 인재를 안전진단팀에 투입시킨 거지,

누가 야로를 부려요?

정 상무 어이구! 이럴 땐 훌륭하다고 인정하시네.

윤 상무 !

정 상무 이거 막고 저거 막아가면서, 막 우겨댈라니까 말이 꼬이죠?

윤 상무 야!

정 상무 (서류 흔들며 모두에게) 직무평가 최고점 년도하고 최하점 년도를 빼고 평균을 내도 박동훈 부장이 일 등이에요. 이렇게 딱 보이는 결과물을 놓고도 후보에도 못 오르면, 누가 이 위원회 결정을 신뢰하겠냐고요!

S#69 —— 사무실 복도 (낮)

[INS] 컴퓨터 화면: 인트라넷에 떠 있는 상무 후보 공고문. 후보 세 명 중 박동훈이 삼 번으로 올라 있다.

동훈이 덤덤한 얼굴로 공고문을 보고 있고. 직원들은 모두 "오-" 그때 준영과 윤 상무가 굳은 얼굴로 뚜벅뚜벅. 그들의 등장에 조용해지는 직원들. 준영과 동훈, 서로 시선을 마주치지는 않지만 껄끄러운 기운을 느끼고.

S#70 —— 대표이사실 (낮)

윤 상무가 바짝 긴장해 있는 준영에게

윤 상무 우리 후보 둘 중에 하나 사퇴시키겠습니다. 표 분산만 막으면, 우리가 이깁니다. 걱정 마십쇼.

⟨ *Cut to* ⟩

준영은 혼자 있고, 이내 2G폰을 꺼내 문자를 보내는.

Episode 8

S#71 ── 사무실 (낮)

준영이 대표이사실에서 확 나오고. 비서들이 일어나는데 준영은 그냥 가고. 사무실을 지나쳐 뚜벅뚜벅 가는데, 문자를 확인하는 지안의 얼굴 위로

준영　　(E) 나와.
지안　　(표정)

동훈이 안 좋은 낯빛으로 나가는 준영을 시선으로 쫓고. 그때 울리는 동훈의 핸드폰. 보면 박 상무.

S#72 ── 부산 지사 박 상무 방 + 사무실 (낮)

통화 중인 박 상무.

박 상무　후보 사퇴 같은 거 하는 순간, 넌 뒈질 줄 알아. 공격할 타이밍에 공격 안 하면, 넌 완전 등신인 거야. 도준영 그 새끼 제대로 밟아놔. 정의가 뭔지 보여주라고 임마! 그 새끼는… 꼭… 니 손에 아작 나야 돼. 그래야 정의야. 그게 정의야 새꺄!

박 상무가 전화를 팍 끊고는 울컥하는 감정을 누른다. 조용히 철렁하는 동훈. '이 사람… 뭘 아나….' 평온한 척하려고 하는데 떨리고….

S#73 ── 바 (낮)

지안이 들어와서 보면, 준영이 바에 앉아 지안을 돌아보는데, 좀 전과 달리 긴장이 좀 풀어진 얼굴.

⟨ Cut to ⟩

둘이 나란히 앉아 있고. 준영이 부드럽고 덤덤하게 얘기 시작.

8화

준영	저번에 그거 왜 안 썼어? 둘이 뽀뽀하는 사진. 스캔들.
지안	어느 눈치 빠른 년이 알아채서요. 내가 들이댄 거라는 거.
준영	어떻게?
지안	내가 까치발 들고, 입술을 갖다 댔으니까. 다음 날 박동훈은 사람들 다 있는 데서 나보고 그만두라고 호통까지 쳤고.
준영	근데 왜 안 잘렸어?
지안	모르죠.
준영	그 뒤로 두 사람 어때?
지안	말 안 해요.

준영은 술잔을 기울이고… 뜸을 들이다가…

준영	박동훈 괜찮지 않나?
지안	!
준영	많이들 좋아했는데. 희한해. 그런 인간을 왜 좋아하나 몰라…. 진짜로 사귀어볼 마음 없어?
지안	!
준영	(가만히 보는)
지안	(허) 지금… 나랑….
준영	(봉투 내밀고) 직장 상사의 권위를 이용한 부적절한 관계로… 넌 따로 보상도 받을 수 있어. 강요에 의해 어쩔 수 없었다고 하면… 당장 자를 건 아니고. 그냥 사귀고만 있어. 천만 원이야. 선불로 줘야 될 것 같아서. 나도 뭐 하나는 쥐고 있어야지. 뭐 하는지 계속 도청하고… 누구 만나나… 누구한테 무슨 얘기하나… 감시도 하고… 연애도 하고. 열심히 하라고 선불로 주는 거야.
지안	(짐짓 피식) …열심히는 어떻게 하는 거지? 옷 벗고 달려들어야 되나?
준영	(피식) 그건 초 치는 거고. 그러면 그 인간 기겁한다. 등신…. 너 도청하니까 그 인간 어디서 뭐 하는지 다 알 거 아냐? 슬쩍 접근해. 우연인 척. 그렇게 하나하나 만들어나가. 있을 법하게. 조졌을 때, 박동훈이 완전 발뺌은 못 하게. 아니라고 펄쩍 뛰지는 못하게. 알아들어?

S#74 ── 지하철 플랫폼 (밤)

계단을 내려와 플랫폼에 서는 지안의 얼굴 위로

S#75 ── 바 (낮) – 회상

지안　　어떤 남자가 미쳤다고 나 같은 여잘 좋아할까.
준영　　그냥… 같이 밥 먹고 술 먹고… 그것만 해….
지안　　！

이미 하고 있는 것들. 이내 대수롭지 않은 척,

지안　　밥 먹고 술 먹고… 그러면 좋아하는 건가?
준영　　좋아하는 거야.
지안　　！
준영　　좋아하는 거야. 어떤 남자가 좋아하지도 않는 여자랑 밥 먹고 술 먹고 그래.
지안　　(피식) 많이들 그러지 않나? 뭐 바라는 거 있을 때.
준영　　(이런 씨) 박동훈은 안 그래. 밥 먹고 술 먹으면 좋아하는 거야.
　　　　그리고 절대로 발뺌 못 해.
지안　　！
준영　　거기까지만 가봐. …어려운 것도 아니잖아? 나머진 내가 알아서 해.
지안　　！

S#76 ── 지하철 플랫폼 (밤)

그 생각에 빠져 있는 지안. 지안이 한쪽을 보면 조금 떨어진 곳에 동훈이 서 있다. 동훈은
박 상무와의 통화 여파로 생각에 잠겨 있는 얼굴. 제 생각에 빠져 지안은 보지도 못하고….

그때 지하철이 들어오기 시작하고… 동훈은 여전히 생각에 빠져 있고….

⟨ *Cut to* ⟩

이미 두 사람이 지하철에 올라탄 듯 플랫폼엔 아무도 없고. 빠르게 떠나는 지하철에서 엔딩.

Episode 8

배우 인터뷰

이선균

들키고 싶지 않았던 것들로 얼굴을 붉히며 지지고 볶아도, 날 끝내 외면하지 않고
있는 그대로 이해해주는 사람. 박동훈이라는 캐릭터가 많은 이에게 사랑받은 이유는
우리가 살아가면서 한 번쯤 그런 사람을 만나고 싶다는 바람에서 기인한 것이 아닐까.
동훈, 그리고 나의 아저씨에 대한 이선균 배우의 단상을 들어본다.

에디터 강현지 | 인터뷰 강현지, 최윤혁

속에 있는 것을 간결하게 내뱉는 사람

「나의 아저씨」 대본을 처음 받았을 때 드라마 안에서 모든 인물이 도구로
소모되지 않고 역할로서 살아 숨 쉬고 있는 작품을 만났다는 사실에 무척 기뻤습니다.
대본 속 상황과 대사가 굉장히 섬세하고 촘촘하게 쓰여져 있었기에, 김원석 감독님은
이 대본을 '악보'에 비유하시며 방점까지 살려서 표현해보자고 말씀해주셨어요.
박해영 작가님이 쓰신 악보 같은 대본을 바탕으로 감독님은 지휘자, 배우는 연주자가
되어 작업해보자고요. 극 중 동훈은 함축적인 알맹이를 간결하게 표현하는
인물입니다. 이를테면 "착하다"처럼요. 그래서 오히려 긴 대사나 아무 말 없는
표정을 지을 때보다 많은 고민이 필요했어요. 지안의 고단한 상황을 묵직한 한마디로
헤아릴 줄 알아야 하고, 짧은 순간에 깊은 마음을 담아야 하니까요.
다른 작품은 경우에 따라 애드립이 자유롭게 허용되기도 합니다. 그러다 보면
적극적으로 무언가를 해야 하는 상황이 요구될 때도 있는데요, '동훈'이라는 캐릭터를
만들어가면서는 이와 반대로 '뭘 하려고 하지 말자'라고 생각했습니다. 동훈이 느끼는
삶의 무게와 균열은 제가 특별히 표현하려고 애쓰지 않고 오히려 감내하는 것이 감정
전달에 더 좋은 방법일 것 같았어요. 적극적으로 표현하는 것이 자칫하면 의도와 다르게
가벼워 보일 수도 있고, 그렇게 비친다면 그 인물은 동훈과 거리감이 생길 수밖에
없으니까요. 감독님께서도 이 부분을 강조하시고 잘 잡아주셨습니다. 그래서
겹겹이 쌓여 있는 균열이 무너지며 감정의 여파가 크게 전해질 수 있도록 계획하고
연기했습니다.

이런 경험들을 하며 그저 배역을 맡은 것이 아니라,
제가 정말 실존 인물 박동훈으로 살아 있는 듯한 느낌을
받았습니다.

살아 있는 듯했던 시간들

엄마와 삼 형제가 함께 모여 촬영할 때면 상황이 현실보다도 더 현실처럼 느껴졌습니다.
진짜처럼 녹아들어서 의식하거나 계산하지 않아도 다음 행동이 저절로 나오는 경험을
여러 번 했거든요. 이런 경험들을 하며 그저 배역을 맡은 것이 아니라, 제가 정말
실존 인물 박동훈으로 살아 있는 듯한 느낌을 받았습니다. 이는 모든 호흡이 조화롭게
이루어졌기에 가능한 일이었다고 생각합니다. 고두심 선생님의 내공은 제가 감히 말로
담아내기 어려울 정도예요. 매번 가족 분위기와 중심을 잡아주시고 이끌어주셨어요.
선생님은 돌아가신 저희 어머니와 신기할 만큼 닮았습니다. 말투나 목소리, 외모까지
비슷해서 촬영 내내 진짜 제 어머니가 말씀하시는 것 같았어요. 그래서 제가 둘째 아들
역에 더 몰입할 수 있었는지도 모릅니다.
극에서 아버지는 안 계시고, 엄마가 아직도 형과 동생을 부양하죠. 이런 상황에서
자식으로서 노모를 편하게 해드리지 못하는 미안함…. 이런 복합적인 감정들이 선생님의
내공 덕분에 억지로 되새기지 않아도 자연히 유지되더라고요. 감정선이 자연스럽게
쭉 이어지면서, 동훈이 상무로 승진하게 된 장면을 찍을 때는 진심으로 기쁘고 벅찬
감정을 느꼈습니다. 이런 정서적인 안정감이 실제로도 있었기에 촬영하는 내내 좋았던 것
같아요. 게다가 집 안의 온도나 공기까지도 숏 안에 담으려고 노력하신 감독님이
계셨기에 배우들도 생생한 극 중 분위기를 오롯이 느끼며 그 배역으로 살 수 있었습니다.
덕분에 진짜 같은 케미를 만들 수 있었고, 이것이 보시는 분께 전달되어 공감대를
형성한 게 아닐까 싶습니다.

후계동, 하면 정희네가 가장 기억에 남습니다. 특히 그곳에 머무르며 함께 촬영했던 제철, 진범, 권식 배역을 맡은 형들과 상훈, 기훈 등의 조합이 만들어내는 후계동 친구들 분위기가 너무 좋았어요. 주로 가장 늦은 시간에 촬영한 장소라서 다들 피곤할 법도 한데 늘 드라마 속에서 보는 것처럼 화기애애한 분위기가 현장에 고스란히 배어 있었어요. 정희네 특유의 분위기를 잘 살려주셔서 진짜로 그 동네에 사는 사람이 된 것 같은 느낌이 들었고, 그 공기에 저 역시 동화되어 오래된 고향 친구들이 실제 제 곁에 있어주는 듯한 느낌이 들었습니다. 후계동 정희네처럼 늘 돌아갈 곳이 있고, 조기축구회 멤버들처럼 의지할 친구들이 있다는 것은 인생에서 참 유의미한 일이라고 생각해요. 사람마다 위로하고 이해하는 방식이 다른데, 가끔은 오버하고 또 가끔은 끓어넘치는 후계동 친구들을 보며 참 애증 어린 가족 같다는 생각도 들고 내 편이라는 느낌도 들고… 여러모로 든든하고 고마웠습니다.

아마 「나의 아저씨」 대본을 읽으며 어릴 때 향수를 느끼는 독자분도 계실 것 같아요. 예전에는 그런 문화가 좀 있었잖아요. 학교 앞에서 선배들과 모여 술 마시는 단골집도 있었고, 또 동네 친구들 우르르 모여 작고 아늑한 아지트에서 시덥잖은 이야기하면서 낄낄대는. 그런데 이제는 그런 기회가 드물거든요. 저희도 촬영하면서 우스갯소리로 '정희네'는 특허 내야 하는 거 아니냐 했을 정도로 이곳에 오면 그때의 향수가 생생히 살아나더라고요. 아마 정희네는 제게 오래오래 그리운 곳이자, 따뜻한 기억으로 남을 것 같아요.

사람마다 위로하고 이해하는 방식이 다른데, 가끔은
오버하고 또 가끔은 끓어넘치는 후계동 친구들을 보며
참 애증 어린 가족 같다는 생각도 들고 내 편이라는
느낌도 들고…

동훈과 지안이 함께 보낸 시간은 길지 않지만, 그들은 외로움과 쓸쓸함으로 심리적인
유대감, 동질감을 느꼈다고 생각했어요. 동훈의 감정과 비슷한 것들을 지안이
겪고 있잖아요. 어린 나이에 할머니를 혼자 감당해야 하면서 이 아이가 세상을 살아갈 때
느끼는 고독함 같은. 그래서 동훈이가 되어 지안을 바라보면 유기묘처럼 느껴질 때가
있었어요. 사정을 아니까 지켜주고 싶은 마음이 드는 거죠.

사실 나이를 먹을수록 새로운 친구를 만나기가 쉽지 않거든요. 아무 조건 없이 순수하게
즐거운 학창 시절 친구 같은 존재는 특히나 만나기가 더 어렵고요. 그런데 동훈은
지안에게서 자기와 비슷한 모습을 발견하게 되면서, 이 아이를 순수하게 한 인간으로서
대하게 돼죠. 심리적으로는 지안이 오히려 동훈이 표현하지 않은 마음까지도 알아주고요.
나중에는 동훈이 "너 나 살리려고 이 동네에 왔었나 보다"라고 말할 정도로 지안에게
마음의 큰 위로를 얻어요. 그래서 저도 촬영하며 언젠가부터는 동훈의 방식대로
이 친구에게 연대감을 주고 싶었어요. 동훈에게는 후계동 친구들이 있고, 퇴근하면
돌아갈 아지트가 있잖아요. 거기서 고된 하루를 충전할 수 있고요. 이처럼 소중한 일상의
감정들을 지안이 후계동 일원이 되어 느낄 수 있었으면, 했어요. 그래서 저는 마지막회
장례식 시퀀스가 가장 좋았습니다. 큰형 상훈이 가득 채워준 화환, 제철 형이 "뭘 갚어…
인생 그렇게 깔끔하게 사는 거 아니에요"라며 지안에게 무심히 던지는 위로. 이런 것들을
보면서 이제는 꼭 나 때문이 아니라도 지안이 후계동 사람들과 일원이 된 것 같은
기분이 들었거든요.

동훈은 지안에게서 자기와 비슷한 모습을 발견하게
되면서 이 아이를 순수하게 한 인간으로서 대하게 돼요.

그래서 동훈도 마지막에는 지안처럼… 어느 정도 편안함에
이르렀으리라 짐작합니다.

여기서 제일 지겹고 불행해 보이는 사람

「나의 아저씨」는 제 또래 주변 친구들에게 공감을 많이 샀던 작품입니다. 아마도
중년이 느껴온 고민들이 동훈에게서 고스란히 느껴져서 그런 것 아닐까 예상해봅니다.
지안이 4화에서 "성실한 무기징역수" "여기서 제일 지겹고 불행해 보이는 사람"이라고
동훈을 일컫는 부분에서 특히나 사십 대 시청자분들의 감정이 동요했다고 들었어요.
저 역시 동훈을 연기하며 정곡을 찔린 듯한 기분이 들었습니다. '이 꼬맹이가 뭘 안다고
날 이렇게 들여다보는 걸까' 싶기도 했고요.
저도 동훈과 같은 나이대를 살면서 때론 삶의 방향을 잡기 어렵고 막연할 때가 있어요.
그 와중에 어떤 것은 포기해야 하고, 다른 어떤 것은 책임감으로 지켜야 하고…
사람이 점점 후져지는 것 같기도 하고…. 이런 느낌들이 나이대 특유의 고독 아닐까요?
열심히 일하고 있지만 막막하고, 가끔은 반대로 '내가 이렇게 쉬지 않고 일해도 되나'
하는 불안함도 느껴지는 시기인 것 같아요.
동훈은 지금까지 성실한 무기징역수처럼 버티며 살아왔어요. 그래서 윤희의 외도를
알고도 침묵해요. 어떻게든 자기가 버티면 이 가정이 무너지지 않을 거라고 생각하니까요.
그런데 지안이 이런 동훈의 마음을 꿰뚫고 꽤나 날카롭게 건드리면서 동훈은
꾹 누르고 살아온 마음을 마주하게 되죠. 동훈은 이 시간을 통해 오히려 자기가 듣고
싶었던 위로를 지안에게 건네면서 나름의 방법으로 아픔을 해소했다고 생각해요. 전보다
지안을 통해서 자기를 많이 돌이켜보고 계속 버티던 것을 정면으로 부딪혔으니까요.
그래서 동훈도 마지막에는 지안처럼… 어느 정도 편안함에 이르렀으리라 짐작합니다.

감독의 말

김원석

에디터 강현지 | 인터뷰 강현지, 최윤혁

「나의 아저씨」 대본을 처음 읽었을 때 어떤 느낌이셨나요?

사람의 마음을 움직이는 드라마다, 라고 생각했습니다. 작가님은 문학적으로 쓰지 않았다고 말씀하셨지만 저는 이 작품에 기본적으로 사람들의 가슴을 울리는 문학적인 무언가가 있다고 생각했습니다. 대본만 읽어도 눈물이 많이 나는 작품이었으니까요. 촬영 중에 다음 회차 대본을 처음 받아 들어 읽던 스태프들도 마찬가지였습니다. 다들 어딘가에서 대본을 넘기며 훌쩍이고 있더라고요.

「나의 아저씨」를 포함한 감독님의 작품들은 주로 시청층이 폭넓고 휴머니즘이 돋보이는 공통점이 있는 것 같아요. 평소에 감독님이 생각하시는 드라마의 정의와 이를 바탕으로 나의 아저씨에 걸었던 기대 같은 것들이 궁금합니다.

되도록 많은 사람들이 공통으로 관심 갖고 볼 만한 작품을 만나려고 합니다. 그중 한 작품이 「나의 아저씨」였어요. 사람들이 이 드라마를 두고 이야기꽃을 피울 수 있겠다, 그런 걸 선택하는 거죠. 드라마 (사극을 제외한) 시청자 성비를 보면 대개 남성이 적은 편인데요. 「나의 아저씨」 같은 경우는 성별과 세대를 아우르는 드라마가 될 수 있을 거라 생각했습니다. 저는 드라마가 사람들에게 아주 친밀하게 다가가는 대중예술 장르라고 생각합니다. 그래서 드라마 자체가 본래 지닌 '같이 본다'라는 특성에 집중하고 싶었어요. 어느 시기에나 이런 놀잇거리가 있었죠. 조선 시대에는 판소리가 그런 역할을 했어요. 남녀노소 모두 즐기며, 그 중심에 위치한 명창은 대중의 인기를 얻고, 사람들이 한데 모여 앉아서 공연을 듣고 봤잖아요. 오늘날 미디어 시대에서는 드라마가 그 역할을 한다고 생각해요. 우리가 꼭 실재하는 광장에 모이지 않더라도 사회적인 문제나 삶에 대해 한번 나눠볼 수 있는 매개체 역할을 한달까요. 「나의 아저씨」라면 내가 생각하는 드라마의 역할과 본질을 충분히 구현할 수 있겠다, 평범한 사람들의 인간미와 따뜻함, 현실보다 더 현실 같은 모습들. 이런 것이 누군가에게 해답을 줄 수는 없지만, 정서적으로 마음을 만질 수는 있겠다 싶었어요.

(이 작품의 많은 인물이 그러하지만) 특히 박동훈은 인간의 입체적인 레이어를 잘 보여주는 인물이라는 생각이 들었습니다. 감독님이 보신 박동훈은 과연 어떤 사람인지 듣고 싶었어요.

박동훈은 다른 드라마 주인공에 비해 외적으로 드러나는 것들이 평범해 보이는 사람입니다. 물론 자세히 들여다보면 양심적이고 배려심 많고 따뜻하고… 이런 됨됨이가 결코 평범하지 않은 사람이라는 것을 우리가 곧 깨닫게 되지만요. 저는 외적으로 드러나지 않는 박동훈의 특별함을 잘 표현하고 싶다고 생각했어요. 비슷한 나이를 지나서 그런지 공감대가 느껴지는 부분이 많았거든요. 기훈이 동훈에게 1화에서 이런 말을 합니다. "난 이상하게 옛날부터 작은형이 젤루 불쌍하더라. 욕망과 양심 사이에서 항상 양심 쪽으로 확 기울어 사는 인간. 젤루 불쌍해"라고요. 이게 동훈을 설명하는 핵심이기도 합니다. 동훈은 양심을 따르면서 늘 손해 보는데, 그렇다고 성인군자는 또 아닙니다. 손해를 보는 게 억울해요. 그게 표정에 잘 드러나죠. 오죽하면 회장이 박동훈을 '좀 억울하게 생긴 사람'이라고 칭하겠어요. (웃음) 드라마 주인공으로서 판타지를 충분히 가지면서도 현실적인 캐릭터, 그게 동훈이라고 생각합니다.

「나의 아저씨」를 연출하며 일종의 다짐이랄까요, 방향성에 대해 고민이 있으셨을 것 같은데요. 특별히 신경 썼던 부분이 있다면 무엇일까요?
작가님이 쓰신 대본은 수정할 게 특별히 없었어요. 사람에 대한 이해가 이토록 깊을 수 있을까 싶었거든요. 작가님 대사는 한 문장으로 떼어놓고 봤을 때 멋진 '명언' 같은 게 아니라, 드라마 속에서 전후 맥락과 함께 봐야 깊은 울림을 느낄 수 있는 '진정한 명대사'인 경우가 많아요. 그 울림을 화면에 잘 담아내고 싶었습니다. 처음에 세웠던 방향은 제가 대본을 읽으며 느꼈던 감정에 공감할 것 같은 사람들

이 정말 좋아하는 드라마로 만들자, 였습니다. 이 대본은 많은 사람이 보도록 만들기 위해 인위적으로 힘주는 순간 망할 것 같았거든요. 그래서 대본을 읽으며 상상했던 연기, 상황, 분위기를 어떻게 만들까 집중했던 것 같아요. 근사한 앵글, 멋진 미장센도 좋은 그림이 될 수 있지만, 저는 사실 좋은 그림에 있어 관건이 바로 연기라고 생각하거든요. 그래서 연기를 잘할 수 있는 배우분들을 모셔 오는 데 최선을 다했어요. 연기가 가장 잘 나올 수 있는 여건을 만들고 싶었습니다.

지안, 동훈 두 주인공은 말이 없잖아요. 대본 쓰기 되게 어려운 캐릭터죠. 소설은 마음의 소리를 다 쓸 수 있지만, 대본은 대사와 행동으로 표현되는 것이 전부이기 때문에 이렇게 말수 없는 캐릭터가 드물어요. 저는 이 비어 있는 공간을 인위적으로 채우지 않으려고 노력했습니다. 예를 들어 OST가 들어가더라도 가장 나중에, 사람들이 음악이 시작된 것을 느끼지 못하다가 나중에서야 깨닫게 되는 그런 흐름을 주려고 노력했습니다. 그게 가장 좋은 OST 포인트라고 생각하거든요. 음악이 들어오는 부분을 사람들이 바로 인지하는 것은 정서적으로 좀 강요하는 느낌일 수 있으니까요.
화면과 소리에 여백을 많이 주려고 노력했고, 대신 지루하거나 처지지 않도록 공간의 소리에 많이 신경 썼어요. 인물들이 대화를 주고받을 때 일상처럼

자연스럽게 움직이면서 대화를 나누도록 동선을 연출하여 덜 지루한 느낌을 주려고 했고요.

좋은 그림의 관건은 연기다, 라고 말씀해주셨는데요. 감독님께서 마주한 좋은 그림 중 기억에 남는 장면이 있다면요?

당연한 얘기지만 「나의 아저씨」를 촬영하는 동안 좋은 연기를 마주한 순간은 셀 수 없을 만큼 많아요. 그중 지금 언뜻 떠오르는 장면만 말해보자면, 4화 건축업자를 찾아간 동훈의 망치 신, 5화 술에 취해 눈길에 미끄러진 동훈이 걱정돼 뛰어가는 지안, 7화 유라가 정희네에서 망가진 게 좋다고 말하는 장면, 처음으로 지안이 웃는 엔딩, 8화 지안이 동훈에게 "파이팅!" 하는 장면, 9화 지안이 아이같이 오열하는 엔딩, 11화 지안이 할머니에게 "나랑 친한 사람 중에도 그런 사람이 있다는 게 좋아서"라고 말하는 장면, 12화 광일이 지안을 찾아가 "확 죽여버릴까, 그냥 내가 죽어버릴까" 하는 장면, 삼안에서 일한 삼 개월이 이십일 년 인생에서 제일 따뜻했다고 말하는 지안, 14화 지안이 공중전화로 동훈에게 전화하는 장면, 동훈이 극장에서 핸드폰에 입을 대고 이지안을 부르는 장면, 15화 지안이 길에서 "잘못했습니다" 열 번 외치는 장면, 컨테이너에서 "아저씨가 정말 행복했으면 했어요" 하고 오열하는 장면….

16화 지안이 할머니 시신 앞에서 오열하는 장면과 이후 장례식 신, 이외 정희네와 요순 집, 후계동 골목의 모든 장면 등등…. 아직도 많이 남았지만 말하기 숨차니 이 정도로 하고, 그래도 굳이 특별히 기억나는 장면 하나를 말하라면, 11화에서 지안이 동훈에게 선물했던 슬리퍼를 되찾아와 버린 후에 골목에서 동훈과 다시 마주치는 장면을 꼽겠어요.

이 나이 먹어서 나 좋아한다고 했다고 자르는
것도 유치하고, 너 자르고 동네에서 우연히
만나면 아는 척 안 하고 지나갈 거 생각하면
벌써부터 소화 안 돼. 너 말고도 내 인생에
껄끄럽고 불편한 인간들 널렸어. 그딴 인간…
더는 못 만들어. 그런 인간들 견디며 사는 내가
불쌍해서… 더는 못 만들어. 그리고! 학교 때
아무 사이 아니었던 애도 어쩌다 걔네 부모님한테
인사하고 몇 마디 나누고 나면, 아무것도 아닌
사이는 아니게 돼. 나는 그래.
나 니네 할머니 장례식에 갈 거고!
너 우리 엄마 장례식에 와. 그니까 털어, 골 부리지
말고. 털어. 나도 너한테 앙금 하나 없이
송 과장, 김 대리한테 하는 것처럼 할 테니까,
너도 그렇게 해. 사람들한테 좀 친절하게 하고!
인간이 인간한테 친절한 거 기본 아니냐?

단지 보는 사람 마음에 가닿는 작품이 되길 바랐습니다.
동훈과 후계동 사람들을 만난 지안처럼 우리 모두가 부디
소중한 사람을 만났으면 좋겠습니다.

뭐 잘났다고 여러 사람 불편하게 퉁퉁거려?
여기 너한테 뭐 죽을죄 지은 사람 있어?
직원들 너한테 따뜻하게 대하지 않은 거 사실이야.
이제 그렇게 안 하게 할 거니까, 너도 잘해.
나 너 계약기간 다 채우고 나가는 거 볼 거고,
딴 데 가서도 일 잘한다는 소리 들을 거야.
그래서 십 년 후든 이십 년 후든, 길거리에서
우연히 너 만나면! 반갑게 아는 척할 거야.
껄끄럽고 불편해서 피하는 게 아니고!
반갑게 아는 척할 거야. …그렇게 하자.
…부탁이다. 그렇게 하자.
(뒤돌아 가려다가, 욱해서 돌아보며) 슬리퍼 다시 사 와!

대본으로 읽었을 때 뭔가 슬픈 신이 아닌데도 동훈
이 지안에게 길게 내뱉는 대사 하나하나가 제 마음
을 울리면서 눈물이 많이 났어요. 인물의 생각이나
행동이 납작하게 그려지지도 않았고, 뭔가를 억지
로 만들려고 하지도 않았고. 담담히 인간 사는 세상
을 그대로 비추는 것 같았달까요. 제가 느낀 이 감정
을 화면에 잘 담아내고 싶었는데 선균 씨가 정말 잘
살려서 표현해줬어요. 세상에 기댈 곳 없는 이 어린
애의 마음을 단순히 기쁘게 받아줄 수도, 내버려둘
수도, 뭐라고 얘기할 수도 없는데 그 와중에 지안은
나라는 사람의 참모습을 알아봐주고…. 이런 복잡

미묘한 상황에서 가장 인간답게, 어른스럽게 대처
하는 동훈의 모습이 화면 속에서도 고스란히 느껴
졌어요. 선균 씨가 연기한 수없이 많은 명장면 가운
데 제가 가장 좋아하는 연기 중 하나입니다.
말 나온 김에 하나만 더 소개해볼게요. 2화 엔딩 장
면인데요. 지안이 박동훈의 돈 봉투를 버리고, 그 덕
에 동훈이 잘릴 위기에서 벗어나요. 그러면서도 지
안은 도준영에게 대가를 요구하며 박동훈을 잘라
주겠다고 말하죠. 이런 상황에 지하철에서 동훈이
지안에게 불쑥 "고맙다"라고 하거든요. 그 말을 들
은 지안의 묘한 표정을 대본에서 이렇게 표현해요.

후욱 지하에서 지상으로 올라오는 열차.

동훈   (불쑥) 고맙다.
지안   !

지친 와중에 아주 엷은 미소가 나오는 지안.
그런 둘의 모습에서 엔딩.

대본을 처음 읽었을 때 '지친 와중에 아주 엷은 미
소가 나오는 지안'이라는 지문을 보고 진짜 연기하
기 어렵겠다고 생각했어요. 엷은 미소. 이런 것이

사실은 선명한 감정보다 훨씬 표현하기 어려우니까요. 게다가 현재 지안이 처한 상황 자체가 굉장히 아이러니하죠. '나는 너 회사에서 잘리도록 하고 돈 받기로 했는데. 내가 뭐 어떤 사람인 줄 알고 고맙다고 하지?' 지안의 마음 안에는 비웃음뿐 아니라 약간의 미안함 그리고 호기심, 자조 등 여러 감정이 섞여 있었을 거예요. 그 와중에 짓는 엷은 미소라니. 수없이 많은 감정이 느껴지되 그 감정이 명확히 드러나지 않아야 하죠. 근데 그 어려운 장면을 이지은 배우가 첫 테이크에 바로 만들어냈어요. 놀라운 순간이었습니다.

이 작품이 평범한 사람들의 인간미와 따뜻함, 현실보다 더 현실 같은 모습들로 시청자의 마음을 만질 수 있겠다고 하셨는데요. 「나의 아저씨」라는 드라마가 감독님의 마음을 움직였던 순간도 있을 것 같아요.
이것도 어느 하나만 딱 집어 얘기할 수 없을 만큼 정말 많은데 많은 분들이 꼽을 법한 명장면들을 제외하고 말씀드린다면, 저는 김 대리를 통해 박동훈이라는 사람을 보여주는 순간이 참 좋았어요. 작가님이 이 사람에 대해 굉장히 깊게 이해하고 계시구나, 생각했던 순간이기도 한데요. 김 대리가 생각하는 박동훈은 참 좋고 배울 점 많은 사람이지만 너무 답답하죠. 그래서 가끔은 자기가 회사에서 썩은 동아줄을 잡은 것 같아요. 이런 속내를 술에 취해 회식 자리에서 여실히 드러내고, 지안에게 뺨을 맞죠. 게다가 박동훈이 나중에 이 이야기를 듣게 되고요. 저는 이런 상황에 대처하는 박동훈이 한 겹이 아닌 인간의 모습을 잘 나타낸다고 생각해요. 동훈은 자신을 험담하는 동료 직원의 얘기를 지안이 들었다는 사실이 초라하고 쪽팔렸을 거예요. 그런데 "니가 거기서 걔를 왜 때려" "사람이 어디 한 겹이야? 나도 어디 가서 누구 욕해" 하며 지안을 혼내요. 또 한편으로는 고마워하고요. 그러더니 김 대리에게는 "잘못했습니다 열 번 해" 하며 나름 적절한 벌을 줘서 뉘우치게 하고는 뒤끝 없이 용서해주죠. 아, 뒤끝은 나중에 살짝 있었나? (웃음) 아무튼, 아주 비현실적이거나 이상적이지는 않으면서 마음을 움직이게 하는 순간이었던 것 같아요. 이런 순간들이 현실보다 현실처럼 느껴졌고요.

마지막으로 인터뷰를 마치며 하시고 싶은 말씀 한마디 부탁드려요.
이 드라마로써 어떤 해답을 내고자 했던 것이 아니었습니다. 단지 보는 사람 마음에 가닿는 작품이 되길 바랐습니다. 동훈과 후계동 사람들을 만난 지안처럼 우리 모두가 부디 소중한 사람을 만났으면 좋겠습니다.

나의 아저씨 1

초판 1쇄 발행 2022년 2월 22일
초판 2쇄 발행 2024년 12월 1일

지은이   박해영
펴낸이   최동혁
디자인   mykc
일러스트   오하이오(Ohio)

펴낸곳   (주)세계사컨텐츠그룹
주소   06168 서울시 강남구 테헤란로 507 WeWork빌딩 8층
이메일   plan@segyesa.co.kr
홈페이지   www.segyesa.co.kr
출판등록   1988년 12월 7일(제406-2004-003호)
인쇄   예림
제본   다인바인텍

ISBN   978-89-338-7176-8
          978-89-338-7175-1(세트)

Segyesa Contents Group